880

für Gesa,
das Gänseblümchen,
mit allerliebstem Gru[ß]

von

Ludwig

im Juni 197[ ]

LUDWIG HARIG

Monsieur Dupont • Madame Dupont • René Dupont • André Dupont • Jean Dupont • Roger Dupont • Suzanne Dupont • Alice Dupont • Fritz Hickel

SPRECHSTUNDEN
für die deutsch-französische Verständigung und die Mitglieder des Gemeinsamen Marktes, ein Familienroman

HANSER

ISBN 3 446 11482 3

Alle Rechte vorbehalten
© 1971 Carl Hanser Verlag, München
Satz: Studio Feldafing
Druck: Poerschke & Weiner, München
Umschlagentwurf: Claus J. Seitz
Printed in Germany

1. LEKTION

Das Buch. Das Heft. Die Bank. Der Stuhl. Der Tisch. Der Schrank. Die Tinte. Das Tintenfaß. Das ist ein Buch. Das ist ein Heft. Das ist eine Bank. Das ist ein Stuhl. Das ist ein Tisch. Das ist ein Schrank. Ist das ein Buch? Ja, das ist ein Buch. Ist das eine Bank? Nein, das ist keine Bank, das ist ein Stuhl. Das Buch ist hier. Das Tintenfaß ist da. Der Schrank ist dort. Dies ist die Tür. Das ist das Fenster. Hier ist der Tisch. Das ist der Stuhl.

Aber was ist damit getan, wenn ich sage: ich sitze auf diesem Stuhl, an diesem Tisch, vor diesem Fenster, neben diesem Schrank, tauche meinen Federhalter in die Tinte und schreibe dieses Buch. Denn ich sitze nicht auf fünf Buchstaben, auch nicht auf den fünf Buchstaben des Wortes Stuhl, das nicht dasselbe ist wie der Stuhl, auf dem ich sitze und dieses Buch schreibe. Das Wort Stuhl hat nämlich keine Beine, wie das Wort Tisch keine Schublade, das Wort Schrank keine Tür, das Wort Fenster keine Scheiben und das Wort Tinte keine schwarze Farbe hat. Ich rücke nicht diesen Stuhl auf seinen Beinen, ziehe nicht die Schublade dieses Tisches heraus, öffne nicht die Tür dieses Schranks, schaue nicht durch die Scheiben dieses Fensters und tauche meinen Federhalter nicht in die schwarze Farbe dieser Tinte. Aber ich drehe und wende die Wörter, die ich benutze.

Wenn ich sagen würde, ich sitze auf diesem Stuhl und schreibe dieses Buch, dann müßte ich ableugnen, daß ich es tue. Wenn ich sagen würde, ich sitze auf diesem Stuhl und leugne dieses Buch ab, dann müßte ich schreiben, daß ich es tue. Wenn ich sagen würde, ich schreibe auf diesem Stuhl und sitze dieses Buch ab, dann müßte ich leugnen, daß ich es tue. Wenn ich sagen würde, ich schreibe auf diesem Stuhl und leugne dieses Buch, dann müßte ich absitzen, daß ich es tue. Wenn ich sagen würde, ich leugne auf diesem Stuhl und sitze dieses Buch ab, dann müßte ich schreiben, daß ich es tue. Wenn ich sagen würde, ich leugne auf diesem Stuhl und schreibe dieses Buch, dann müßte ich absitzen, daß ich es tue. Wenn ich sitzen würde, ich sage auf diesem Stuhl und schreibe dieses Buch, dann müßte ich ableugnen, daß ich es tue. Wenn ich sitzen würde, ich sage auf diesem Stuhl und leugne dieses Buch ab, dann müßte ich schreiben, daß ich es tue. Wenn ich sitzen würde, ich schreibe auf diesem Stuhl und sage dieses Buch, dann müßte ich ableugnen, daß ich es tue. Wenn ich sitzen würde, ich schreibe auf diesem Stuhl und leugne dieses Buch ab, dann müßte ich sagen, daß ich es tue. Wenn ich sitzen würde, ich leugne auf diesem Stuhl und sage dieses Buch ab, dann müßte ich schreiben, daß ich es tue. Wenn ich sitzen würde, ich leugne auf diesem Stuhl und schreibe dieses Buch, dann müßte ich absagen, daß ich es tue.

Wo ist die Tinte? Die Tinte ist im Tintenfaß. Wo ist das Tintenfaß? Das Tintenfaß ist im Schrank. Wo ist der Schrank? Der Schrank ist im Zimmer. Wo ist das Zimmer? Das Zimmer ist im Haus. Wo ist das Haus? Das Haus ist im Garten. Wo ist der Garten? Der Garten ist in Chaville. Wo ist Chaville? Chaville ist in Frankreich.

Wenn ich schreiben würde, ich sage auf diesem Stuhl und sitze dieses Buch ab, dann müßte ich leugnen, daß ich es tue. Wenn ich schreiben würde, ich sage auf diesem Stuhl und leugne dieses Buch, dann müßte ich absitzen, daß ich es tue. Wenn ich schreiben würde, ich sitze auf diesem Stuhl und sage dieses Buch ab, dann müßte ich leugnen, daß ich es tue. Wenn ich schreiben würde, ich sitze auf diesem Stuhl und leugne dieses Buch, dann müßte ich absagen, daß ich es tue. Wenn ich schreiben würde, ich leugne auf diesem Stuhl und sage dieses Buch, dann müßte ich absitzen, daß ich es tue. Wenn ich schreiben würde, ich leugne auf diesem Stuhl und sitze dieses Buch ab, dann müßte ich sagen, daß ich es tue. Wenn ich leugnen würde, ich sage auf diesem Stuhl und sitze dieses Buch ab, dann müßte ich schreiben, daß ich es tue. Wenn ich leugnen würde, ich sage auf diesem Stuhl und schreibe dieses Buch, dann müßte ich absitzen, daß ich es tue. Wenn ich leugnen würde, ich sitze auf diesem Stuhl und sage dieses Buch ab, dann müßte ich schreiben, daß ich es tue. Wenn ich leugnen würde, ich sitze auf diesem Stuhl und schreibe dieses Buch, dann müßte ich absagen, daß ich es tue. Wenn ich leugnen würde, ich schreibe auf diesem Stuhl und sage dieses Buch, dann müßte ich absitzen, daß ich es tue. Wenn ich leugnen würde, ich schreibe auf diesem Stuhl und sitze dieses Buch ab, dann müßte ich sagen, daß ich es tue.

Nun denn. Monsieur Dupont. Das ist Madame Dupont. Ist das René Dupont? André Dupont ist hier. Jean Dupont ist da. Roger Dupont ist dort. Dies ist Suzanne Dupont. Das ist Alice Dupont. Hier ist Fritz Hickel. Da ist das Herz As. Monsieur Dupont, René Dupont, André Dupont und Jean Dupont spielen Karten. Roger und Fritz sind noch zu klein. Madame Dupont kocht das Essen. Suzanne und Alice Dupont helfen Madame Dupont. Familie Dupont, eine französische Sprachlehre. Miß Mary und Perry Rhodan, eine amerikanische Sprachlehre. Hercule Poirot, eine englische Sprachlehre. Pfaffen und Polizisten, eine spanische Sprachlehre. Hans und Grete, eine deutsche Sprachlehre. Familie Dupont, Miß Mary und Perry Rhodan, Hercule Poirot, Pfaffen und Polizisten, Hans und Grete sind Wörter. Es gibt Dingwörter, Eigenschaftswörter, Tätigkeitswörter, Geschlechtswörter, Zahlwörter, Umstandswörter, Verhältniswörter, Bindewörter, Empfindungswörter und Fürwörter Familie Dupont, Miß Mary und Perry Rhodan, Hercule Poirot, Pfaffen und Polizisten, Hans und Grete sind Dingwörter. Pst! denn die zwölf bekannten Dingwörter stehen jetzt vor Ihnen. Es sind Dingwörter wie der Stuhl, der Tisch, das Fenster, der Schrank, der Federhalter, die Tinte und das Buch. Die Wörter für Menschen und die Wörter für Dinge treten in Beziehung zueinander. Die Eigenschaftswörter benennen ihre Eigenschaften, die Tätigkeitswörter ihre Tätigkeiten, die Geschlechtswörter ihre Geschlechter, die Zahlwörter ihre Zahlen, die Umstandswörter ihre Umstände, die Verhältniswörter ihre Verhältnisse, die Bindewörter ihre Bindungen und die Empfindungswörter ihre Empfindungen. Auf Grund der verschiedenen Geschlechter und Eigenschaften gibt es zwischen den Wörtern für Menschen und den Wörtern für Menschen, den Wörtern für Dinge und den Wörtern für Dinge, den Wörtern für Menschen und den Wörtern für Dinge, den Wörtern für Dinge und den Wörtern für Menschen, aber auch zwischen den Wörtern für Menschen und den Menschen selber, den Wörtern für Dinge und den Dingen selber, den Wörtern für Menschen und den Dingen, den Wörtern für Dinge und den Menschen, und nicht zuletzt zwischen den Menschen und Menschen, den Dingen und Dingen, den Menschen und Dingen, den Dingen und Menschen fortwährend Tätigkeiten und Tätlichkeiten, Umstände und Umständlichkeiten, Verhältnisse und Verhältlichkeiten, Bindungen und Verbindlichkeiten, Empfindungen und Empfindlichkeiten. Aber die von den Wörtern getrennten Menschen und Dinge geben sich nicht gern zu erkennen. Dann stehen die Fürwörter für sie ein. In Briefen werden sie für die angeredete Person groß geschrieben.

doch gesprochen geht das eine aus dem andern gleich hervor gekommen ist der laut aus jedem mund gerecht und billig lauschen sie einander ob es nicht vielleicht die schönen töne der sirenen heulen tag und nacht die bomben stimmung ein natürliches geräusch arm selig ihre schiffer lippe wagt nur einen pfiff hinüber gegen diese heftige bewegung kommt in ihn der davon einmal fremd und leise sagen müssen ist gewiß die höchste lust aus tierischer natur verwandelt was ein menschlicher gesang erhob unmenschlich ihre stimme wird von ihm verändert sich und immer weiter geht er und er findet mit den laut gewordnen wörtern aus der vielen menschen zeit ein spiel zu treiben aus dem spiel den ungebundnen zeit vertreib die tiefe für die oberfläche dieses ozeans aus unbegrenzten räumen spricht und redet er

Also wird er sich einer solchen Erzählung bedienen, wie wir kurz vorher gezeigt haben an den homerischen Gedichten, und sein Vortrag wird allerdings teilhaben an beiden, der Darstellung und der eigentlichen Erzählung, jedoch so, daß in einem großen Umfang von Rede nur ein kleiner Teil Darstellung vorkommen wird? Oder ist das nichts gesagt? — Vollkommen so, sprach er, wie eines solchen Redners Art und Weise notwendig sein wird. — Also auch, sprach ich, wer nicht ein solcher ist, wird wiederum, je schlechter er ist, um desto mehr alles erzählen und nichts seiner für unwert halten, so daß er unweigerlich alles im Ernst und vor vielen nachahmen wird, sowohl wovon wir eben sprachen als auch Donner und Geräusch von Sturm und Hagel und von Achsen und Rädern und Töne von Trompeten und Flöten und Pfeifen und allerlei Instrumenten und die Stimme von Hunden und Schafen und Vögeln, und kurz der ganze Vortrag von solchen wird nachahmend sein an Stimme und Gebärden und nur wenig reine Erzählung haben.

Wörter für Menschen und Wörter für Dinge, also Menschwörter und Dingwörter, Eigenschaftswörter, Tätigkeitswörter, Geschlechtswörter, Zahlwörter, Umstandswörter, Verhältniswörter, Bindewörter, Empfindungswörter und Fürwörter sind meine Vorstellungen, von denen ich Gebrauch mache in der Sprache. Ich stelle diese Vorstellungen vor. Die Menschen und Dinge selber, ihre Eigenschaften, Tätigkeiten, Geschlechter, Zahlen, Umstände, Verhältnisse, Bindungen und Empfindungen sind meine Beispiele, von denen ich gleichfalls Gebrauch mache in der Sprache. Ich spiele diese Beispiele bei. So wie ich nun meine Vorstellungen in Beispielen vorstelle, so spiele ich meine Beispiele den Vorstellungen bei, so daß vorgestellte Vorstellungen und beigespielte Beispiele zu vorgestellten Beispielen und beigespielten Vorstellungen werden, womit vorstellend beigespielt und beispielend vorgestellt wird, daß Familie Dupont als französische Sprachlehre, Miß Mary und Perry Rhodan als amerikanische Sprachlehre, Hercule Poirot als englische Sprachlehre, Pfaffen und Polizisten als spanische Sprachlehre sowie Hans und Grete als deutsche Sprachlehre fortwährend von Menschen und Dingen an Wörter und von den Wörtern an Menschen und Dinge denken lassen.

Der Stuhl. Der Tisch. Das Fenster. Der Schrank. Der Federhalter. Die Tinte. Ich sitze auf einem, nicht auf diesem Stuhl, an einem, nicht an diesem Tisch, vor einem, nicht vor diesem Fenster, neben einem, nicht neben diesem Schrank, tauche meinen Federhalter in eine, nicht in diese Tinte. Aber ich schreibe dennoch dieses Buch. Ich schreibe Hans und Grete. Es ist eine deutsche Sprachlehre. Ich gebrauche Wörter der deutschen Sprache, und Hans und Grete sind eine deutsche Sprachlehre. Ich schreibe Pfaffen und Polizisten. Es ist eine spanische Sprachlehre. Aber ich gebrauche Wörter der deutschen Sprache, und Pfaffen und Polizisten sind eine deutsche Sprachlehre. Ich schreibe Hercule Poirot. Es ist eine englische Sprachlehre. Aber ich gebrauche Wörter der deutschen Sprache, und Hercule Poirot ist eine deutsche Sprachlehre. Ich schreibe Miß Mary und Perry Rhodan. Es ist eine amerikanische Sprachlehre. Aber ich gebrauche Wörter der deutschen Sprache, und Miß Mary und Perry Rhodan sind eine deutsche Sprachlehre. Ich schreibe Familie Dupont. Es ist eine französische Sprachlehre. Aber ich gebrauche Wörter der deutschen Sprache, und Familie Dupont ist eine deutsche Sprachlehre.

2. LEKTION

Monsieur Dupont: Ich bin im Haus. Roger, du bist
im Garten. Er ist im Garten. Hier ist Suzanne. Sie ist
im Garten. Das ist ein Baum.

Baumwipfel Blättern Blumen Farnkraut Duft Erde
Wasser Rauch Frühling Tage Nebel Luft Vögel Gesang
Frühlingsfeuer Feldern Erde Luft Freude Sonnen-
scheins/ der des dem den/ die der der die/ die der der
die/ der der dem der/ diesem/ und und und und und
und und und und/ unten/ prachtvoll hoch weiß grün
gelb rot junge hohe klare flaumige schweren freien
warmen jungen kleinen angenehmen blauen feuchtem/
glänzend/ durchnäßten dampfenden längerwerdenden/
erfüllt vermischt/ wuchs aufstieg leuchteten/ war war/
mit aus vom über all über überall von mit auf aus

Aus Wörtern bilde ich eine Sprache und lehre den
rechten Gebrauch. Ich beginne und ende; und diese
Zeit ist die Zeit meiner Sprachlehre. Ich lehre, beginnend und endend innerhalb der Zeit meiner Sprachlehre, mit richtigen Wörtern den rechten Gebrauch für
die deutsch-französische Verständigung und die Mitglieder des Gemeinsamen Marktes; und dieser Raum ist
der Raum meiner Sprachlehre. Ich lehre den rechten
Gebrauch der Sprache in einer Zeit und in einem Raum,
und es entstehen Sprachlehre, Sprachzeit, Sprachraum.
Ich lehre den rechten Gebrauch der Zeit in einer Sprache und in einem Raum, und es entstehen Zeitlehre,
Zeitsprache, Zeitraum. Ich lehre den rechten Gebrauch
des Raumes in einer Sprache und in einer Zeit, und
es entstehen Raumlehre, Raumsprache, Raumzeit. Ich
spreche dabei die richtigen Wörter der Lehre in einer
Zeit und in einem Raum, und es entstehen Lehrsprache,
Lehrzeit, Lehrraum. Ich spreche die richtigen Wörter
der Zeit in einer Lehre und in einem Raum, und es entstehen Zeitsprache, Zeitlehre, Zeitraum. Ich spreche

die richtigen Wörter des Raumes in einer Lehre und in einer Zeit, und es entstehen Raumsprache, Raumlehre, Raumzeit.

Monsieur Dupont: Ich bin im Haus. Alice ist im Haus. Wir sind im Haus. Roger und Jean, ihr seid im Garten. Sie sind im Garten. Madame Dupont und Suzanne sind dort; sie sind im Garten. Fritz Hickel, du bist im Haus. Monsieur Durand: Das ist das Haus von Monsieur Dupont. Das ist der Bleistift von Jean; und das ist die Puppe von Alice. Hier ist eine Schule, die Schule von Chaville, und eine Klasse, eine Schulklasse.

Hier zeitige ich den rechten Gebrauch des Raumes in einer Sprache und in einer Lehre, und es entstehen Raumzeit, Raumsprache, Raumlehre. Ich zeitige den rechten Gebrauch der Sprache in einem Raum und in einer Lehre, und es entstehen Sprachzeit, Sprachraum, Sprachlehre. Ich zeitige den rechten Gebrauch der Lehre in einem Raum und in einer Sprache, und es entstehen Lehrzeit, Lehrraum, Lehrsprache. Aber hier räume ich auch die richtigen Wörter der Zeit in einer Sprache und in einer Lehre, und es entstehen Zeitraum, Zeitsprache, Zeitlehre. Ich räume die richtigen Wörter der Sprache in einer Zeit und in einer Lehre, und es entstehen Sprachraum, Sprachzeit, Sprachlehre. Ich räume die richtigen Wörter der Lehre in einer Zeit und in einer Sprache, und es entstehen Lehrraum, Lehrzeit, Lehrsprache.

Monsieur Durand: Hier ist ein Punkt und ein Ausrufezeichen.

Also nehme ich die richtigen Wörter meiner Sprache zum rechten Gebrauch. Sie heißen Sprachlehre, Zeitlehre, Raumlehre. Sie heißen Sprachzeit, Lehrzeit, Raumzeit. Sie heißen Zeitsprache, Raumsprache, Lehrsprache. Sie heißen Sprachraum, Zeitraum, Lehrraum. Sie sind die richtigen Wörter zum rechten Gebrauch für die Lehre der Sprache, die Lehre der Zeit und die Lehre des Raums, für die Zeit der Sprache, die Zeit der Lehre und die Zeit des Raums, für die Sprache der Zeit, die Sprache des Raums und die Sprache der Lehre, für den Raum der Sprache, den Raum der Zeit und den Raum der Lehre innerhalb der deutsch-französischen Verständigung und des Gemeinsamen Marktes, was bedeutet, daß die Tätigkeiten und Eigenschaften, die Umstände und Verhältnisse, die Zahlen und Bindungen, die Geschlechter und Empfindungen für Sprache und Lehre, für Raum und Zeit richtig benannt und recht gebraucht werden. Es sind dies die Tätigkeiten und Eigenschaften, die Umstände und Verhältnisse, die Zahlen und Bindungen, die Geschlechter und Empfindungen von Lauten, Wörtern und Sätzen, von Aufmerksamkeiten, Übungen und Ohrfeigen, von Linien, Flächen und Körpern, von Sekunden, Minuten und Stunden.

Monsieur Dupont: Bin ich im Garten? Fritz Hickel: Nein, Monsieur, Sie sind nicht im Garten, Sie sind im Haus. Roger: Bist du hier in Straßburg im Elsaß?

Fritz: Nein, ich bin nicht in Straßburg, ich bin in Chaville bei Monsieur Dupont. Madame Dupont: Hier ist ein Teppich. Ist er unter dem Stuhl? Fritz: Ja, Madame, er ist unter dem Stuhl. Suzanne: Und das Buch, ist es unter dem Stuhl? Fritz: Nein, Mademoiselle, es ist auf dem Stuhl. Monsieur Dupont: Ist Roger in der Schule? Fritz: Nein, Monsieur, Roger ist nicht in der Schule, er ist im Haus. Monsieur Dupont: Wo sind Paris, New York und Berlin? Fritz: Paris ist in Frankreich, New York ist in Amerika, Berlin ist in Deutschland.

Sprachlehre	Zeitraum
Zeitraum	Lehrsprache
Lehrsprache	Raumzeit
Raumzeit	Sprachlehre
Sprachlehre	Raumzeit
Raumzeit	Lehrsprache
Lehrsprache	Zeitraum
Zeitraum	Sprachlehre
Sprachzeit	Lehrraum
Lehrraum	Zeitsprache
Zeitsprache	Raumlehre
Raumlehre	Sprachzeit
Sprachzeit	Raumlehre
Raumlehre	Zeitsprache
Zeitsprache	Lehrraum
Lehrraum	Sprachzeit
Sprachraum	Lehrzeit
Lehrzeit	Raumsprache
Raumsprache	Zeitlehre
Zeitlehre	Sprachraum
Sprachraum	Zeitlehre
Zeitlehre	Raumsprache
Raumsprache	Lehrzeit
Lehrzeit	Sprachraum

Familie Dupont, Miß Mary und Perry Rhoden, Hercule Poirot, Pfaffen und Polizisten, auch Hans und Grete, die allesamt deutsche Sprachlehren sowie vorgestellte Beispiele und beigespielte Vorstellungen durch den Gebrauch von Wörtern der deutschen Sprache sind, treten einzeln und gemeinsam auf und wieder ab, beiseite, in den Vordergrund, in den Hintergrund, jemand und niemand sowie allen und keinem zu nahe, für etwas ein, vor und zurück, vor jemanden und alle, in jemandes Fußstapfen, auf die Füße, auf die Hühneraugen, auf den Schlips, ins Fettnäpfchen, in den Dreck, den Dreck, in Erscheinung, auf den Plan, in Aktion und in den Ausstand, in die Schranken, in die Seite, in Beziehung zu jemand und niemand, zu allen und keinem. So sind Familie Dupont, Miß Mary und Perry Rhodan, Hercule Poirot, Pfaffen und Polizisten sowie Hans und Grete nicht nur Vorstellungen und Beispiele, und zwar beigespielte Vorstellungen als Wörter und vorgestellte Beispiele als Menschen und Dinge, sondern auch Vorspiele und Beistellungen. Sie sind Vorspiele für Beispiele und Vorstellungen, und sie sind Beistellungen für Vorstellungen und Beispiele. Als vorgespielte Vorspiele sind sie den Vorstellungen und den Beispielen vorgespielt, und als beigestellte Beistellungen sind sie den Beispielen und Vorstellungen beigestellt. Als Vorspiele vorgespielt bereiten sie das Spiel mit den vorgestellten Wörtern vor, und als Beistellungen bringen sie die Stellungen der beigespielten Menschen und Dinge bei. Familie Dupont, Miß Mary und Perry Rhodan, Hercule Poirot, Pfaffen und Polizisten sowie Hans und Grete eröffnen das Spiel, beginnen das Spiel, spielen das Spiel, machen das Spiel, treiben ein Spiel, treiben ein doppeltes Spiel, durchschauen das Spiel, verfallen dem Spiel, gewinnen das Spiel, verlieren das Spiel, setzen alles aufs Spiel, haben immer ihre Hand im Spiel, haben freien Spielraum, verderben kein Spiel. Familie Dupont, Miß Mary und Perry Rhodan, Hercule Poirot, Pfaffen und Polizisten sowie Hans und Grete spielen das Spiel der Augen, das Spiel der Hände, das Spiel der Muskeln, das Spiel der Mienen, das Spiel des Lebens. Sie spielen mit im Spiel der Natur, im Spiel des Zufalls, im Spiel des Schicksals, im Spiel ohne Grenzen. Auch für sie ist es kein Kinderspiel. Familie Dupont, Miß Mary und Perry Rhodan, Hercule Poirot, Pfaffen und Polizisten sowie Hans und Grete nehmen Stellung, beziehen Stellung, probieren Stellungen aus, bequeme Stellungen, ungezierte Stellungen, ungezwungene Stellungen, zwanglose Stellungen, natürliche Stellungen, nicht nur gebückte, hockende, liegende, kniende, sitzende, nicht nur die 99 bekannten Stellungen, sondern auch gesellschaftliche, soziale, politische, gewerkschaftliche, beamtenrechtliche Stellungen. Und so werden auf diese Weise durch den Gebrauch der Wörter in der Sprache die vorgespielten Vorspiele und die beigestellten Beistellungen zu vorgespielten Beistellungen und beigestellten Vorspielen, je nachdem Familie Dupont, Miß Mary und Perry Rhodan, Hercule Poirot, Pfaffen und Polizisten sowie Hans und Grete als Wörter in den vorgespielten Beistellungen auf Menschen und Dinge, oder als Menschen und Dinge in den beigestellten Vorspielen auf Wörter verweisen. Verweisen sie jedoch als Wörter in den vorgespielten Beistellungen auf Menschen und Dinge, und als Menschen und Dinge in den beigestellten Vorspielen auf Wörter, so sind sie auch Menschen und Dinge in den vorgespielten Beistellungen und Wörter in den beigestellten Vorspielen und verweisen folglich als Menschen und Dinge in den vorgespielten Beistellungen auf Wörter und als Wörter in den beigestellten Vorspielen auf Menschen und Dinge. Familie Dupont, Miß Mary und Perry Rhodan, Hercule Poirot, Pfaffen und Polizisten sowie Hans und Grete bilden und handeln in Sprachlehren, Zeitlehren, Raumlehren. Sie bilden und handeln in Sprachzeiten, Lehrzeiten, Raumzeiten. Sie bilden und handeln in Zeitsprachen, Raumsprachen, Lehrsprachen. Und sie bilden und handeln in Sprachräumen, Zeiträumen, Lehrräumen. Deshalb nehme ich Feder und Papier zur Hand. Damit, mit ihnen als Dinge und als Wörter, schreibe ich dieses Buch. Darin schillern Welt und Wörter in allen Farben. Dabei geht es bunt zu. Davon kann einem schwarz vor Augen werden. Darum tragen manche eine rosarote Brille. Dazu gehört ein goldenes Herz. Dahinter aber liegt die graue Wirklichkeit. Darüber tragen weder die Familie Dupont, noch Miß Mary und Perry Rhodan, noch Hercule Poirot, noch Pfaffen und Polizisten, noch Hans und Grete eine weiße Weste.

Fritz: Hier sind drei Bleistifte, die Bleistifte von Jean. Hier sind drei Federn, die Federn von René. Feder ist die Einzahl von Federn.

Mit einer Feder schreibe ich dieses Buch. Sieh es! Mit dem Mund sage ich es auf. Hör es!

Freilich. — Hast du auch wohl den Bildner der Sinne beachtet, wie er das Vermögen des Sehens und Gesehenwerdens bei weitem am köstlichsten gebildet hat? — Nicht eben, sagte er. — Also betrachte es so. Bedürfen wohl das Gehör und die Stimme noch eines anderen Wesens, damit jenes höre und diese gehört werde, so daß, wenn diese dritte nicht da ist, jenes nicht hören kann und diese nicht gehört werden? — Keines, sagte er. — Und ich glaube, sprach ich, daß auch die meisten andern, um nicht zu sagen alle, dergleichen nichts bedürfen. Oder weißt du einen anzuführen? — Ich keinen, sagte er. — Aber das Gesicht und das Sichtbare, merkst du nicht, daß die eines solchen bedürfen? — Wieso? — Wenn auch in den Augen Gesicht ist, und wer sie hat, versucht es zu gebrauchen, und wenn auch Farbe für sie da ist, so weißt du wohl, wenn nicht ein drittes Wesen hinzukommt, welches eigens hierzu da ist, seiner Natur nach, daß dann das Gesicht doch nichts sehen wird, und die Farben werden unsichtbar bleiben. — Welches ist denn dieses, was du meinst? fragte er. — Was du, sprach ich, das Licht nennst.

la rose

N. Leroux   Mᶫᶫᵉ Delaroche

la cheminée

5. LEKTION

Monsieur Durand: Das Schreibpult von Monsieur Dupont ist gelb. Der Papierkorb ist gelb. Das Buch von Alice ist blau. Das Lineal von Roger ist auch blau. Das Heft von Jean ist rot. Dies ist eine Lampe; sie ist auch rot. Hier ist ein Teppich; er ist rosa. Hier ist eine Rose; sie ist auch rosa. Das Buch von André ist grün. Hier ist ein Blatt; es ist grün. Die Bank ist braun; der Schrank ist braun. André ist brünett. Suzanne ist auch brünett. Jean ist blond. Alice ist blond. Hier ist der kleine Nicolas Leroux; er ist rothaarig. Hier ist Mademoiselle Lucienne Delaroche; sie ist rothaarig. Hier ist der Federhalter von André; er ist violett. Hier ist ein Veilchen; es ist violett. Der Ofen ist grau. Hier ist eine schwarze Tafel. Die Feder von Jean ist schwarz. Der Federhalter von Alice ist weiß. Die Kreide ist auch weiß. Die Papierblätter sind weiß. Wie ist das Margretchen? Fritz: Es ist gelb und weiß.

Wenn ich spreche, muß ich Farbe bekennen. Wenn ich schreibe, muß ich Farbe bekennen. Wenn ich musiziere, muß ich Farbe bekennen. Wer spricht, setzt Laute. Wer schreibt, setzt Wörter. Wer musiziert, setzt Töne. Wenn ich Laute setze, muß ich sprechend Farbe bekennen. Wenn ich Wörter setze, muß ich schreibend Farbe bekennen. Wenn ich Töne setze, muß ich musizierend Farbe bekennen. Wer spricht, muß mit Lauten sprechend Farbe bekennen. Wer schreibt, muß mit Wörtern schreibend Farbe bekennen. Wer musiziert, muß mit Tönen musizierend Farbe bekennen. Auch wenn ich male, muß ich Farbe bekennen. Wer malt, setzt Farben. Wenn ich Farben setze, muß ich malend Farbe bekennen. Wer malt, muß mit Farben malend Farbe bekennen.

Fritz: Blau, Grün und Rot sind Farben.

blauer Montag Gründonnerstag roter Oktober/ Blaumeise Grünfink Rotschwänzchen/ Blaukohl Grünkohl Rotkohl/ Grüne Insel Blaue Grotte Rotes Meer/ blaue

Augen roter Mund an meiner grünen Seite/ rote Lippen rote Rosen roter Wein/ rote Grütze grüne Klöße blauer Dunst/ grün sein blau werden rot sehen/ jemand nicht grün sein jemand blau und rot schlagen/ Rotkäppchen schön Rotraut Schneeweißchen und Rosenrot/ Blaues Kreuz Rotes Kreuz Grünkreuz/ rote Laterne Fahrt ins Blaue Mutter Grün/ Blaue Division Rote Armee am grünen Strand der Spree/ ein roter Kopf mit einem blauen Auge dasselbe in Grün/ Nocturnoblau Capanellerot Deutzschleppergrün/ das Blaue vom Himmel versprechen über den grünen Klee loben rot werden vor Zorn/ blaue Jungs rote Backen auf keinen grünen Zweig/ Grünschnabel Rotlauf Blaubart/ am grünen Tisch kein roter Heller mit einem blauen Auge/ Rothaut Blauer Reiter Grünanlage/ grünes Licht rotes Licht blaue Zone/ grüne Welle Blaulicht Rotkreuzschwester/ rote Erde grünes Holz blaues Wunder/ Rotauge Blaufelchen grüner Hering/ grüner Strahl Abendrot blaue Stunde/ Morgenrot grün und gelb vor Augen blau gemacht/ Grünes Gewölbe roter Faden blauer Fleck/ rotes Tuch grünes Trikot Blaues Band/ rote Tinte blauer Brief grün und blau geschlagen/ blaue Lippen rote Nase grün hinter den Ohren/ grüne Erbsen rote Rüben blaue Bohnen/ Grüner Plan blaue Lappen Rothschild/ rot wie eine Tomate grün wie Klee blau wie ein Veilchen/ blauer Heinrich roter Rudi grüner Junge/ heute rot morgen tot ach du grüne Neune/ blaues Blut blaue Blume Heinrich von Ofterdingen

Monsieur Durand: Wer ist im Garten? Fritz: Es ist André. Monsieur Durand: Was ist hier grün? Fritz: Das Buch von André und das Blatt sind grün. Die Rose, das Veilchen, das Margretchen sind Blumen.

und und und/ alle/ der die des/ ein einem ein/ sie sie sie/ sich ihres ihrem/ Gebilde Körper Masse Fleisches Gesicht Ritzen Augen Lidern Feuer Satinmorgenkleid Miß Mary Ecken Stuhles Lehnstuhl Ärmel/ schläfrigen graublauen leeren ausbreitenden freundlichen weichen schweren breiten weichen weiches hübsches gutaussehendes regelmäßiges schwarzes monströse große hilflos sanft schwer dick/ saß trug saß/ ausgefüllt/ hatte waren waren/ in dort von stets mit ganz von beim

Monsieur Durand: Welches Ding ist auf dem Tisch? Fritz: Es ist eine Lampe. Roger: Welches ist die Farbe der Decke? Fritz: Die Decke ist weiß. Jean: Welche Dinge sind hier braun? Fritz: Die Schokolade, der Schrank und die Bank sind braun.

Die, die an Bänken und Schränken, an Kuchen und Schokolade, an Rosen und Veilchen Farbe bekennen, sind Anstreicher, Feinbäcker und der liebe Gott. Wenn Anstreicher, Feinbäcker und der liebe Gott Farbe bekennend an Möbeln, Backwaren und Blumen handeln, dann handeln sie mit Farben an Möbeln, Backwaren und Blumen, aber das Ergebnis ihres Tuns ist nicht Malerei, sondern Anstrich und Färberei. So kann (auf Grund des geringeren Ansehens) weder ein Anstreicher noch ein Feinbäcker noch gar der liebe Gott für sich in Anspruch nehmen, ein Künstler zu sein; und die Behauptung etwa, der Herbst sei ein Maler, eine Behauptung, die unverständlicherweise auf den Anschauungsunterricht der Schule zurückgeht, in dem meines Wissens durch das Auge eines die Dinge des Herbstes anschauenden Kindes nie die Person eines malenden Herbstes wahrgenommen wurde, ist eine Herausforderung an jeden, der die Malerei als bewußte Tätigkeit gegen Anstrich und Färberei betreibt. Maler malen, Streicher streichen, Färber färben. Folglich gibt es malende Maler, streichende Streicher und färbende Färber. Obwohl aber der in Frankreich lebende italienische Friseur Antonio und der liebe Gott zu den färbenden Färbern, Adolf Hitler und mein leiblicher Vater zu den streichenden Streichern sowie mein Freund Hans und der ebenfalls in Frankreich lebende Spanier Picasso zu den malenden Malern zu zählen sind, gibt es (auf Grund des höheren und geringeren Ansehens) ständige und fortwährende Kompetenzkonflikte zwischen den Farbe benutzenden und Farbe bekennenden Vätern, Freunden und Heroen. Während Adolf Hitlers und meines leiblichen Vaters geringeres Ansehen als Streicher von dem außerhalb der Streicherei liegenden Ansehen meines leiblichen Vaters, Antonios und des lieben Gottes geringeres Ansehen als Färber von dem außerhalb der Färberei liegenden Ansehen Antonios aufgewertet sind, genießen mein Freund Hans und Picasso (auf Grund des höheren Ansehens als Maler) ungeteilten Respekt. Infolgedessen bereiten Färber und Streicher unverdrossen und immer wieder ihren Aufstieg zum höheren Ansehen der Malerei und zu himmlischer oder leiblicher Vaterschaft vor. Dieser Aufstieg zum höheren Ansehen der Malerei aber erfährt seinen Rückschlag durch zweifelhafte Vorlieben für Farben. Denn des lieben Gottes Vorliebe für Grün, Antonios Vorliebe für blond, meines leiblichen Vaters Vorliebe für feldgrau und Adolf Hitlers Vorliebe für braun sind Vorlieben, die nicht die Farbigkeit der Farben der Malerei, sondern die Buntheit der Farben des Anstrichs und der Färberei betreffen. Die grüne Tracht des deutschen Waldes, die blonde Tracht des reinen Blutes, die feldgraue Tracht der Treue und die braune Tracht der Ehre sind nicht die gemalten farbigen, sondern die gefärbten bunten Trachten.

Schiller: Tragen muß der Mensch, was ihm die Götter senden. Plautus: Das Hemd ist mir näher als der Rock. Rilke: Meine gute Mutter, seid ohne Sorge, ich trage die Fahne!

André: Welches sind die Farben der Fahne Frankreichs? Fritz: Die französische Fahne ist blau, weiß, rot. Sie besteht aus drei Farben; sie ist dreifarbig. Roger: Die amerikanische Fahne ist rot, weiß und blau; sie hat die drei Farben der französischen Fahne. Sie ist auch dreifarbig.

Einer der spricht und Laute setzt und also sprechend mit Lauten Farbe bekennt aber die Farbe wechselt, und einer der schreibt und Wörter setzt und also schreibend mit Wörtern Farbe bekennt, aber die Farbe wechselt, und einer der musiziert und Töne setzt und also musizierend mit Tönen Farbe bekennt aber die Farbe wechselt, und einer der malt und Farben setzt und also malend mit Farben Farbe bekennt aber die Farbe wechselt, ist ein Schönfärber.

General de Gaulle: Es lebe General Eisenhower! Es lebe der Präsident der Vereinigten Staaten! Es lebe Amerika, steter Freund und Verbündeter Frankreichs!/ Ich erhebe mein Glas und trinke auf das Wohl Präsident Chruschtschows, der Regierung der Sowjetunion, des heutigen Rußlands und des ewigen Rußlands!/ Ich erhebe mein Glas zu Ehren von Herrn John F. Kennedy, Präsident der Vereinigten Staaten von Amerika, zu Ehren von Madame Kennedy und zu Ehren der Vereinigten Staaten, deren überzeugter und entschlossener Freund und Verbündeter Frankreich war, ist und immer bleiben wird!/ Ich erhebe mein Glas zu Ehren des Herrn Präsidenten Podgorny, des Präsidenten des Präsidiums des Obersten Sowjets, zu Ehren der Regierung der Sowjetunion, zu Ehren Rußlands, von dem Frankreich glaubt, sich enger denn je für das große Friedenswerk zusammenschließen zu sollen./ Indem ich Sie bitte, sehr geehrter Herr Botschafter, seiner Exzellenz, dem Präsidenten Lyndon Johnson, Präsident der Vereinigten Staaten, meine besten Grüße und den Ausdruck meiner Hochachtung zu übermitteln, erhebe ich mein Glas zu Ihrer Ehre, zu Ehren von Madame Bohlen und zu Ehren der französisch-amerikanischen Freundschaft!/ Es lebe die Sowjetunion! Es lebe die Freundschaft zwischen Rußland und Frankreich!

7. LEKTION

Er hat das Zeug dazu. Er hat etwas auf dem Kasten. Er hat die Gnade. Er hats faustdick, er hats in der Mache, er hats nötig gehabt. Er hatte die Nase, er hatte die Schnauze, er hatte den Kanal voll. Er hats hinter sich. Das hat zur Folge daß. Das hat Bezug auf. Das hat Bewandtnis mit. Jetzt haben sies wie gehabt. Ihn auf dem Kieker, ihn auf dem Strich, ihn auf der Latte. Einen Pik auf ihn. Durch die Bank, durch und durch, ganz und gar, samt und sonders, über und über, voll und ganz, in Grund und Boden, ratzebutz. Von A bis Z, von Kopf bis Fuß, von oben bis unten, vom Scheitel bis zur Sohle. Mit Haut und Haaren, mit Schuh und Strümpfen, mit Leib und Seele, mit Sack und Pack, mit Pauken und Trompeten, mit Stumpf und Stiel. Bis über die Ohren, bis aufs Hemd, bis auf die Haut, bis auf die Knochen, bis aufs Blut, bis zur Neige, bis zum Tod. Denn Leben besteht im Haben. Besitz besteht im Mehrhaben. Reichtum besteht im Vielhaben. Wer hat, der hat. Wer lang hat, der läßt lang hängen. Alle haben etwas. Jeder hat das, was ihm gebührt. Jeder hat das Seine. Der eine hat einen Gickel. Der andere hat eine hohe Meinung. Der eine hat einen Eindruck. Der andere hat Anspruch. Der eine hat Grund, Anlaß, Veranlassung. Der andere hat etwas dagegen. Er will nichts damit zu tun haben. Jener kann diesen gernhaben. Dieser hat jenen gefressen. Denn so besteht Leben im Haben. Aber wer Leben hat, der ist auch. Und wer ist, der hat Leben. Wer hat, der ist. Und wer ist, der hat. Wer lebendig ist, der hat Leben. Und wer Leben hat, der ist lebendig, hungrig, durstig und lustig. Er hat Hunger. Er hat Durst. Er hat Lust. Er hat ein reines Herz. Wer hat dich, du schöner Wald? Wer hat diese letzte Rose? Wer hat die schönsten Schäfchen?

Monsieur Durand: Ich habe einen Hut. Fritz, du hast eine Mütze. Hier ist Jean, er hat auch eine Mütze. Hier ist Alice, sie hat einen Hut. Fritz, du hast schwarze Schuhe; ich habe auch schwarze Schuhe; wir haben schwarze Schuhe. Roger und Jean, ihr habt Schuhe. Jean hat ein Paar Schuhe. Roger hat auch ein Paar Schuhe; sie haben Schuhe. Mademoiselle Suzanne und Alice haben Mäntel; sie haben Mäntel.

durchwirkt aufgeputzt geschmückt trug kam standen war/ perlenbestickten angenehmen farbigen seidenen breiten wunderlichen neuen neuen schwarzen steifen hellen grellen verzierten rostroten schwarzen glänzenden dunklen/ blaßgelben verhärmten/ unbeholfener dünner hagerer/ neue/ Federboa Sommersonne Tuchschürze Mieder Körper Borten Handschuhe Mißklang Vogel Strohhut Hals Gesicht Sommersonntagnachmittag/ Bändern Kleidern/ leuchtend/ in jetzt an sehr von mit um obschon mit in zu/ eine einer/ einem einem einem/ der der den/ ihrem ihren diesem/ sie sie/ ihr ihr/ und und und und

Monsieur Durand: Habe ich einen Hut oder eine Mütze? Fritz: Monsieur, Sie haben einen Hut. Monsieur Durand: Hast du einen Federhalter? Fritz: Nein, Monsieur, ich habe keinen Federhalter, ich habe einen Bleistift. Monsieur Durand: Hat er einen Federhalter oder einen Bleistift? Roger: Er hat einen Bleistift. Monsieur Durand: Hat sie einen großen Hut oder einen kleinen Hut? Fritz: Sie hat einen kleinen Hut.

Die, die das eine haben, haben etwas, was man haben kann als Besitz wie ein Stück Brot oder einen Schluck Wasser oder einen sanften Schlaf am Abend; die, die das eine nicht haben, haben nichts, was man haben kann als Besitz wie dieses Stück Brot oder diesen Schluck Wasser oder diesen sanften Schlaf am Abend; die, die das eine haben, haben nichts, was man haben kann als Verlangen wie Hunger nach Brot oder Durst nach Wasser oder Lust nach Schlaf; die, die das eine nicht haben, haben etwas, was man haben kann als Verlangen wie diesen Hunger nach Brot oder diesen Durst nach Wasser oder diese Lust nach Schlaf; die, die das andere haben, haben nichts, was man haben kann als Besitz wie ein Stück Brot oder einen Schluck Wasser oder einen sanften Schlaf am Abend; die, die das andere nicht haben, haben etwas, was man haben kann als Besitz wie dieses Stück Brot oder diesen Schluck Wasser oder diesen sanften Schlaf am Abend; die, die das andere haben, haben etwas, was man haben kann als Verlangen wie Hunger nach Brot oder Durst nach Wasser oder Lust nach Schlaf; die, die das andere nicht haben, haben nichts, was man haben kann als Verlangen wie diesen Hunger nach Brot oder diesen Durst nach Wasser oder diese Lust nach Schlaf; die, die das eine und das andere haben, haben etwas, was man haben kann als Besitz und Verlangen; die, die das eine und das andere nicht haben, haben nichts, was man haben kann als diesen Besitz und dieses Verlangen; die aber, die das eine und das andere haben, haben nichts, was man haben kann als Gewißheit wie eine Religion oder eine Weltanschauung oder einen schönen Tod; und die, die das eine und das andere nicht haben, haben etwas, was man haben kann als diese Religion oder diese Weltanschauung oder diesen schönen Tod. So gibt es also solche, die etwas haben, indem sie das eine haben und das andere nicht haben; und solche, die nichts haben, indem sie das eine haben und das andere nicht haben; und solche, die etwas haben, indem sie das eine nicht haben und das andere haben; und solche, die nichts haben, indem sie das eine nicht haben und das andere haben; und solche, die etwas und nichts haben, indem sie das eine haben und das andere nicht haben; und solche, die nichts haben und etwas haben, indem sie das eine haben und das andere nicht haben; und solche, die etwas haben und nichts haben, indem sie das eine nicht haben und das andere haben; und solche, die nichts haben und etwas haben, indem sie das eine nicht haben und das andere haben. So wird dieses Stück Brot, dieser Schluck Wasser, dieser sanfte Schlaf am Abend als Besitz zu diesem Hunger nach Brot, diesem Durst nach Wasser, dieser Lust nach Schlaf als Verlangen, und dieser Hunger nach Brot, dieser Durst nach Wasser, diese Lust nach Schlaf als Verlangen wird zu diesem Hunger nach dem Brot der Gerechtigkeit, diesem Durst nach dem Wasser der Wahrheit, dieser Lust nach dem Schlaf der Ewigkeit als Gewißheit, und dieser Hunger nach dem Brot der Gerechtigkeit, dieser Durst nach dem Wasser der Wahrheit, diese Lust nach dem Schlaf der Ewigkeit wird zur Religion und zur Weltanschauung und zu einem schönen Tod. Und der, der einmal etwas gehabt hat wie dieses Stück Brot, wie diesen Schluck Wasser, wie diesen sanften Schlaf am Abend, hat jetzt nichts mehr als eine Religion, eine Weltanschauung und einen schönen Tod.

Kierkegaard: Als Adam im Paradies lebte, da hieß es: bete; als er ausgetrieben wurde, da hieß es: arbeite; als Christus erschien, da hieß es: bete und arbeite. Paulus: So jemand nicht will arbeiten, der soll auch nicht essen. Ludwig Klages: Kennt der Krake den Bau des Krebses, von dem er mit seinen Saugnäpfen die am wenigsten geschützte Hinterseite zum Munde führt? Schopenhauer: Ist dies nicht ein Beweis, daß unser innerstes Wesen blinder Wille zum Leben ist?

Roger: Die Schokolade ist gut; der Apfel ist gut. Jean: Das Stück Kreide ist schlecht. Roger: Eins, zwei, drei, vier, fünf, sechs, sieben, acht, neun, zehn, elf, zwölf, dreizehn, vierzehn, fünfzehn, sechzehn, siebzehn, achtzehn, neunzehn, zwanzig. Eins, zwei, drei, vier, fünf, sechs sind Zahlen oder Ziffern. Monsieur Durand: Fritz und Roger, wieviel Federhalter habt ihr? Fritz: Monsieur, ich habe neunzehn Federhalter; ich habe viele Federhalter. Roger: Monsieur, ich habe drei Federhalter; ich habe wenig Federhalter. (Monsieur Durand ist allein in der Klasse; kein Schüler ist da. Niemand ist bei Monsieur Durand.) Jean: Fritz ist nicht allein im Zimmer; jemand ist bei Fritz, das ist Roger. Roger: Hast du fünf Hefte? Fritz: Nein, ich habe nur drei Hefte. Roger: Hast du drei Bücher? Fritz: Nein, ich habe nur zwei Bücher.

Ich habe Feder und Papier und schreibe es auf. Ich schreibe von denen, die das eine haben und von denen, die das andere haben; von denen, die das andere haben und von denen, die das eine haben; von denen, die das eine nicht haben und von denen, die das andere nicht haben; von denen, die das andere nicht haben und von denen, die das eine nicht haben. Ich schreibe von denen, die haben und von denen, die nicht haben. Ich schreibe vom Haben und vom Nichthaben. Von Habsucht und von Habseligkeit. Von Habgierigen und von Habenichtsen.

So ist es immer gewesen, und so soll es auch bleiben, sagt ein einfacher Mann. Er hat Hunger, er hat Durst, er hat Lust. Er hat sein Stück Brot, er hat seinen Schluck Wasser, und er hat seinen sanften Schlaf am Abend. Er hat Gerechtigkeit, er hat Wahrheit, er hat Ewigkeit. Er hat eine Religion, er hat eine Weltanschauung, er hat einen schönen Tod. Er tut, was er kann, und er kann, was er tut. Er achtet, und er respektiert. Er vertraut, und er gehorcht. Er hat Achtung, und er hat Respekt. Er hat Vertrauen, und er hat Gehorsam. Achtung und Respekt, Vertrauen und Gehorsam sind blind. Er kann, was er tut, und er tut, was er kann. Er ist fleißig, und er ist ausdauernd. Er ist strebsam, und er ist bürgersinnig. Er hat Fleiß, und er hat Ausdauer. Er hat Strebsamkeit, und er hat Bürgersinn. Fleiß und Ausdauer, Strebsamkeit und Bürgersinn sind groß. Er hält hoch, was er soll, und er hält fest, was er hat. Er hat eine Sollseite, und er hat eine Habenseite. Mehr will er nicht haben.

Gustav Freytag: Schmücke dich, du altes Patrizierhaus, freue dich, sorgliche Tante, tanzet, ihr fleißigen Hausgeister im dämmerigen Flur, schlage Purzelbäume auf deinen Schreibtisch, du lustiger Gips! Das alte Buch seines Lebens ist zu Ende, und in euerem Geheimbuch, ihr guten Geister des Hauses, wird fortan „mit Gott" verzeichnet: sein neues Soll und Haben. Friedrich Rückert: Es soll uns zeigen, was wir haben und was erst haben wollen. Julian Schmidt: Der Roman soll das deutsche Volk da suchen, wo es in seiner Tüchtigkeit zu finden ist, nämlich bei seiner Arbeit.

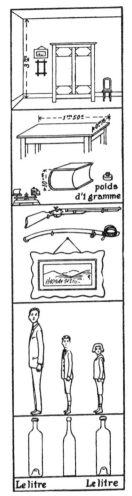

9. LEKTION

Rainer Maria Rilke: Rose, oh reiner Widerspruch!

Dagegen sagt die Metamathematik: Syntaktischer Widerspruchsfreiheit und syntaktischer Vollständigkeit eines Kodifikats steht zu möglichen Deutungen von Kalkülen die Semantik des Kalküls gegenüber. Ist ein Kalkül ein Kodifikat eines inhaltlich gegebenen Gebietes, so stehen Syntax und Semantik in einem solchen Zusammenhang, daß im Rahmen der Aussagenlogik Deutungen in einer Welt von Sachverhalten gemacht werden können. Hilbert konnte schließen: Ist die Theorie der reellen Zahlen widerspruchsfrei, so ist es auch die axiomatische euklidische Geometrie. Man kann sich aber von der Existenz irrationaler reeller Zahlen überzeugen, indem man zeigt, daß im Körper reeller Zahlen aus jeder positiven rationalen Zahl die Quadratwurzel gezogen werden kann. Da wir jedoch gesehen haben, daß dies im Körper der rationalen Zahlen schon für die 2 nicht geht, folgt daraus die Existenz der irrationalen Zahlen. Die spezielle Erkenntnis, daß 2 das Quadrat keiner rationalen Zahl ist, geht auf die Griechen zurück und wurde von ihnen geometrisch so formuliert (wobei der Satz des Pythagoras benutzt ist), daß die Diagonale des Einheitsquadrates eine irrationale Zahl ist. Frage: Schafft nun die irrationale Zahl das spezielle Bild der Welt? Oder schafft die irrationale Zahl die spezielle Welt des Bildes? Oder schafft das irrationale Bild die spezielle Zahl der Welt? Oder schafft das irrationale Bild die spezielle Welt der Zahl? Oder schafft die irrationale Welt die spezielle Zahl des Bildes? Oder schafft die irrationale Welt das spezielle Bild der Zahl?

hunderteins hundertelf zweihundert zweihundertneunzehn fünfhundert fünfhundertsechsundsiebzig tausend zweitausend achtzehntausendneunhundertzweiundfünfzig hunderttausend sechshundertfünfundzwanzigtausenddreihundertvierundachtzig eine Million sechs Millionen eine Milliarde fünf Milliarden

Monsieur Durand: Was ist das Doppelte von vier? Roger: Das Doppelte von vier ist

23

acht. Monsieur Durand: Was ist das Doppelte von acht? Roger: Das Doppelte von acht ist sechzehn. Monsieur Durand: Was ist die Hälfte von zwanzig? Roger: Die Hälfte von zwanzig ist zehn. Monsieur Durand: Was ist ein Drittel von zwölf? Roger: Ein Drittel von zwölf ist vier. Monsieur Durand: Was ist ein Viertel von vierzig? Roger: Ein Viertel von vierzig ist zehn. Monsieur Durand: Was ist ein Fünftel von fünfundzwanzig? Roger: Das ist fünf.

Die Transitionsdaten! Wo sind wir? Irgendetwas ist schiefgegangen! Da! Schau dir die Zahl an! Wahnsinn! Möchte nur wissen, wer an unserer Programmierung gedreht hat! Gucky! Gucky war es! Gucky, du hast die Daten verstellt, ja? Und hattest mir versprochen, auf dem Schiff keinen Unsinn anzustellen! Nicht böse sein, Perry! Ich konnte nicht widerstehen! Aber ich werde nicht wieder spielen! Dein Glück, daß man dir einfach nicht böse sein kann! Crest, weißt du, wo wir sind? Hm, glaube schon. Aber ich werde mich noch mal vergewissern. Ja, dieses System ist ein Teil des arkonidischen Imperiums. Der bewohnbare Planet heißt Tuglan, seine Bewohner Tuglanten. Sie sehen uns ähnlich, haben aber eine rötlichblaue Haut und violett schimmerndes Haar. Der Planet wird von einem Lord regiert, und als Abgesandter Arkons fungiert ein hoher Kommissar. (Inzwischen, im Palast von Tugla, der Hauptstadt Tuglans): Lange genug haben wir die Bevormundung dieser dekadenten Arkoniden ertragen. Gibt es einen Grund dafür, daß wir noch länger als Kolonie ihres Imperiums gelten sollen? Gibt es einen Grund dagegen? Wir wollen frei sein! Frei von Arkon! Frei? Aber wir sind doch frei. Sicher, wir sind ein Teil ihres Imperiums, aber uns entstehen doch keine Nachteile dadurch. Es geht um nationale Ideale! Wir sind stark und mächtig. Warum sollten wir uns unterwerfen? Bruder, warum erzählst du mir das alles? Du weißt doch, daß ich anderer Meinung bin. Ich habe keinen Sohn, Bruder. Und du wirst einmal mein Nachfolger sein. Ich will, daß du dann weise regierst. Sie kommen spät. Ich wollte schon Schluß machen. Schluß machen? Passen Sie auf, daß man nicht mit Ihnen Schluß macht! Was soll das heißen? Daß es Leute gibt, die nach Ihrem Leben trachten. Wer mich angreift, greift auch das Imperium an. Wer an so etwas denkt, denkt auch an den Untergang von Tuglan. Kann jemand so dumm sein? Ja, allerdings. Wer? Der große Lord von Tuglan persönlich. (Inzwischen schwebt die arkonidische Hyperfunkanlage in Tugla in höchster Gefahr. Noch ahnen die drei arkonidischen Roboter nicht, was ihnen droht. Doch dann orten sie fremde Materie): Jemand ist im Garten! Ja, es sind zwei Tuglanten. Ob wir es schaffen? Wir müssen! Lord Alban hat befohlen, die Funkstation in die Luft zu jagen. Aber wie bringen wir die Bombe in die Station hinein? Die beiden Eindringlinge planen keinen Höflichkeitsbesuch! Ja, sie sind eingedrungen. Bei Nacht und heimlich! Herein mit ihnen! Dann werden wir wissen, was sie wollen. Ich werde gehen und sie holen. Wir kommen! Hereinkommen? Was wollt ihr? Stell die Bombe auf fünf Minuten ein! Genau! Gehen wir! Was wollt ihr? Euch warnen. Verschwörer wollen die Station zerstören. Er lügt und spricht doch die Wahrheit! Wir müssen jetzt gehen! Warum so eilig? Wir müssen verschwinden! Schnell! Los, erschießt die beiden! Aaah! Aaah! (In der Zwischenzeit bereiten sich Perry Rhodan und Bully auf die Landung vor): Verkleiden wir uns als Arkoniden. Rote Haftschalen und eine weiße Perücke werden genügen. Dann müssen uns die Tuglanten für eine arkonidische Prüfungskommission halten! Und genau das beabsichtige ich! (Minuten später setzt die Stardust auf und Rhodan und Bully, als Arkoniden verkleidet, werden von Lord Alban und seinen Begleitern herzlich begrüßt). Es soll Leute auf diesem Planeten geben, die sich gegen das arkonidische Imperium stellen. Ja. Und ich habe auch einen bestimmten Verdacht. In einigen Tagen werde ich Ihnen die Beweise liefern. (Einige Stunden später in Lord Albans Dienstzimmer).

Monsieur Durand: Welches ist die Höhe des Zimmers? Fritz: Das Zimmer hat drei Meter Höhe.

Du hast die Hyperfunktion in die Luft sprengen lassen, Bruder! Ich? Warst nicht du der Drahtzieher? Was soll der Unfug? Du hast die Station gesprengt, weil du schon jetzt Lord werden willst. Fein ausgedacht, Bruder! Mein eigener Bruder fällt mir in den Rücken. (Der verzweifelte Daros fährt dem Wald entgegen. Aber als er später zurückfährt, jubeln ihm Tausende zu:) Es lebe Daros! Nieder mit Lord Alban! Was ist geschehen? Nieder, nieder mit Alban! Nieder mit Arkon! Nun, Lord, haben Sie Beweise? Allerdings! Und mein eigener Bruder ist der Verräter! Ihr Bruder? Ich soll der Verschwörer sein? Die Beweise, Lord! Ich werde Ihnen die Schuld meines Bruders durch einen Film beweisen.

Monsieur Durand: Welches sind die Länge und die Breite des Bildes? Fritz: Das Bild hat 1 m 50 Länge und 75 cm Breite. Monsieur Durand: Welches ist die Dicke des Buches? Fritz: Das Buch hat 10 cm Dicke. Das Gewicht des Buches ist 1500 Gramm oder eineinhalb Kilogramm. Monsieur Durand: Monsieur Dupont hat ein Gewehr und einen Säbel. Der Säbel ist über dem Bild. Das Bild ist unter dem Säbel.

Das Bild ist ein Weltbild. Es ist das Bild einer Welt, über dem eine Waffe angebracht ist. Es ist aber auch das Bild einer Welt, über der eine Waffe angebracht ist. Die Waffe, die sowohl über dem Bild als auch über der Welt, die das Bild darstellt, angebracht ist, übt eine Wirkung auf das Bild und auf die Welt dieses Bildes aus, wie umgekehrt das Bild und die Welt des Bildes ihrerseits ihre Wirkung auf die Waffe nicht verfehlen. Dieses Bild und die Welt dieses Bildes sind zweierlei, und diese beiden zusammengenommen bleiben dieses Bild und diese Welt dieses Bildes und ergeben zusammen nichts drittes. Das Bild dieser Welt ist gleich dem Bild

dieser Welt wie zwei und zwei gleich zwei und zwei oder wie eine Rose, die eine
Rose ist, gleich einer Rose, die eine Rose ist, ist. Aber es gibt nicht nur das Bild
dieser Welt, sondern auch die Welt dieses Bildes. Das Bild, das diese Welt darstellt,
ist ein Weltbild mit Rahmen und Scheibe, mit einem Passepartout, mit Klammern
und Haken und mit einem Aufhänger. Die Welt, die dieses Bild darstellt, ist eine
Bildwelt mit Pflanzen und Tieren, mit Menschen, mit Maschinen und Robotern
und gleichfalls mit einem Aufhänger. Während aber der Aufhänger für dieses Bild
ein Stück zum Kreise gebogenes Metall mit einem Gewinde ist, ist der Aufhänger
für diese Welt der blinde Urwille von Schopenhauer und der dunkle Drang von
Klages. Das Bild dieser Welt mit Rahmen und Scheibe, mit Passepartout, Klammern,
Haken und Aufhänger, und die Welt dieses Bildes mit Pflanzen und Tieren, mit
Menschen, Maschinen, Robotern und gleichfalls einem Aufhänger sind zwar nicht
vertauschbar, aber in einem inneren Zusammenhang befindlich. Denn genau so,
wie das Bild dieser Welt anstatt aus Rahmen und Scheibe, Passepartout, Klammern,
Haken und Aufhänger und die Welt dieses Bildes aus Pflanzen und Tieren, Men-
schen, Maschinen, Robotern und gleichfalls einem Aufhänger besteht, kann auch
die Welt dieses Bildes aus Rahmen und Scheibe, aus Passepartout, Klammern und
Haken, und das Bild dieser Welt aus Pflanzen und Tieren, Menschen, Maschinen
und Robotern bestehen, da ihnen beiden ohnedies der Aufhänger gemeinsam ist.
Von Rahmen und Scheibe, Passepartout, Klammern und Haken befreit, wird das
Bild dieser Welt allmählich zur Welt dieses Bildes, wie die Welt dieses Bildes, von
Pflanzen und Tieren, Menschen, Maschinen und Robotern befreit, allmählich zum
Bild dieser Welt wird. Auf diese Weise nähert sich das Bild, das diese Welt darstellt,
dieser Welt an, und auch die Welt, die dieses Bild darstellt, nähert sich diesem
Bild an, und beide sind schließlich eins, das Bild ist diese Welt und diese Welt ist
das Bild, sie sind eins und doch nicht dasselbe. So ist eins und eins eins und doch
nicht eins, weil beide eins und nicht dasselbe sind. Schließlich ist das Bild dieser
Welt ein Weltbild des blinden Urwillens von Schopenhauer und des dunklen Drangs
von Klages mit Säbel und Gewehr, und die Welt dieses Bildes ist eine Bildwelt
des gebogenen Metallkreises und eines Schraubengewindes mit Gewehr und Säbel.
Das Bild dieser Welt als Weltbild mit Pflanzen und Tieren, Menschen, Maschinen
und Robotern nimmt so die Formen einer Bildwelt an, und die Welt dieses Bildes
als Bildwelt mit Rahmen und Scheibe, mit Passepartout, Klammern und Haken
nimmt die Formen eines Weltbildes an. Denn Pflanzen und Tiere, Menschen, Maschinen und Roboter, befreit von Schopenhauer und Klages, gewinnen zusehends
berechenbare, und Rahmen, Scheibe, Passepartout, Klammern und Haken, befreit
von Metallkreis und Gewinde, gewinnen zusehends unberechenbare Beschaffenheit.
Die berechenbare Bildwelt zeigt die galaktische Invasion der Gurken und Mutanten sowie entmaterialisierte Puppen und arkonidische Roboter im Kampf mit
Perry Rhodan, und das unberechenbare Weltbild zeigt seinen Haken, kein Mensch

schneidet sich mehr eine Scheibe davon ab, es ist in Klammern gesetzt, verliert seinen Passepartout und fällt schließlich aus dem Rahmen. Bildwelt mit Säbel und Gewehr und Weltbild mit Gewehr und Säbel, ohne je dasselbe zu sein, fallen am Ende zusammen. Sie sind wie die Parallelen, die sich im Unendlichen schneiden. Hier liegt auch der innere Zusammenhang zwischen Säbel und Gewehr einerseits sowie den unberechenbaren, eingebildeten, unendlichen, übersinnlichen, fühlbaren Zahlen andererseits. Denn so wie die irrationale Zahl das spezielle Bild der Welt, die irrationale Zahl die spezielle Welt des Bildes, das irrationale Bild die spezielle Zahl der Welt, das irrationale Bild die spezielle Welt der Zahl, die irrationale Welt die spezielle Zahl des Bildes und die irrationale Welt das spezielle Bild der Zahl schafft, so schafft auch die irrationale Zahl das Bild der speziellen Welt, die irrationale Zahl die Welt des speziellen Bildes, das irrationale Bild die Zahl der speziellen Welt, das irrationale Bild die Welt der speziellen Zahl, die irrationale Welt die Zahl des speziellen Bildes und die irrationale Welt das Bild der speziellen Zahl.

Monsieur Durand: André ist vor Jean. Jean ist hinter André, und Roger ist hinter Jean. Jean ist zwischen André und Roger. Die Weinflasche ist zwischen den beiden Literflaschen. Jean: Ich habe Strümpfe. Fritz, du hast Socken. Roger, er hat Strümpfe. Alice, sie hat kurze Ärmel. Wir haben lange Ärmel. Wir haben auch Kragen und Manschetten mit Knöpfen. André und René, ihr habt Kragen, aber ihr habt keine Manschetten. André und René, sie haben Handschuhe und Knöpfe. Suzanne und Alice, sie haben auch Handschuhe. Das Hemd, die Manschette, der Kragen sind Wäsche. André ist vor mir; ich bin hinter ihm.

stets ganz unten über über über all überall beim vom in von auf von mit von aus mit aus mit dort/ der des der die/ der dem der die/ der der der die/ des dem den/ ein ein einem/ ihres ihrem diesem sich/ alle/ sie sie sie/ waren ausgefüllt waren vermischt war erfüllt wuchs saß hatte war saß aufstieg trug leuchteten/ und und und und und und und und und und/ weiches schwarzes regelmäßiges hübsches gutaussehendes/ Farnkraut Wasser Feuer Frühling Frühlingsfeuer Erde Sonnenscheins Vögel Ecken Baumwipfel Gesang Lehnstuhl Ärmel Ritzen Tage Erde Rauch Luft Körper Nebel Gebilde Stuhles Blumen Miß Mary Freude Auge Lidern Gesicht Masse Luft Satinmorgenkleid Fleisches Duft Feldern Blättern/ prachtvoll dick glänzend rot hilflos gelb/ grün hoch weiß sanft schwer/ weichen graublauen ausbreitenden freien weichen schweren freundlichen durchnäßten schläfrigen kleinen dampfenden warmen längerwerdenden blauen angenehmen jungen leeren schweren breiten/ monströse hohe klare große flaumige junge/ feuchtem

General de Gaulle: Sie haben recht, Herr Bundeskanzler, unser Vertrag ist nicht eine einzelne Rose, er ist auch nicht ein Rosenstock, er ist ein ganzer Rosenhag, und diesen Rosenhag haben wir gepflanzt, damit täglich neue Rosen erblühen.

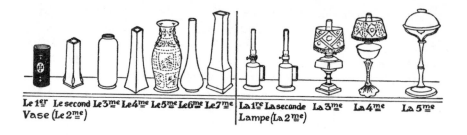

Le 1er Le second Le 3me Le 4me Le 5me Le 6me Le 7me | La 1re La seconde La 3me La 4me La 5me
Vase (Le 2me) | Lampe (La 2me)

11. LEKTION

Monsieur Durand: Madame Dupont hat zu Hause sieben Blumenvasen: die erste
ist rund, die zweite ist viereckig, die dritte ist rund, die vierte ist viereckig, die
fünfte ist rund, die sechste ist auch rund, und die siebte ist viereckig. Die siebte
Vase ist die letzte, die sechste ist die vorletzte. André: Monsieur Durand hat zu
Hause fünf Lampen: die erste ist gelb, die zweite ist auch gelb, die dritte ist weiß,
die vierte ist grün, die fünfte ist gelb. Die fünfte Lampe ist die letzte, die vierte
ist die vorletzte.

Der erste teilte die Karten aus. Der zweite erhielt mit dem ersten Wurf als erste
Karte Karo Dame, als zweite Herz neun, als dritte Herz zehn, als vierte Karo König und als fünfte Pik zehn. Der dritte erhielt mit dem ersten Wurf als erste Karte
Pik neun, als zweite Herz acht, als dritte Kreuz zehn, als vierte Herz sieben und
als fünfte Pik sieben. Der vierte erhielt mit dem ersten Wurf als erste Karte Kreuz
As, als zweite Pik Dame, als dritte Pik acht, als vierte Herz König und als fünfte
Karo sieben. Im Skat lagen Herz As und Herz Dame. Mit dem zweiten Wurf erhielt der zweite als erste Karte Pik König, als zweite Karo As, als dritte Pik As, als
vierte Karo zehn und als fünfte Kreuz sieben. Der dritte erhielt mit dem zweiten
Wurf als erste Karte Karo Bube, als zweite Kreuz König, als dritte Karo neun, als
vierte Kreuz acht und als fünfte Kreuz Bube. Der vierte erhielt mit dem zweiten
Wurf als erste Karte Karo acht, als zweite Kreuz neun, als dritte Herz Bube, als
vierte Kreuz Dame und als fünfte Pik Bube. Die letzte Karte war die letzte, die
vorletzte war die vorletzte.
Der zweite auf Vorhand besaß Pik As, Pik zehn, Pik König, Karo As, Karo zehn,
Karo König, Karo Dame, Herz zehn und Kreuz sieben. Der dritte auf Mittelhand
besaß Kreuz Bube, Karo Bube, Kreuz zehn, Kreuz König, Kreuz acht, Pik neun,
Pik sieben, Herz acht, Herz sieben und Karo neun. Der vierte auf Hinterhand besaß Pik Bube, Herz Bube, Kreuz As, Kreuz Dame, Kreuz neun, Pik Dame, Pik acht,
Herz König, Karo acht und Karo sieben. Der zweite hatte mit der ersten bis zur

letzten Karte vor dem dritten mit der ersten bis zur letzten Karte den Vorteil der Vorhand, der dritte hatte mit der ersten bis zur letzten Karte den Vorteil der Vorhand vor dem vierten, und der vierte hatte mit der ersten bis zur letzten Karte den Vorteil der Vorhand vor dem zweiten, der auf Vorhand beim ersten Anspiel den dritten auf Mittelhand und der dritte auf Mittelhand den vierten auf Hinterhand vor sich hatte. Der erste, der die Karten beim ersten Spiel verteilt hatte, würde beim zweiten Spiel der vierte auf Hinterhand werden, weil der zweite beim zweiten Spiel der erste und der dritte der zweite auf Vorhand, der vierte der dritte auf Mittelhand werden würde. Der erste war vor dem zweiten, der zweite vor dem dritten, der dritte vor dem vierten, der vierte vor dem ersten. Der erste war hinter dem zweiten, der zweite hinter dem dritten, der dritte hinter dem vierten, der vierte hinter dem ersten. Der erste war vor dem vierten, der zweite vor dem ersten, der dritte vor dem zweiten, der vierte vor dem dritten. Der erste war hinter dem vierten, der zweite hinter dem ersten, der dritte hinter dem zweiten, der vierte hinter dem ersten. Der erste vor dem zweiten war hinter dem zweiten wie der zweite vor dem dritten hinter dem dritten, der dritte vor dem vierten hinter dem vierten und der vierte vor dem ersten hinter dem ersten. Der erste hinter dem vierten war vor dem vierten wie der zweite hinter dem ersten vor dem ersten, der dritte hinter dem zweiten vor dem zweiten und der vierte hinter dem dritten vor dem dritten. Der erste war zwischen dem zweiten und vierten wie der zweite zwischen dem dritten und ersten, der dritte zwischen dem vierten und zweiten und der vierte zwischen dem dritten und ersten. Der erste war zwischen dem vierten und zweiten wie der zweite zwischen dem ersten und dritten, der dritte zwischen dem zweiten und vierten und der vierte zwischen dem ersten und dritten. Der erste vor dem zweiten, hinter dem zweiten, vor dem vierten, hinter dem vierten, vor dem zweiten, hinter dem vierten, vor dem vierten, hinter dem zweiten, zwischen dem zweiten und vierten, zwischen dem vierten und zweiten saß dem dritten gegenüber. Der zweite vor dem dritten, hinter dem dritten, vor dem ersten, hinter dem ersten, vor dem dritten, hinter dem ersten, vor dem ersten, hinter dem dritten, zwischen dem dritten und ersten, zwischen dem ersten und dritten saß dem vierten gegenüber. Der dritte vor dem vierten, hinter dem vierten, vor dem zweiten, hinter dem zweiten, vor dem vierten, hinter dem zweiten, vor dem zweiten, hinter dem vierten, zwischen dem vierten und zweiten, zwischen dem zweiten und vierten saß dem ersten gegenüber. Der vierte vor dem ersten, hinter dem ersten, vor dem dritten, hinter dem dritten, vor dem ersten, hinter dem dritten, hinter dem ersten, zwischen dem ersten und dritten, zwischen dem dritten und ersten saß dem zweiten gegenüber. Vor/ vor vor/ hinter vor/ vor mittel/ hinter mittel/ zwischen vor und mittel/ zwischen mittel und vor/ sitzt hinter gegenüber/ wenn mittel/ vor vor/ hinter vor/ vor hinter/ hinter hinter/ hinter und vor/ zwischen vor und hinter/ zwischen hinter und vor/ und hinter vor mittel/ hinter mittel sitzt. Der erste ist zweiter, der zweite dritter, der dritte vierter, der vierte erster. Der erste ist dritter, wenn der vierte zweiter, der zweite vierter und der dritte erster ist.

Newton: Körper, die in einem Raum eingeschlossen sind, vollführen dieselben Bewegungen im Verhältnis zueinander, ob nun der Raum selbst unbewegt ist oder sich in einer gleichförmigen und geradlinigen Bewegung befindet. Einstein: Betrachtet man die Bewegung nicht vom kausalen, sondern vom rein beschreibenden Standpunkt aus, so gibt es Bewegung nur als Relativbewegung von Dingen gegeneinander. Volksmund: Die ersten werden die letzten sein.

Wer Spiel besitzt herzt liebes Kreuz
wer Spiel besitzt herzt gekreuzte Liebe
wer Spiel besitzt liebt herzliches Kreuz
wer Spiel besitzt liebt gekreuztes Herz
wer Spiel besitzt kreuzt herzliche Liebe
wer Spiel besitzt kreuzt liebes Herz

Wer Spiel herzt besitzt liebes Kreuz
wer Spiel herzt besitzt gekreuzte Liebe
wer Spiel herzt liebt besessenes Kreuz
wer Spiel herzt liebt gekreuzten Besitz
wer Spiel herzt kreuzt besessene Liebe
wer Spiel herzt kreuzt lieben Besitz

Wer Spiel liebt herzt besessenes Kreuz
wer Spiel liebt herzt gekreuzten Besitz
wer Spiel liebt besitzt herzliches Kreuz
wer Spiel liebt besitzt gekreuztes Herz
wer Spiel liebt kreuzt herzlichen Besitz
wer Spiel liebt kreuzt besessenes Herz

Wer Spiel kreuzt herzt besessene Liebe
wer Spiel kreuzt herzt lieben Besitz
wer Spiel kreuzt besitzt herzliche Liebe
wer Spiel kreuzt besitzt liebes Herz
wer Spiel kreuzt liebt herzlichen Besitz
wer Spiel kreuzt liebt besessenes Herz

Kinderspiele Erwachsenenspiele Geduldsspiele Geschicklichkeitsspiele Glücksspiele Gesellschaftsspiele Ballspiele Kartenspiele Schauspiele Mysterienspiele Puppenspiele Jugendweltfestspiele Lautenspiele leise Spiele Klavierspiele Farbenspiele Bayreuther Festspiele Wellenspiele Brettspiele Würfelspiele Wettspiele Wortspiele Olympische Spiele Verkleidungsspiele Bedeutungsspiele Verwandlungsspiele

herr und denker stirn im horn gehärtet hals und wamme weich vom buge friedlich
blick
und glied geruch nach moschus kraut und distel blatt bepflanzen muskel knosp
maul und klauen krank nach küssen und umarmung auf den rosen wellen bergen
seine beute sicher/
herr wichtig persönlich schlüpft in die adler federn vom wippen im takt
los von allen sorgen bricht sie in ungedanken verloren dort im gestrüpp
flattert sein schnabel schlug in die titanische tochter kerben aus fleisch/
herr von adel hüllte sich in federn steckte seine ganze list
verwandte er umhalste ihre nackte schulter bog sich unter seinem schnabel
hieb die dioskuren und die schöne helena aus ihrem weißen ei/

herr gehn se in sich selbst versteht sich diese lüsternheit von ganz alleine
springt und überrascht vom bock das horn und seinen schwanz in ihre scheide
birgt den kurzen dolch mit dem er laub und lorbeer zweigen sinn und unverstand/
herr aus kottbus in der nieder tracht mit schickem sitz klopft an und ab
gewiesen ihm die tür und tor nur für die tiefe lust spiel
rolle von molière kleist plautus giraudoux
verquickten ihn mit seiner ehr verstellung lockt die schöne ins getäuschte bett/
herr und gemahl zeit für die wunder bare im gegitterten loch
öffnet sich weit hinein trifft ein regen aus fruchtigem gold
erfüllt ihre gebär mutter söhnchen schlüpft das später eine schlange schlägt/
herr so und so wirds gemacht ist das scheue wesensgleich ins struppige bockshorn
jagt er sie aber als flamme für vielerlei glieder listig im blumigen schoß
wächst der ameisen vater schafft er emsig mit allen vieren voran/
herr und gebieter über schafe traben im gesang vereint in der erinnerung
die er besteigt und sucht in ihr die mutter kuchen für die festlichkeiten
wenn mit lust und trauer spiel vom tanz erholt sich mancher nur sehr schwer/
herr der schöpfung schickt sich in die schlange windet sich vor seinem griff
bereit und schillernd schlüpft er in die tochter seiner tochter
tut er gutes weiß er unterirdisch diesen sohn mit langen haaren für die schuppen/
Herr jemine wie schmachtet sie in seiner glut und er bei ihrem anblick
ist heiß der samen strahl des blitzes aus dem feisten wolken sack
und asche bleibt zurück gekehrt näht er den knaben in sein schenkel bein/

Juppiter hatte sich gegen seinen Vater gewandt. Jakob war von seinem Vater ge-
segnet worden. Juppiter hatte vor Wut gekocht, Jakob aus List eine Erbsensuppe.
Juppiter teilte mit seinen Brüdern, Jakob behielt für sich. Juppiter schlug die Riesen, Jakob floh vor Esau. Juppiter rang mit Typhon, Jakob mit dem Engel. Juppi-

ter raubte Europa, Asteria, Leda, Antiope, Alkmene, Danae, Aegina, Mnemosyne, Proserpina und Semele, Jakob diente um Lea und Rahel. Juppiter beschlief Europa als Stier, Asteria als Adler, Leda als Schwan, Antiope als Satyr, Alkmene als Amphitryon, Danae als Goldregen, Aegina als Feuer, Mnemosyne als Hirt, Proserpina als Schlange und Semele als Blitz, Jakob beschlief Lea, Bilha, Silpa und Rahel als Jakob. Juppiter beschlief Europa nicht wie Jakob Lea beschlief Asteria nicht wie Jakob Lea beschlief Leda nicht wie Jakob Lea beschlief Antiope nicht wie Jakob Lea beschlief Alkmene nicht wie Jakob Bilha beschlief Danae nicht wie Jakob Bilha beschlief Aegina nicht wie Jakob Silpa beschlief Mnemosyne nicht wie Jakob Silpa beschlief Proserpina nicht wie Jakob Rahel beschlief Semele nicht wie Jakob Rahel beschlief. Juppiter war Juppiter. Jakob war Jakob.

Was dem einen recht ist, ist dem anderen billig.
Was dem anderen billig ist, ist dem rechten eins.
Was dem rechten eins ist, ist dem billigen anders.
Was dem billigen anders ist, ist dem einen recht.
Was dem einen recht ist, ist dem billigen anders.
Was dem billigen anders ist, ist dem rechten eins.
Was dem rechten eins ist, ist dem anderen billig.
Was dem anderen billig ist, ist dem einen recht.

Was dem einen anders ist, ist dem rechten billig.
Was dem rechten billig ist, ist dem anderen eins.
Was dem anderen eins ist, ist dem billigen recht.
Was dem billigen recht ist, ist dem einen anders.
Was dem einen anders ist, ist dem billigen recht.
Was dem billigen recht ist, ist dem anderen eins.
Was dem anderen eins ist, ist dem rechten billig.
Was dem rechten billig ist, ist dem einen anders.

Was dem anderen recht ist, ist dem einen billig.
Was dem einen billig ist, ist dem rechten anders.
Was dem rechten anders ist, ist dem billigen eins.
Was dem billigen eins ist, ist dem anderen recht.
Was dem anderen recht ist, ist dem billigen eins.
Was dem billigen eins ist, ist dem rechten anders.
Was dem rechten anders ist, ist dem einen billig.
Was dem einen billig ist, ist dem anderen recht.

Monsieur Durand: Sechs und fünf ist gleich sieben und vier. Sechs weniger drei ist gleich vier weniger eins. Fünf mal vier ist gleich zwei mal zehn. Die Zahl zwanzig ist größer als drei mal fünf und kleiner als fünf mal fünf. Die Zahl zwanzig ist gleich vier mal fünf. Der Federhalter ist so lang wie der Bleistift. Die Bank ist so hoch wie der Stuhl. René hat hundertfünfzig Bücher. André hat auch hundertfünfzig Bücher. André hat so viel Bücher wie René. Fritz Hickel ist so groß wie Jean. Der Federhalter hat die gleiche Länge wie der Bleistift. Die Bank hat die gleiche Höhe wie der Stuhl. Die beiden ersten Lampen haben die gleiche Form. Die drei letzten Lampen haben verschiedene Formen. Jean: Fritz ist so groß wie ich. Roger ist so hoch wie der Ofen. André ist so dünn wie ein Streichholz. André: Das Lineal ist länger als (wie) die Kreide. Die Kreide ist kürzer als (wie) das Lineal. Der Tisch ist breiter als (wie) die Bank. Die Bank ist weniger breit als (wie) der Tisch. Jean ist nicht so groß oder weniger groß als (wie) René. Monsieur Dupont hat zu Hause acht Lampen; er hat mehr Lampen als (wie) Monsieur Durand; Monsieur Durand hat weniger Lampen als (wie) Monsieur Dupont. Die kleinste Vase ist rund. Die größte Vase ist viereckig. Die höchste Lampe ist die letzte.

Theodor Körner: Alles Große kommt uns wieder. Jean Paul: Das Große sieht man, wenn man geboren wird und reift. Friedrich Schiller: Wer etwas Großes leisten will, muß tief eindringen.

Juppiter zeugte Minos, Jakob zeugte Ruben. Juppiter zeugte Kastor und Pollux, Jakob zeugte Simeon. Juppiter zeugte Helena, Jakob zeugte Levi. Juppiter zeugte Amphion, Jakob zeugte Juda. Juppiter zeugte Herkules, Jakob zeugte Isaschar. Juppiter zeugte Perseus, Jakob zeugte Sebulon. Juppiter zeugte Aeacus, Jakob zeugte Dina. Juppiter zeugte Klio, Urania, Melpomene, Thalia, Perpsichore, Erato, Kalliope, Euterpe und Polyhymnia, Jakob zeugte Dan und Naphtali. Juppiter zeugte den unterirdischen Bacchus, Jakob zeugte Gad und Asser. Juppiter zeugte auch den oberirdischen Bacchus, Jakob zeugte dafür Joseph und Benjamin.

Das Große sieht man, wenn man geboren wird und reift.
Das Große gebiert man, wenn man sehend wird und reift.
Das Große reift man, wenn man sehend wird und gebiert.
Das Große sieht man, wenn man reif wird und gebiert.
Das Große gebiert man, wenn man reif wird und sieht.
Das Große reift man, wenn man geboren wird und sieht.

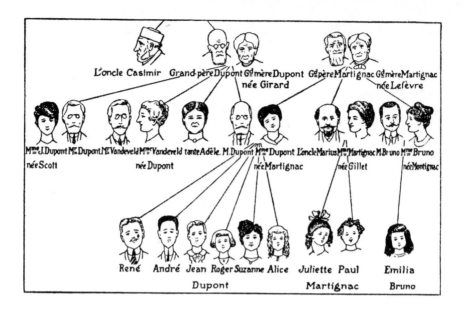

L'oncle Casimir Grand-père Dupont G^dmère Dupont née Girard G^dpère Martignac G^dmère Martignac née Lefèvre

Mme J. Dupont née Scott   Mr Dupont   Mr Vandeveld   Mme Vandeveld née Dupont   tante Adèle   M. Dupont   Mme Dupont née Martignac   L'oncle Marius   Mme Martignac née Gillet   M. Bruno   Mme Bruno née Montigny

René   André   Jean   Roger   Suzanne   Alice   Juliette   Paul   Emilia
Dupont   Martignac   Bruno

12. LEKTION

Monsieur Durand (zu Fritz): Monsieur und Madame Dupont haben sechs Kinder,
vier Knaben, René, André, Jean und Roger, und zwei Mädchen, Suzanne und
Alice. Monsieur Pierre Dupont ist der Vater oder der Papa von René, von André,
von Jean, von Roger, von Suzanne und von Alice. Madame Dupont ist die Mutter oder die Mama von René, von André, von Jean, von Roger, von Suzanne und
von Alice. Monsieur und Madame Dupont sind die Eltern von René, von André,
von Jean, von Roger, von Suzanne und von Alice. Roger ist ihr Sohn, und Suzanne ist ihre Tochter. Der Vater von Monsieur Dupont ist der Großvater von
Roger. Roger ist sein Enkel. Die Mutter von Monsieur Dupont ist die Großmutter
von Roger. Alice ist ihre Enkelin. Der Großvater Louis Dupont hat sechs Enkel-
kinder. Die Großeltern von Roger sind nicht in Chaville, sie sind in Lille. Der
Vater von Madame Dupont, Monsieur Jules Martignac, ist in Marseille. Roger ist
der Bruder von Suzanne, Suzanne ist die Schwester von Roger. Der Bruder von
Madame Dupont, Monsieur Marius Martignac, ist in Marseille. Monsieur Marius
Martignac ist der Onkel von Roger. Monsieur Dupont hat eine Schwester in Chaville, Mademoiselle Adèle. Mademoiselle Adèle ist die Tante von Roger. Roger
ist der Neffe von Tante Adèle. Alice ist ihre Nichte. Onkel Martignac hat zwei

Kinder, einen Knaben Paul und ein Mädchen Juliette. Paul ist der Vetter von Roger, und Juliette ist seine Base. Onkel Marius, Tante Adèle, René Dupont und Paul Martignac sind Verwandte.

Aber wozu sind sie zu verwenden? André überwindet sich und schaut in den Spiegel. Welche Bewandtnis haben seine Wimpern mit ihrer Verwendbarkeit? René windet sich und weiß nicht, ob sein Auge trocken bleibt. Nicht so schwierig wie der Aufwand mit dem zweiten Stock. Das gibt er unumwunden zu. Die neue Wendeltreppe ist ein Beweis für die Familie. Vielleicht liegt darin die Verwendung dieser Bretter. Jean und Roger sausen inwendig an der schmalsten Stufenstelle hoch. Die Treppe überwindet nicht das Herzklopfen. Sie ist windschief und zeigt eine Neigung zum Spielverderben. Aber die Knaben sind gewandt. Jean läßt sich nicht die Tour vermasseln. Er dreht sich im eigenen Gewinde wie die Kaffeemühle, wenn die Alten ihre Karten dreschen. Auch Roger ist rasch und bleibt mit seinem Rücken immer an der Wand. Während André seine Augen mit dem Spiegelbild vergleicht und René bekümmert seine Lider niederklappt, wenden die Knaben den Trick mit den Flaschen an. René und André fallen hinein und verwinden nicht, daß sie sie selber sind. Nur die Mädchen sind auf Renés und Andrés Seite, dort, wo sie verwundbar sind. Suzanne läßt den Einwand ihres Bruders gelten, Alice jedoch umwindet ihn mit ihrer Kindlichkeit. Was die Eltern dazu sagen? Seit die Kinder aus den Windeln sind, hat der Vater keine Anstalt mehr getroffen. Jeder sucht sich seinen Vorwand mit dem Wort. Die Mutter wendet ihre Liebe auf, aber jeder streckt sich nach der Decke, die er hat. Auswendig weiß man keine Regel zu diesem Punkt. Draußen weht der Wind und ist nicht zu gebrauchen. Er wendet sich dem Haus und dem Garten zu, und die Menschen können tun, was ihnen billig ist. Sie sehen verwundert zu.

Das Sehen vergrößert man, wenn man geboren wird und reift.
Das Sehen gebiert man, wenn man groß wird und reift.
Das Sehen reift man, wenn man groß wird und gebiert.
Das Sehen vergrößert man, wenn man reif wird und gebiert.
Das Sehen gebiert man, wenn man reif wird und vergrößert.
Das Sehen reift man, wenn man geboren wird und vergrößert.

unabdingbar unausbleiblich unausweichlich unbedingt unbestreitbar unfehlbar unfraglich unleugbar unstreitig untrüglich unumstößlich unverkennbar unwiderleglich unwidersprechlich unzweideutig unzweifelhaft

Monsieur Durand: Die Minute hat 60 Sekunden. Die Stunde hat 60 Minuten. Der Tag hat 24 Stunden. Die Woche hat 7 Tage. Der Monat hat 30 oder 31 Tage. Das Jahr hat 12 Monate oder 365 Tage. Die Minute, die Stunde, der Monat und so weiter sind Namen der Zeit.

Monsieur Dupont sagte: Opa lebt ewig und drei Tage. Madame Dupont sagte: Er kann nicht aus seiner Haut heraus. So war Opa. Er hatte den Löffel lang angefaßt und stand sich die Beine in den Leib. Den lieben langen Tag blieb Opa beim alten und riß nicht ab. Pünktlich mit dem Glockenschlag war er auf der Tagesordnung. Er hatte Wurzeln geschlagen und stand felsenfest. Bis er schwarz wird, fließt noch viel Wasser den Berg hinunter, sagte Monsieur Dupont. Wir können ihn nicht übers Knie abbrechen, sagte Madame Dupont. Opa schob sich auf die lange Bank. Von einem Tag zum andern packte er die Gelegenheit beim Schopfe. Er machte nicht viel Federlesen. Stehenden Fußes fiel er mit der Tür ins Haus. Opa war gang und gäbe. Seinesgleichen war nicht aus der Welt zu schaffen. Opa hält Schritt, sagte Monsieur Dupont, wo er geht und steht. Er kippt nicht aus den Pantinen, sagte Madame Dupont, Opa hat nicht auf Sand gebaut. Familie Dupont dachte an später. Wann würde sich Opa die Radieschen von unten betrachten? René sagte: Wenn die Böcke lammen. André sagte: Wenns Katzen hagelt. Jean sagte: Wenn Zigeunerjungen aus dem Himmel fallen. Roger sagte: Zu Pfingsten auf dem Eise. Suzanne sagte: Wenn die Hunde mit dem Schwanze bellen. Alice sagte: Am Sankt Nimmerleinstag. Fritz Hickel sagte: Eher bricht die Welt zusammen. Auf Schritt und Tritt brannte Opa ihnen unter den Nägeln. Opa war die alte Leier. Er hatte einen Bart. Er stammte aus der Mottenkiste und war schon nicht mehr wahr. Als der liebe Gott den Schaden sah, beschlief er diese Angelegenheit. Opa blieb. Er gab seine Gastrolle wie zu Olims Zeiten. Opa war zwar dünn gesät. Aber er ging auf und blühte unverdrossen.

Die Geburt vergrößert man, wenn man sehend wird und reift.
Die Geburt sieht man, wenn man groß wird und reift.
Die Geburt reift man, wenn man groß wird und sieht.
Die Geburt vergrößert man, wenn man reif wird und sieht.
Die Geburt sieht man, wenn man reif wird und vergrößert.
Die Geburt reift man, wenn man sehend wird und vergrößert.

Fritz: Roger, welches Alter hat dein Großvater in Lille? Roger: Er ist 88 Jahre alt, er ist alt oder gealtert. Fritz: Und deine Großmutter? Roger: Sie ist 83 Jahre alt, sie ist alt oder gealtert. Ich habe auch einen alten Onkel in Lille, Onkel Casimir. Er ist 89 Jahre alt. Er hat den gleichen Familiennamen wie ich. Fritz: Und du, wie alt bist du? Roger: Ich, ich bin 8 Jahre und 3 Monate alt, ich bin nicht alt, ich bin jung. Fritz: Wieviel Uhr ist es? Auf meiner Uhr ist es 10 Uhr. Roger: Auf der Uhr von René ist es 10 Uhr zwanzig.

Höchste Eisenbahn für Opa war das erste und das letzte bei Duponts. Eines schönen Tages sagte Opa Knall und Fall: Ich fahre mit dem Lumpensammler. Opa war wie aus dem Ei, und die Familie dachte: Jetzt wird Opa aus dem Wege gehn. Aber Opa lag im Schoß der Zeiten, er schnitt ihnen im Handumdrehen den Zahn ab und blieb die hohen Fest- und Feiertage. Die Familie war sein überwundener Standpunkt, er hatte sie an den Fingern gezählt. Opa blieb auf Vorhand und Mangelware. Er verkalkte langsam von der Pike auf. So konnte er sich alle Nasen lang gut riechen. Und alle Jubeljahre machte er Stich um Stich. Doch was war wirklich seines Pinsels Beschäftigung? fragt Schiller. Opa blieb auf dem Sprung.

den tat juppiter als amphitryon auf seinem feld zug um zug verlor er haar für horn vieh aus einem satyr dieser stier mit langem schwanz der schlange trat der hirte im gestrüpp vom goldnen regen überrascht ein blitz der feuer zündet rauch erhebt sich wo der adler kreist mit flaum des schwans woraus ein glied für glied für diese periode wuchs

Oswalt Kolle: Es ist auch günstig, wenn der Mann so oft wie irgendmöglich – sei es in der Wohnung oder am Nacktbadestrand – unbekleidet geht. Das lüftet im übrigen nicht nur seine Geschlechtsorgane aus, sondern auch seine Seele. Hamburger Lehrergewerkschafts-Zeitung: Vermeide Langeweile, untätiges Herumlungern und alles, was deine Phantasie geschlechtlich erregt. Stattdessen beschäftige dich in deinen Mußestunden sinnvoll. Lege die Hände nicht unter, sondern über die Decke. Walter Flex: Rein bleiben und reif werden, das ist die höchste und schönste Lebenskunst.

Die Reife vergrößert man, wenn man sehend wird und gebiert.
Die Reife sieht man, wenn man groß wird und gebiert.
Die Reife gebiert man, wenn man groß wird und sieht.
Die Reife vergrößert man, wenn man geboren wird und sieht.
Die Reife sieht man, wenn man geboren wird und vergrößert.
Die Reife gebiert man, wenn man sehend wird und vergrößert.

aufstieg/ der flaumige Sommersonntagnachmittag des seidenen Sonnenscheins dem farbigen Farnkraut den breiten Nebel/ die dampfenden Handschuhe der perlenbestickten Freude der steifen Erde die hellen Körper/ die wunderlichen Wasser der verzierten Blumen der schwarzen Sommersonne die neuen Baumwipfel/ der neue Rauch der junge Frühling der klare Duft dem schwarzen Gesang/ der Hals der Tuchschürze/ den Feldern Kleidern Bändern Blättern/ eine Federboa einer durchnäßten Erde einem kleinen angenehmen Mißklang einem längerwerdenden blauen Frühlingsfeuer einem dunklen angenehmen Strohhut/ ihrem neuen glänzenden Mieder ihren grellen rostroten Borten/ diesem jungen schweren Gesicht diesem warmen freien Vogel/ hohe Luft magerer Tage dünner Luft unbeholfener Vögel/ hoch mit feuchtem grün prachtvoll weiß blaßgelbes rot verhärmtes gelb/

und glänzend und leuchtend und durchwirkt und aufgeputzt und geschmückt und vermischt und erfüllt und leuchteten und wuchs und standen und kam und trug und war war war/ jetzt über in an sehr von mit um obschon mit in zu unten überall vom aus mit über über auf all aus/ sie sie/ ihr ihr

Le vieillard

L'homme　　La femme

Le jeune homme　La jeune fille

Le petit garçon　La petite fille

Le bébé

13. LEKTION

Monsieur Durand (zu Fritz): Der Vater von Monsieur
Dupont ist 88 Jahre alt; er ist alt; das ist ein Greis.
Monsieur Dupont ist 46 Jahre alt; das ist ein Mann.
Madame Dupont ist 42 Jahre alt; das ist eine Frau.
René ist 20 Jahre alt; das ist ein junger Mann. André
ist 16 Jahre alt; das ist auch ein junger Mann. René
und André sind junge Leute. Suzanne ist 18 Jahre alt;
das ist ein junges Mädchen. Jean ist 12 Jahre alt; das
ist ein kleiner Junge. Alice ist 11 Jahre alt; das ist ein
kleines Mädchen oder ein Backfisch. Paul Martignac,
der Vetter von Roger, ist nur 16 Monate alt; das ist
ein Baby. Die Greise, die Männer, die Kinder sind Menschen oder menschliche Wesen. Madame Dupont ist
die Ehefrau oder die Gattin von Monsieur Dupont.
Monsieur Dupont ist der Ehemann oder der Gatte von
Madame Dupont. Tante Adèle hat keinen Ehemann;
das ist eine alte Jungfer. Madame Dupont hat in ihrem
Salon drei Herren und zwei Damen. Monsieur Dupont
hat viele Kinder; er hat eine zahlreiche Familie. Tante
Cécile, die Schwester von Madame Dupont, hat nur
eine Tochter; das ist eine einzige Tochter.

Was Opa recht und billig war, das mußte Tante Adèle
teuer bezahlen. Tante Adèle hatte ins volle Menschen-
leben gegriffen. Aber sie hatte den kürzeren gezogen.
So war Tante Adèle allein. Sie war für sich. Sie war die
Einzahl an sich. Sie war an und für sich. Sie war an
und für sich sitzen gelassen worden. Sie war sitzengeblieben und folglich noch immer zu haben. Tante Adèle
war ohnegleichen. Sie war spitz und heiß. Sie hatte
auf Nadeln und wie auf glühenden Kohlen gesessen,
aber sie war sitzengeblieben, und keiner war ihr auf den
Leim gekrochen. Einzig und allein saß Tante Adèle
auf edler Basis in Ehren. Es wurde ihr nicht mehr warm
unter dem Hymen. Tante Adèle war einfach einmalig.
Sie war nicht ein einziges Mal gefallen, und doch war
sie ein Einzelfall. Sie hatte Haare gelassen und war

blank und barfuß. Was sie einst gewollt hatte, war ihr durch die Lappen und in die Binsen gegangen. Tante Adèle hatte einen Korb bekommen. Sie war einsam und einteilig, unpaar und ungepaart. Tante Adèle war ein besonderer Singular. Ihr war alles einerlei. So blies sie solo. Sie hatte kein Wässerchen getrübt und stand trocken. Sie stand sich selbst im Licht und welkte unverdrossen. Sie war ein Kräutchenrühr-michnichtan, sie war ein unbeschriebenes Blatt. Tante Adèle hatte kalte Füße bekommen. Als Blaustrumpf war sie keusch und tugendsam. Sie hatte ihre Wünsche in den Schornstein geschrieben. Sie guckte in den Mond. Alles Gute kam von oben. Der Seligmacher fiel vom Himmel. Tante Adèle kam vom Regen in die Traufe. Sanft wie ein Lamm und fromm wie eine Taube, hatte sie den himmlischen Bräutigam erwischt. Zur Virgo intacta kam der Tröster und Erlöser. Aber auch er war in gewisser Weise zu kurz gekommen und nur das fleischgewordene Wort.

Länglich währt am ehrlichsten
wahrlich ehrt am längsten
ehrlich langt am wahrsten
länglich ehrt am wahrsten
wahrlich langt am ehrlichsten
ehrlich währt am längsten

Tante Adèles Freundin war Miß Mary. Miß Mary war das Echo von Tante Adèle. Auch sie hatte den zu kurz gekommenen kürzeren gezogen. So schwang sie Tante Adèle nach. Tante Adèle und Miß Mary waren gehupft wie gesprungen. Miß Mary war Tante Adèles Stoßstange, und Tante Adèle war Miß Marys Sprungfeder. Sie waren Rück- und Gegenstoß und zitterten einander nach. Aber Opa schlug sie über einen Leisten. Er nahm sie brühwarm auf einen Sitz. Tante Adèle und Miß Mary, wie ein Ei dem andern gleich, liefen Opa ins offene Messer. Opa drehte den Spieß um und zeigte sich von seiner guten Seite. Tante Adèle und Miß Mary klangen hohl. Sie pflanzten ihre Töne fort. Sie lebten Hand in Hand und schlugen in die selbe Kerbe. Tante Adèle und Miß Mary waren Jacke wie Hose. Opa scherte sie über einen Kamm und warf sie in einen Topf. Für Opa war es ein Aufwaschen. Wenn das Kind in den Brunnen gefallen ist, sagte Opa und ließ sie schmoren. Aber Opa war nur Strohfeuer. Tante Adèle und Miß Mary blühten wieder auf. Sie waren aus dem selben Holz geschnitzt. Tante Adèle schlug aus. Miß Mary schlug ihr nach. Sie war dasselbe in Grün. Tante Adèle und Miß Mary waren homolog. Opa war und blieb Opa. Tante Adèle und Miß Mary gingen auf ein neues. Opa so gut wie gar nicht.

Madame Dupont: Suzanne, hast du deinen alten Hut oder deinen neuen Hut an? Suzanne: Ich habe meinen neuen Hut an; ich habe auch mein neues Kleid an.

der der sich ein/ beim an von um/ Tuchschürze und Handschuhe/ Miß Mary hatte den Vogel in ihren breiten schläfrigen Ritzen/ sie war ganz mit schwarzen verzierten Lidern geschmückt/ sie trug eine neue monströse Sommersonne/ sie kam jetzt zu einer graublauen ausbreitenden Masse/ sie saß in einem weichen wunderlichen Lehnstuhl/ sie trug die Ecken der neuen grellen Borten in einem perlenbestickten seidenen Sommersonntagnachmittag/ ihr waren stets Feuer und Körper ausgefüllt/ ihr waren dort Gesicht und Gebilde aufgeputzt/ ihres schweren schwarzen Fleisches und des dunklen freundlichen Stuhles große Federboa saß dick und sanft/ ihrem leeren breiten Strohhut und steifen hellen Kleidern standen Mieder und Augen schwer/ diesem farbigen weichen rostroten Hals/ obschon sehr von ihrem neuen glänzenden Körper/ alle mit einem Mißklang hilflos leuchtend durchwirkt/ von Bändern mit einem Satinmorgenkleid/ dünner unbeholfener hagerer Ärmel/ ein schwarzes gutaussehendes regelmäßiges weiches hübsches blaßgelbes verhärmtes Gesicht

Theodor Storm: Hier war es heimlich und still; die eine Wand war fast mit Repositorien und Bücherschränken bedeckt; an der anderen hingen Bilder von Menschen und Gegenden, vor einem Tische mit grüner Decke, auf dem einzelne aufgeschlagene Bücher umherlagen, stand ein schwerfälliger Lehnstuhl mit rotem Samtkissen. Thomas Mann: Die schweren roten Fenstervorhänge waren geschlossen; und in jedem Winkel des Zimmers brannten auf einem hohen, vergoldeten Kandelaber acht Kerzen, abgesehen von denen, die in silbernen Armleuchtern auf der Tafel standen. Über dem massigen Büfett, dem Landschaftszimmer gegenüber, hing ein umfangreiches Gemälde. Vauvernargues: Eine gute Tafel stillt allen Groll des Spiels und der Liebe; sie versöhnt alle Menschen, bevor sie zu Bette gehen.

Monsieur Durand: Diese Tafel ist ganz schwarz, die ganze Tafel ist schwarz. Die Kreide da ist nicht ganz weiß, aber halb schwarz, halb weiß. Dieses Lineal hier ist ganz schwarz, das ganze Lineal ist schwarz. Dieses da ist halb schwarz, halb weiß. Alle Söhne Dupont haben zwei Hüte. Sie haben alle auch zwei Mützen. Alle Mützen von René und André sind grau. Sie haben alle Nummern. Die alten haben die Nummer zwei, die neuen haben die Nummer eins. Jede Mütze hat ihre Nummer. Jeder der Söhne Dupont hat zwei Hüte. Jedes der Fräulein Dupont hat drei Hüte. Jedes Ding hat eine Länge, eine Breite und eine Höhe.

Gut behütet ist der Mensch in seinem Hause. Juppiter wohnte in Kokkinópolos, Jakob in Sichem, aber Monsieur Dupont wohnt in Chaville. Bei Kokkinópolos, wo Juppiter wohnte, erhebt sich der Olymp (2 917 Meter), bei Sichem, wo Jakob wohnte, der Ebal und Garizim (963 Meter), aber bei Chaville, wo Monsieur Dupont wohnt, breitet sich der Bois de Meudon aus (1,5 Quadratkilometer). Juppiter war Grieche, Jakob war Hebräer, aber Monsieur Dupont ist Franzose. Juppiter stieg von Kokkinópolos auf den Olymp hinauf und zeugte außer Minos, Kastor und Pollux, Helena, Amphion, Herkules, Perseus, Aeacus, Klio, Urania, Melpomene, Thalia, Terpsichore, Erato, Kalliope, Euterpe, Polyhymnia, dem unterirdischen und dem oberirdischen Bacchus noch Merkur und Minerva. Jakob stieg vom Ebal und Garizim hinab nach Sichem, aber er lahmte aus einer Hüfte. Monsieur Dupont kehrt für die nächste Lektion aus dem Bois de Meudon nach Chaville zurück. Er trägt ein Unterhemd, eine Unterhose (lang), ein paar Socken mit Sockenhalter, eine Hose mit Hosenträger, eine Weste, eine Jacke, ein paar Schuhe, einen Schnurrbart, einen Kinnbart, eine Krawatte, einen Kneifer, links, die Nase hoch, Hoffnung im Busen, sich mit einem Gedanken, die Kirche ums Dorf, diese Hoffnung zu Grabe, seine Haut zu Markte, Hörner, keine Schuld daran, es aber mit Fassung, doch auf beiden Schultern, Sorge, keinen Haß im Herzen, keinen Stein in der Brust, Madame auf Händen, diesem Ereignis Rechnung, es nicht zur Schau, die Fahne einer neuen Hoffnung voran, Eulen nach Athen. Eine lakonische Schale zeigt Juppiter als Zeus mit dem Adler. Julius Schnorr von Carolsfeld zeigt Jakob mit dem Engel. Juppiter trägt einen Kinn-, Jakob trägt einen Vollbart. Juppiter sitzt auf einem Stuhl, Jakob kniet auf der Erde. Juppiter hat Zöpfe, Jakob hat einen Wuschelkopf. Juppiters Gewand ist mäanderbebändert, Jakobs Gewand ist ohne Dekor. Juppiters Haltung ist starr, Jakobs Haltung ist bewegt. Juppiter schaut nach dem Adler, Jakob betrachtet den Engel. Die Flügel des Adlers und des Engels sind ausgebreitet. Adler und Engel haben es gut, sie können fliegen. Juppiter muß mit dem Himmelswagen fahren, dafür ist Jakob gut zu Fuß. Hinter Jakob und dem Engel dehnt sich eine weite Landschaft. Man sieht Bäume und Felsen, rechts eine Burg und links den Zug seiner Kinder und Kamele. Auf der Erde liegen Umhang, Hut und Wanderstab. Eben geht die Sonne auf.

Bilder von Menschen und Gegenden Bilder von Menschen Gegenden und Bilder von und Menschen Gegenden Bilder von und Gegenden Menschen Bilder von Gegenden Menschen und Bilder von Gegenden und Menschen Bilder Menschen von und Gegenden Bilder Menschen von Gegenden und Bilder Menschen und von Gegenden Bilder Menschen und Gegenden von Bilder Menschen Gegenden von und Bilder Menschen Gegenden und von Bilder und von Menschen Gegenden Bilder und von Gegenden Menschen Bilder und Menschen von Gegenden Bilder und Menschen Gegenden von Bilder und Gegenden von Menschen Bilder und Gegenden Menschen von Bilder Gegenden von Menschen und Bilder Gegenden von und Menschen Bilder Gegenden Menschen von und Bilder Gegenden Menschen und von Bilder Gegenden und von Menschen Bilder Gegenden und Menschen von

Monsieur Durand (zu Fritz): Monsieur Dupont hat zwei Schwestern, Tante Adèle
und Tante Louise, und einen Bruder, Onkel Jacques. Tante Louise ist in Brüssel
in Belgien. Ihr Ehemann, Onkel Vandeveld, ist ein Belgier. Onkel Jacques ist
nicht in Europa; er ist in New York in Amerika. Seine Frau, Tante Annie Scott,
ist keine Amerikanerin, sondern Engländerin. Die Eltern von Tante Annie sind
in London in England. Der Ehemann von Tante Cécile, Onkel Bruno, ist in Rom
in Italien. (Zu Roger): Der Vater von Fritz ist in Straßburg. Sein Onkel ist in
Metz in Lothringen. Die Leute von Metz sind Lothringer. Der Vater von Fritz ist
Elsässer. Seine Mutter ist Elsässerin. (Zu Fritz): New York ist eine amerikanische
Stadt, London ist eine englische Stadt. Rom ist eine italienische Stadt. Die Franzosen sind nicht alle braunhaarig. Die Deutschen sind nicht alle blond. Frankreich ist ein großes Land. Belgien ist das Land der Belgier.

Der Vater des Vaters der Mutter meines Vaters hieß Bedřich Julius Kochlowski,
sein Vater hieß Bedřich Vilém Kochlowski, seine Mutter hieß Karla Juliana
Tschentscher, der Vater seines Vaters hieß Arnošt Vilém Kochlowski, die Mutter
seines Vaters hieß Jana Barbora Koschni, der Vater seiner Mutter hieß Kašpar
Adam Tschentscher, die Mutter seiner Mutter hieß Maria Alžběta, der Vater des
Vaters seines Vaters hieß Jan Vilém Kochlowski, die Mutter des Vaters seines Va-
ters hieß Juliana Beata Schichin, der Vater der Mutter seines Vaters hieß Jan
Kristián Kischni, die Mutter der Mutter seiner Mutter ist unbekannt, der Vater
des Vaters des Vaters seines Vaters hieß Jan Kochlowski, die Mutter des Vaters
des Vaters seines Vaters hieß Anna Justina Biarowska, der Vater des Vaters des
Vaters des Vaters seines Vaters hieß Jan Kochlowski, die Mutter des Vaters des
Vaters des Vaters seines Vaters hieß Barbora Tschirnin, der Vater der Mutter des
Vaters des Vaters seines Vaters hieß Jan Bedřich Biarowski, der Vater des Vaters
des Vaters des Vaters des Vaters seines Vaters hieß Adam Kochlowski, die Mutter des Vaters des Vaters des Vaters des Vaters seines Vaters hieß Anna Sikoriowna.

Vaters Muttersvatersvatersvatersvatersvatersvatersvater war Vaters Muttersvatersvatersvatersvatersvatersvater, Vaters Muttersvatersvatersvatersvatersvatersvatersvater war Muttersvatersvatersvatersvatersvater, Vaters Muttersvatersvatersvatersvatersvater war Vaters Muttersvatersvatersvatersvatersvater, Vaters Muttersvatersvatersvatersvater war Vaters Muttersvatersvaters-
vatersvater, Vaters Muttersvatersvatersvater war Vaters Muttersvatersvaters-
vater, Vaters Muttersvatersvatersvater war Vaters Muttersvatersvater, Vaters Mut-
tersvatersvater war Vaters Muttersvater, Vaters Muttersvater war mein Urgroßvater.
Sie hießen Oldřich, Bedřich Julius, Bedřich Vilém, Arnošt Vilém, Jan Vilém, Jan
und Adam. Sie hießen Kochlowski und Biarowski, Kischni und Koschni, aber sie
wären alle gerne Menschen gewesen. Als Kaiser Karl V. die lateinische Sprache
lernte, war er inne, daß ihm das Spanische, das Italienische und das Französische

geläufig wurden, und er sagte: Jedermann ist so viele Male ein Mensch, als er Sprachen spricht. So war Karl ein Niederländer, ein Deutscher, ein Österreicher, ein Franzose, ein Italiener, ein Spanier und ein Lateiner. Als Niederländer hieß er Karel, als Deutscher Karl, als Österreicher Karli, als Franzose Charles, als Italiener Carlo, als Spanier Carlos und als Lateiner Carolus. Als Karel sprach er mit dem Bischof von Utrecht und Overijsel, als Karl mit Jakob Fugger, als Karli mit seinem Bruder Ferdi, als Charles mit König Franz von Frankreich, als Carlo mit den Abgesandten der Stadt Rom, als Carlos mit seiner Eminenz, dem Generalinquisitor, und als Carolus mit seiner Heiligkeit, dem Papst Clemens VII. Jemand, der als Niederländer Deutscher, Österreicher, Franzose, Italiener, Spanier und Lateiner ist, ist als Deutscher Niederländer, Österreicher, Franzose, Italiener, Spanier und Lateiner, als Österreicher Niederländer, Deutscher, Franzose, Italiener, Spanier und Lateiner, als Franzose Niederländer, Deutscher, Österreicher, Spanier und Lateiner, als Italiener Niederländer, Deutscher, Österreicher, Franzose, Spanier und Lateiner, als Spanier Niederländer, Deutscher, Österreicher, Franzose, Italiener und Lateiner, und als Lateiner nicht nur Niederländer, Deutscher, Österreicher, Franzose, Italiener und Spanier, sondern auch ein Mensch, weil er des Lateinischen mächtig und inne war, daß jedermann so viele Male ein Mensch ist, als er Sprachen spricht.

Papst Clemens VII. sagte: Mirabilia urbis Romae, und Carolus verstand es. Der Generalinquisitor rief: Tanto monta, monta tanto, und Carlos billigte es. Die Abgesandten der Stadt Rom flehten: Basta! Abbastanza! und Carlo willigte ein. König Franz von Frankreich klagte: Ni Jacob Fugger ni les autres marchands ne voulaient accepter les lettres de change françaises, und Charles lachte sich eins ins Fäustchen. Sein Bruder Ferdi meinte: Des is da Karli, der hot a Oanung von Dudn und Blosn, und Karli stimmte ihm zu. Jakob Fugger schrieb: In Summa 852 189 Gulden was Kaiser Carolus die römisch küniglich wal cost, aber Karl las es mit Schrecken. Da sagte der Bischof von Utrecht und Overijsel: Er zijn dingen in de wereld, die er in werkelijkheit helemaal niet zijn, und Karel pflichtete ihm bei.

Und so wie Karel, Karl, Karli, Charles, Carlo und Carlos als Carolus sieben Male Mensch geworden war, so waren Zeus und Jakob und auch Jan Kochlowski Menschen geworden, weil es das Lateinische gibt. Zeus war ein Gott zu Kokkinópolos am Berge Olymp in Griechenland und nannte sich Juppiter, Jakob war ein Patriarch zu Sichem am Berge Ebal und Garizim im Lande Kanaan und nannte sich Jakobus, Jan Kochlowski war Pfarrer zu Litvinow am Berge Loucná in Cechy und nannte sich Johann Cochlovius. Auf diese Weise wird jemand ein Mensch, weil es das Lateinische gibt und er des Lateinischen mächtig ist. Wohl den Familien, deren Kinder des Menschseins teilhaftig sind!

Friedrich Logau: Latein hat keinen Sitz noch Land wie andre Zungen, ihm ist die Bürgerschaft durch alle Welt gelungen. Gottfried August Bürger: Versteh ich gleich nichts von lateinischen Brocken, so weiß ich den Hund doch vom Ofen zu locken. Theodor Lith: Ich bin ein deutscher Knabe und hab die Heimat lieb.

L'œil droit de Roger L'œil gauche de Roger

L'oreille Le nez

La bouche

La dent La langue

Le cœur

La moustache
La barbe

Le front
Les cheveux
La figure

Le centre
Le cercle

La boule

Le milieu

16. LEKTION

Meine Mutter sagte: Ordnung ist das halbe Leben. Tue recht und scheue niemand. Rom ist auch nicht an einem Tag erbaut worden. Wer nicht arbeitet, der soll auch nicht essen. Zuerst ein Löffelchen für den Vater, und jetzt noch ein Löffelchen für die Mutter, und jetzt noch ein Löffelchen für den Opa, und jetzt noch ein Löffelchen für die Oma, und jetzt noch ein Löffelchen für den anderen Opa, und jetzt noch ein Löffelchen für die andere Oma, und jetzt noch ein Löffelchen für den Onkel Fritz, und jetzt noch ein Löffelchen für die Tante Berta, und jetzt noch ein Löffelchen für den Onkel Karl, und jetzt noch ein Löffelchen für die Tante Erna von der Fischbach, und jetzt noch ein Löffelchen für den Onkel Richard, und jetzt noch ein Löffelchen für die Tante Else, und jetzt noch ein Löffelchen für den Onkel Wilhelm, und jetzt noch ein Löffelchen für die Tante Luise, und jetzt noch ein Löffelchen für den Onkel Kurt, und jetzt noch ein Löffelchen für die Tante Erna von Liebergallshaus. Meine Mutter, meine Oma väterlicherseits, meine Oma mütterlicherseits, meine Tante Berta, meine Tante Erna von der Fischbach, meine Tante Else, meine Tante Luise und meine Tante Erna von Liebergallshaus tranken Kakao mit Nuß. Mein Vater trank Becker Bier. Mein Opa väterlicherseits trank Neufang Bier. Mein Opa mütterlicherseits trank Karlsberg Bier. Mein Onkel Fritz trank Bruch Bier. Mein Onkel Karl trank Walsheim Bier. Mein Onkel Richard trank Groß Bier. Mein Onkel Kurt trank Schloßbräu. Mein Onkel Wilhelm trank Becker Bier, Neufang Bier, Karlsberg Bier, Bruch Bier, Walsheim Bier, Groß Bier und Schloßbräu. Sie sagten, er sei ein Trinker. Er trank eins nach dem andern. Immer der Reihe nach. Auf Schritt und Tritt. Mit konstanter Bosheit. Schritt für Schritt. Bis zum Überdruß. Mit Fug und Recht. Von Rechts wegen. Nach dem Buchstaben des Gesetzes. Nach Recht und Billigkeit. Dem Sinne des Gesetzes entsprechend. Ohne Ansehen der Person. Angetreten. Ausgerichtet. In Reih und Glied. Im Senkel. Die Hacken geschlossen. Die Augen rechts. Die Hände an der Hosennaht. Mit angewinkelten Ellenbogen.

Monsieur Durand: Das hier ist ein Winkel; und was ist das da? Fritz: Das ist ein Dreieck. Diese Figur hat drei Winkel und drei Seiten. Die Seiten sind nicht gleich, die Winkel auch nicht. Monsieur Durand: Und diese Figur da? Fritz: Das ist ein Rechteck; es hat rechte Winkel. Monsieur Durand: Ist der Tisch dreieckig? Fritz: Nein, Monsieur, er ist rechteckig; er hat rechte Winkel. Monsieur Durand: Hier ist eine gerade Linie. Die Seite 31 unseres Buches hat 40 ungleiche Linien. Die einen sind lang, die anderen kurz. Hier ist ein Kreis und sein Mittelpunkt, und da ist eine Kugel. Da ist der Mittelpunkt des Tisches. Ist Roger im Mittelpunkt des Zimmers? Fritz: Nein, Monsieur, er ist in einer Ecke.

Aber auch das spezielle Bild schafft die irrationale Zahl der Welt, die spezielle Welt schafft die irrationale Zahl des Bildes, die spezielle Zahl schafft das irrationale Bild der Welt, die spezielle Welt schafft das irrationale Bild der Zahl, die spezielle Zahl schafft die irrationale Welt des Bildes, und das spezielle Bild schafft die irrationale Welt der Zahl, so wie das spezielle Bild der Welt die irrationale Zahl, die spezielle Welt des Bildes die irrationale Zahl, die spezielle Zahl der Welt das irrationale Bild, die spezielle Welt der Zahl das irrationale Bild, die spezielle Zahl des Bildes die irrationale Welt und das spezielle Bild der Zahl die irrationale Welt schafft.

Monsieur Durand: Was ist neben dir? Fritz: Das ist Boule, der Hund von René. Monsieur Durand: Ist er rechts oder links von Roger? Fritz: Er ist rechts von Roger. Monsieur Durand: Hier ist eine Streichholzschachtel; sie hat sechs Seiten, zwei schwarze Seiten, zwei weiße Seiten und zwei gelbe Seiten. André ist der Tafel gegenüber. Was gibt es oben und was unten? Fritz: Oben gibt es die Decke; unten gibt es den Fußboden. Monsieur Durand: Und rechts und links? Fritz: Links gibt es den Schrank; rechts gibt es die Bank. Monsieur Durand: Und auf der Seite? Und hinten? Fritz: Auf der Seite gibt es den Tisch; und hinten gibt es die Tafel. Monsieur Durand: Oben, unten, rechts, links, auf der Seite, hinten, oberhalb und unterhalb sind teils Umstandswörter, teils Verhältniswörter.

Wie sollten sie sich nun verhalten? Mein Vater, mein Opa väterlicherseits, mein Opa mütterlicherseits, mein Onkel Fritz, mein Onkel Karl, mein Onkel Richard, mein Onkel Kurt und mein Onkel Wilhelm hielten sich rechts. Sie hielten die Richtung ein. Sie hielten die Ordnung aufrecht. Sie hielten es aus. Das Weltbild unter dem Säbel hielt sie in Atem. Es war ihre spezielle Haltevorrichtung für schlimme Zeiten. Deshalb hielten sie sich unter dem Weltbild auf. Der blinde Urwille von Schopenhauer wurde zum unmittelbaren Weltwillen Bayreuths, und der dunkle Drang von Klages wurde zum Mythos des zwanzigsten Jahrhunderts. Sie enthiel-

ten den Klang der Säbelklinge des Weltbildes unter dem Säbel. Diesen hielt man
für Neger und Juden in Reserve. Mein Vater, mein Opa väterlicherseits, mein Opa
mütterlicherseits, mein Onkel Fritz, mein Onkel Karl, mein Onkel Richard, mein
Onkel Kurt und mein Onkel Wilhelm hielten das für notwendig. Aus diesem Grunde
hielt man unter dem Weltbild Versammlungen ab. Mein Vater verhielt sich ruhig.
Mein Opa väterlicherseits behielt Platz. Mein Opa mütterlicherseits hielt mit. Mein
Onkel Fritz hielt sich abseits. Mein Onkel Karl hielt daran fest. Mein Onkel Richard erhielt einen Posten. Mein Onkel Kurt hielt sich bereit. Mein Onkel Wilhelm
hielt sich zurück. Alle verhielten sich ordentlich. Aber keiner gebot Einhalt. Ihre
Enthaltsamkeit hielt an. Sie bewahrten Haltung. Das Weltbild unter dem Säbel
hielt sich über die Jahre. Es wurde zum Inhalt ihres Lebens. Es war der Behälter
ihrer Gefühle. Das Denken und den Kommunismus hielten sie für gefährlich. Deshalb hielten sie sich Waffen. Aber sie unterhielten nur Sportgewehre und Paradesäbel. Sie unterhielten sich mit dem ungefährlichen Spielzeug. Sie zeigten ein
wachsames, aber unkriegerisches Verhalten. Sie sorgten für den Unterhalt ihrer
Kinder und für den Aufenthalt der Westwallsoldaten. Aber für feindseliges oder
kriegerisches Verhalten gab es keinen Anhaltspunkt. Sie bezogen ihre Löhne und
Gehälter und lebten in ordentlichen Verhältnissen. Sie hielten sich an die Ordnung. Sie fuhren nicht per Anhalter, und sie mieden Nutten und Zuhälter. Sportgewehre, Paradesäbel und das Wunschkonzert waren ihre Unterhaltung. Mein Vater, mein Opa väterlicherseits, mein Opa mütterlicherseits, mein Onkel Fritz, mein
Onkel Karl, mein Onkel Richard, mein Onkel Kurt und mein Onkel Wilhelm hielten Schritt. Alle unter einem Hut. Kein Sauhaufen. Ohne Umstände. Sie tranken

	Bier
aus	Saarbrücken
in	Saarbrücken
für	Saarbrücker
mit	Saarbrückern
unter	Saarbrückern
	Bier
von	Saarbrückern.

Sie hatten Vertrauen in Saarbrücker. Sie hatten nur Vertrauen in Saarbrücker.
Sie hatten Vertrauen nur in Saarbrücker. Außer Neger und Juden waren ihnen
auch Franzosen verdächtig. Neger, Juden und Franzosen waren keine Menschen.

Monsieur Durand: Roger hat ein rundes Gesicht oder ein rundes Antlitz, eine
breite Stirn, braune Haare, zwei schwarze Augen (das rechte und das linke Auge),
zwei Ohren, eine kleine Nase, einen kleinen Mund, im Mund 24 Zähne und eine
Zunge. Er hat auch ein Herz und im Herzen rotes Blut. Aber er hat weder Schnurrbart noch Bart.

Adolf Hitler: Frankreich bleibt der weitaus furchtbarste Feind. Dieses an sich immer mehr der Vernegerung anheimfallende Volk bedeutet in seiner Bindung an die Ziele der jüdischen Weltbeherrschung eine lauernde Gefahr für den Bestand der weißen Rasse Europas. Claus Hinrich Tietjen: Die entscheidende Grundfrage aber, Raum oder Zahl, das heißt deutsch oder jüdisch, darf nicht zum Schweigen gebracht werden. Günther Hohenwald in einem Übungsbuch der deutschen Rechtschreibung aus dem Jahre 1968, 4. Auflage, 65. Tausend: Ob Franzosen freundlich sind, weiß ich nicht.

Monsieur Durand: Wir haben fünf Sinne und fünf Sinnesorgane, das Auge, das Ohr, die Nase, die Zunge und die Hand. Das Auge ist das Organ des Gesichts, das Ohr das Organ des Gehörs, die Nase das Organ des Geruchs, die Zunge das Organ des Geschmacks, und die Hand das Organ des Tastens. Die fünf Sinne sind, das Gesicht, das Gehör, der Geruch, der Geschmack und das Tasten.

Vater und Mutter, Opas und Omas, Onkel und Tanten lebten bescheiden und in ordentlichen Verhältnissen. Hatten sie alle ihre fünf Sinne beisammen? Gaben sie Obacht? Nahmen sie in Augenschein? Was zogen sie in Betracht? Wem schenkten sie Beachtung? Sahen sie auf die Finger? Paßten sie auf? Waren sie auf Draht? Was behielten sie im Auge? Wen ließen sie nicht aus den Augen? Vor wem waren sie auf der Hut? Kamen sie auf die Spur? Wem liehen sie ihr Ohr? Prüften sie? Nahmen sie Anteil? Wem schenkten sie ihre Aufmerksamkeit? Waren sie bei der Sache? Ließen sie sich beirren? Waren sie ganz Auge? Waren sie ganz Ohr? Verfolgten sie die Sache? Warfen sie einen Blick darauf? Richteten sie ihr Augenmerk darauf? Spitzten sie die Ohren? Was nahmen sie eigentlich wahr?

der des dem den/ der des dem den/ der der der der der/ die der der die/ die der der die/ die/ ein ein einem einem einem einem einer eine/ sie sie sie sie sie/ hatte/ war war war waren waren/ ihr ihres ihrem ihren ihr ihrem/ diesem diesem sich/ dort obschon beim jetzt stets um ganz über alle über all über überall auf/ mit mit mit mit mit/ unten/ in in in/ von von von von/ vom sehr an/ aus aus/ saß kam standen/ trug/ saß wuchs leuchteten trug/ aufstieg/ und und und und und und und und und und und und und und und/ geschmückt durchwirkt vermischt erfüllt ausgeputzt ausgefüllt/ hilflos prachtvoll leuchtend glänzend weiß grün gelb rot hoch dick sanft schwer/ unbeholfener dünner hagerer/ feuchtem/ schweren schwarzen neuen weichen breiten freien farbigen jungen angenehmen perlenbestickten seidenen verzierten glänzenden rostroten graublauen grellen dunklen schläfrigen durchnäßten angenehmen schweren schwarzen neuen weichen breiten wunderlichen leeren freundlichen dampfenden blauen kleinen hellen warmen ausbreitenden steifen längerwerdenden/ verhärmtes blaßgelbes hübsches weiches regelmäßiges schwarzes gutaussehendes/ neue große klare hohe flaumige junge monströse/ Miß Mary Gesicht Augen Körper Gesicht Hals Körper Ritzen Masse Fleisches Lidern Frühling Feuer Frühlingsfeuer Baumwipfel Wasser Nebel Luft Rauch Farnkraut Blumen Duft Erde Vogel Tage Freude Luft Vögel Gesang Erde Feldern Blättern Sonnenscheins Sommersonntagnachmittag Sommersonne Lehnstuhl Ecken Stuhles Kleidern Gebilde Bändern Satinmorgenkleid Tuchschürze Handschuhe Strohhut Federboa Borten Mieder Ärmel

Monsieur Durand: Die Kappe ist zu klein (oder nicht groß genug). Der Hut ist zu groß (oder nicht klein genug). Die Baskenmütze ist weder zu groß noch zu klein, sie paßt. André hat 150 Bleistifte, er hat genug Bleistifte. Jean hat nur ein halbes Stück Papier, er hat nicht genug Papier.

Ich nehme Bleistift und Papier und ordne meine Wörter.

19. LEKTION

Letzte Woche, Montag, der fünfte, Dienstag, der sechste, Mittwoch, der siebte, Donnerstag, der achte, Freitag, der neunte, Samstag, der zehnte (letzter Samstag), Sonntag, der elfte (letzter Sonntag), diese Woche, Montag, der zwölfte, Dienstag, der dreizehnte (vorgestern), Mittwoch der vierzehnte (gestern), Donnerstag, der fünfzehnte (heute), Freitag, der sechzehnte (morgen), Samstag, der siebzehnte (übermorgen), Sonntag, der achtzehnte, nächste Woche, Montag, der neunzehnte (nächster Montag), Dienstag, der zwanzigste (nächster Dienstag), Mittwoch, der einundzwanzigste, Donnerstag, der zweiundzwanzigste, Freitag, der dreiundzwanzigste, Samstag, der vierundzwanzigste, Sonntag, der fünfundzwanzigste.

Monsieur Durand: Welcher Tag ist heute? Fritz: Heute ist Donnerstag, morgen ist Freitag und übermorgen ist Samstag. Monsieur Durand: Gut! Ist deine Hausarbeit heute genau so gut wie gestern? Fritz: Ja, Monsieur, sie ist noch besser als gestern und vorgestern. Meine Lektion ist nicht lang. Monsieur Durand: Sind die Tage dieser Woche länger als die der letzten Woche? Fritz: Ja, Monsieur, sie sind in dieser Woche ein bißchen länger. Monsieur Durand: Welches sind die zwölf Monate des Jahres? Fritz: Es sind Januar, Februar, März, April, Mai, Juni, Juli, August, September, Oktober, November, Dezember. Monsieur Durand: Sehr gut, in welchem Monat sind wir? Fritz: Wir sind im Monat Mai; im Mai stehen die Bäume in Blüte.

war aus den Blättern aus diesem Farnkraut und dem Baumwipfel die Tage grün und hoch über Nebel und über Rauch über dem Wasser mit der und der und der und der junge klare hohe flaumige Gesang von Duft wuchs überall leuchteten Erde und Erde die Luft des Sonnenscheins auf Feldern die Frühlingsfeuer der Vögel

dampfenden blauen angenehmen kleinen schweren freien längerwerdenden Blumen unten gelb prachtvoll glänzend rot weiß vom Frühling erfüllt und vermischt mit feuchtem aufstieg war all die Freude

Mutters Freudentag ist der 6. Mai. An diesem Tage wird sie jedes Jahr ein Jahr älter, und sie hat guten Grund, an diesem Tage nicht mit Kakao und Nuß zu knausern. Denn es kommen Tante Luise, Tante Erna von Liebergallshaus, Tante Else, Tante Trautchen sowie Gertrud und Lotte zum Geburtstagskaffee. Tante Luise ist ihre Schwester Luise, und diese schenkt ihr einen Blumenstock. Tante Erna von Liebergallshaus ist ihre Schwester Erna, und diese schenkt ihr ein Gießkännchen aus Plastik. Tante Else ist ihre Schwägerin Else, und diese schenkt ihr eine Schachtel Pralinen. Tante Trautchen ist ihre Tante Trautchen, und diese schenkt ihr zusammen mit Gertrud und Lotte, die ihre Basen und deren Töchter sind, eine Butter-, eine Zucker- und eine Honigdose. Tante Luise, Tante Erna, Tante Else, Tante Trautchen sowie Gertrud und Lotte essen je ein Stück Marmorkuchen, Nußkuchen, Rosenkuchen, Rharbarberkuchen, Streuselkuchen und Käsekuchen im Werte eines Blumenstocks, eines Gießkännchens aus Plastik, einer Schachtel Pralinen, einer Butter-, einer Zucker- und einer Honigdose. Tante Luise rühmt die Güte ihres Blumenstocks wie Tante Erna die Güte ihres Gießkännchens aus Plastik, Tante Else die Güte ihrer Pralinen, Tante Trautchen, Gertrud und Lotte die Güte ihrer Butter-, Zucker- und Honigdose, und Mutter rühmt die Güte ihres Marmorkuchens, ihres Nußkuchens, ihres Rosenkuchens, ihres Rharbarberkuchens, ihres Streuselkuchens und ihres Käsekuchens. So ist dieser Wechsel eines Blumenstocks, eines Gießkännchens aus Plastik, einer Schachtel Pralinen, einer Butter-, einer Zucker- und einer Honigdose mit je einem Stück Marmorkuchen, Nußkuchen, Rosenkuchen, Rharbarberkuchen, Streuselkuchen und Käsekuchen zugleich mit einem Wortwechsel verbunden, in dem es Punkt und Komma, Hand und Fuß, Herz und Seele, Lug und Trug, Schmach und Schande, Gift und Galle gibt. Aber es ist nicht Tante Luise mit Punkt und Komma, Tante Erna mit Hand und Fuß, Tante Else mit Herz und Seele, Tante Trautchen mit Lug und Trug, Gertrud mit Schmach und Schande und Lotte mit Gift und Galle. Auch Tante Luise, Tante Erna und Tante Else können Lug und Trug, Schmach und Schande, Gift und Galle sein wie Tante Trautchen, Gertrud und Lotte Punkt und Komma, Hand und Fuß, Herz und Seele. Tante Luise hat Wolle auf dem Gebiß, Tante Erna ist mit allen Wassern gewaschen, Tante Else hört das Gras wachsen, Tante Trautchen hat Haare auf den Zähnen, Gertrud ist mit allen Salben geschmiert, und Lotte hats faustdick hinter den Ohren. Nach dem Marmorkuchen erzählt Tante Luise lang und breit, nach dem Nußkuchen erklärt Tante Erna kurz und bündig, nach dem Rosenkuchen berichtet Tante Else frank und frei, nach dem Rharbarberkuchen äußert sich Tante Trautchen schlecht und recht, nach dem Streuselkuchen schwört Gertrud hoch und heilig, nach dem Käsekuchen behauptet Lotte steif und fest. Tante Luise, mit Wolle auf dem Gebiß, erzählt: Das hat man nun davon. Tante Erna, mit allen Wassern gewaschen, erklärt: Der Apfel fällt nicht weit vom Stamm. Tante Else, die das Gras wachsen hört, berichtet: Das ist mir in meinem ganzen Leben

Ludwig Harig schreibt: „Meine Familie heißt ‚Familie Dupont'. Es ist die Familie, die auf grammatische Weise in den 80 Lektionen des ‚Lehrbuchs der französischen Sprache' von Louis Marchand entsteht. Genau nach der Anmerkung des Vorworts, ‚daß jeder Satz (mit Ausnahme des ersten) nur e i n unbekanntes Wort enthält', wächst eine Wort-Familie heran und wird groß und kräftig durch Attribute und Epitheta. So wie jedoch ein ständiger Zuwachs an Wörtern und Formen diese Familie Dupont und die Welt, in der sie erscheint, nach und nach erweitert, so tanzen diese Wortfiguren in kleinen und großen Sätzen aus der Reihe, fügen sich zusammen, verbinden sich und ergänzen sich zu neuen Familien. In diesen neuen Satzgefügen und Satzverbindungen spielen die Wortfamilien ihre Spiele, und zwar nach allen Regeln der Kunst. Die Wörter spielen sich auf, es spielt sich etwas in ihnen ab, sie spielen etwas an, spielen anderen etwas zu . . . Monsieur und Madame Dupont, René, André, Jean, Roger, Suzanne und Alice Dupont samt Großeltern, Onkeln und Tanten sind eine glückliche Familie, denn sie sind eine Familie aus Wörtern, und ihre Familienähnlichkeiten, die sie mit den Guermantes und sogar mit den Schiffen der Wüste in verwandtschaftliche Beziehungen bringen, sind nicht von Veranlagungen zu Plattfüßen oder kariösen Zähnen geplagt. Das Wesen aus Fleisch und Blut ist allein der Leser selber, der das Spiel mit den Wörtern mitspielen kann, wenn er möchte. Er wird weder von vorgetäuschten Wirklichkeiten betrogen werden, noch wird ihn die Frage nach dem Sinn dieser Spiele quälen, die ihm der Kritiker und Literaturwissenschaftler immer wieder suggeriert. Die Spiele selbst sind nämlich zugleich auch ihr Sinn, es gibt keine Hintergedanken."

Nach vielen Hörspielen und kürzeren Texten ist dies Ludwig Harigs bisher umfangreichstes systematischstes Buch. Seine spielerisch exakte Didaktik bringt die Versuche, dem Selbstverständnis der Sprache nachzugehen, entscheidende Schritte weiter. Nicht zuletzt durch ihren Mangel an Esoterik. Die hat Ludwig Harig durch Sprach- und Konstruktionswitz ersetzt.

Ludwig Harig, geboren 1927 in Sulzbach-Saar, ist seit 1950 Volksschullehrer. Seit 1955 Veröffentlichungen von eigenen Texten, u.a.: „Haiku Hiroshima" (1961); „Zustand und Veränderungen" (1963); „Reise nach Bordeaux" (1965); „im men see" (1969); außerdem zahlreiche Beiträge in Zeitschriften, Hörspiele und ein Theaterstück.

noch nicht vorgekommen. Tante Trautchen, mit Haaren auf den Zähnen, äußert sich: Da muß man kurzen Prozeß machen. Gertrud, mit allen Salben geschmiert, schwört: Kein Wort zuviel, kein Wort zuwenig. Lotte, die es faustdick hinter den Ohren hat, behauptet: es wird noch schlimmer kommen.

Red immer Treu- und Üblichkeit
red immer Üb- und Treulichkeit
trau immer Red- und Üblichkeit
trau immer Üb- und Redlichkeit
üb immer Red- und Treulichkeit
üb immer Treu und Redlichkeit

Mutter, beschenkt mit Blumenstock, Gießkännchen aus Plastik, Pralinen, Butter-, Zucker- und Honigdose, und Tante Luise, Tante Erna, Tante Trautchen sowie Gertrud und Lotte, gesättigt mit Marmorkuchen, Nußkuchen, Rosenkuchen, Rharbarberkuchen, Streuselkuchen und Käsekuchen, haben um sieben Uhr am Abend Gift und Galle verspritzt, Schmach und Schande ausgegossen, Lug und Trug verteilt, Herz und Seele versprochen, mit Hand und Fuß geredet, Punkt und Komma gesetzt. Wenn Hans und Grete, wenn der Revierförster Bostelmann, wenn der Doktor Eckhart, wenn der Eisenbahndirektor Schneller, wenn der Schulze Eisbein und der Geheime Sanitätsrat Stelzenbach hätten mithören, oder hinter den Kulissen stehen, oder auf der Lauer liegen, oder die Nase hineinstecken, oder lange Ohren kriegen, oder Mäuschen spielen können, dann hätten sie vernehmen können, wie ihre eigene Sprache klingt.

Grindkopf, Klotzkopf, Rotznase, Schnösel, Schussel, Dirmel, Dussel, Esel, Hammel, Hornochs, Schafskopf, Ziege, Ferkel, Schwein, Sau, Drecksau, Drecksack, Dreckarsch, Arschloch, Scheißkerl, Schleimscheißer, Schneegans, Flittchen, Strunze, Schickse.

Tante Luise, Tante Erna, Tante Else, Tante Trautchen sowie Gertrud und Lotte haben deutsch geredet, einen Denkzettel gegeben, eine Standpauke gehalten, Bescheid gesagt, die Meinung gegeigt, unter die Nase gerieben, Mores gelehrt, ins Gebet genommen, Zigarren gegeben, den Kopf gewaschen, den Kümmel gerieben, den Marsch geblasen, eine Gardinenpredigt gehalten, den Standpunkt klar gemacht, auf Trab gebracht, auf die Finger geklopft, zur Last gelegt, den Stab gebrochen, ihr Mütchen gekühlt. Sie sind mir aufs Dach gestiegen, daß kein Hund mehr ein Stück Brot von mir genommen hätte.

Stille Freude wärmt findigen Griff.
Stille Freude wärmt griffigen Fund.
Stille Freude findet warmen Griff.
Stille Freude findet griffige Wärme.

Stille Freude greift warmen Fund.
Stille Freude greift findige Wärme.
Stille Wärme freut findigen Griff.
Stille Wärme freut griffigen Fund.
Stille Wärme findet frohen Griff.
Stille Wärme findet griffige Freude.
Stille Wärme greift frohen Fund.
Stille Wärme greift findige Freude.
Stiller Fund freut warmen Griff.
Stiller Fund freut griffige Wärme.
Stiller Fund wärmt frohen Griff.
Stiller Fund wärmt griffige Freude.
Stiller Fund greift frohe Wärme.
Stiller Fund greift warme Freude.
Stiller Griff freut warmen Fund.
Stiller Griff freut findige Wärme.
Stiller Griff wärmt frohen Fund.
Stiller Griff wärmt findige Freude.
Stiller Griff findet frohe Wärme.
Stiller Griff findet warme Freude.

Der Blumenstock, das Gießkännchen aus Plastik, die Pralinen, die Butter-, die
Zucker- und die Honigdose stehen so lange auf dem Gabentisch, bis jedes Mitglied
der Familie, auch der entferntesten Verwandtschaft, sie gesehen und bewundert
hat. So ist Mutters Freudentag erst zu Ende, wenn der Blumenstock nicht mehr
auf dem Gabentisch, sondern auf der Fensterbank steht, wenn das Gießkännchen
aus Plastik nicht mehr auf dem Gabentisch, sondern auf dem Fernsehapparat
steht, wenn die Pralinen nicht mehr auf dem Gabentisch, sondern im Wohnzim-
merschrank stehen, wenn die Butter-, die Zucker- und die Honigdose nicht mehr
auf dem Gabentisch, sondern im Küchenschrank stehen. Aber auch dort stehen
sie nicht zum Gebrauch, sondern zur Zierde. Erst wenn die Pralinen grau geworden sind, bietet Mutter sie reihum an. Aber dann ist schon wieder Mai, und es gibt
einen neuen Blumenstock, ein neues Gießkännchen aus Plastik, neue Pralinen,
eine neue Butter-, eine neue Zucker- und eine neue Honigdose. Und auch Tante
Luise, Tante Erna, Tante Else, Tante Trautchen sowie Gertrud und Lotte sind
wieder da und üben Treu und Redlichkeit.

Wetterregel: Wenn der Hahn kräht auf dem Mist, dann ändert sich das Wetter
oder es bleibt wie es ist. Goethe: Laß regnen, wenn es regnen will, dem Wetter
seinen Lauf; denn wenn es nicht mehr regnen will, dann hörts von selber auf. Wetterregel: Gewitter im Mai, April vorbei!

Monsieur Durand: Den wievielten haben wir? Fritz: Heute ist der 15. Mai. Monsieur Durand: Hat dieser Monat genau so viel Tage wie der letzte Monat oder wie der nächste Monat? Fritz: Er hat ihrer mehr; er hat ihrer 31. Die anderen haben ihrer nur 30.

Oder schafft die Welt die irrationale Zahl des speziellen Bildes, das Bild die irrationale Zahl der speziellen Welt, die Welt das irrationale Bild der speziellen Zahl, die Zahl das irrationale Bild der speziellen Welt, das Bild die irrationale Welt der speziellen Zahl und die Zahl die irrationale Welt des speziellen Bildes, oder gar die Welt das spezielle Bild der irrationalen Zahl, das Bild die spezielle Welt der irrationalen Zahl, die Welt die spezielle Zahl des irrationalen Bildes, die Zahl die spezielle Welt des irrationalen Bildes, das Bild die spezielle Zahl der irrationalen Welt und die Zahl das spezielle Bild der irrationalen Welt?

23. LEKTION

Vorgestern morgen. Vorgestern. Vorgestern abend. Gestern morgen. Gestern. Gestern abend. Heute morgen. Heute. Heute abend. Morgen früh. Morgen. Morgen abend. Übermorgen früh. Übermorgen. Übermorgen abend.

Was macht mein Kind, was macht mein Reh, nun komm ich noch diesmal und dann nimmermeh. Kommst du heut nicht, kommst du morgen. Noch ist nicht aller Tage Abend. Genug für heute. Ich bin doch nicht von gestern. Heute so, morgen so. Heute rot, morgen tot. Lieber heut als morgen. Morgen, morgen, nur nicht heute. Heute mir, morgen dir. Man soll den Tag nicht vor dem Abend loben. Morgen kommen wir so jung nicht mehr zusammen. Bis heute gings gut. Das geht nicht von heute auf morgen. Heute so, morgen anders. Mal sehen, wies morgen geht. Morgen, Kinder, wirds was geben.

Wilhelm Hauff: Gestern noch auf stolzen Rossen, heute durch die Brust geschossen, morgen in das kühle Grab. Abraham a Santa Clara: Heute wacker, morgen auf dem Totenacker. Schiller: Früh übt sich, was ein Meister werden will.

Was Hänschen nicht lernt, lernt Hans nimmermehr. Aus dem Hänschen ist ein Hans geworden. Und der Hans schleicht umher, trübe Augen, blasse Wangen. Hans Huckebein, Hans Dampf in allen Gassen, Hans im Glück. Hans ist keine Eintagsfliege. Es gab ihn gestern, es gibt ihn heute, es wird ihn morgen geben. Hans ist alles immer überall, Hans ist etwas jetzt hier, Hans ist nichts nie nirgends. Es gab ihn weder gestern, noch gibt es ihn heute, noch wird es ihn morgen geben. Hans ist eine Zigarettenlänge. Aber einmal und nicht wieder ist zu wenig für Hans, der Zug um Zug die eigene Asche ist. Er nimmt sich sie. Johann und Gretchen sind eine deutsche Kultur, gestern, heute und morgen. Hänsel und Gretel sind ein deutsches Märchen, gestern, heute und morgen. Hans und Grete sind eine deutsche Sprachlehre, gestern, heute und morgen.

Monsieur Durand: Warst du heute morgen um drei Uhr draußen? Fritz: Nein, Monsieur, um drei Uhr morgens war ich noch in meinem Bett. Es war noch zu früh, um draußen zu sein. Monsieur Durand: Ja, es war noch zu früh. Wo warst du mittags? Fritz: Mittags war ich im Garten. Monsieur Durand: Es ist sieben Uhr abends. Wo bist du heute abend? Fritz: Heute abend bin ich bei Ihnen in Ihrem Büro. Monsieur Durand: Wo warst du heute nacht? Fritz: Heute nacht war ich in meinem Bett. Monsieur Durand: Bis wieviel Uhr ist Monsieur Dupont in seinem Büro? Fritz: Er ist sehr lange darin. Gestern war er noch um Mitternacht darin. Monsieur Durand: Seit wann bist du in Chaville? Fritz: Ich bin nicht seit sehr langer Zeit hier. Ich bin erst seit zwei Monaten hier. Ich bin erst seit kurzer Zeit bei Ihnen. Monsieur Durand: Wievielmal bist du in Versailles gewesen? Fritz: Ich bin zehn oder zwölf Mal dort gewesen. Monsieur Durand: Wie lange jedesmal? Fritz: Fünf oder sechs Stunden jedesmal. Monsieur Durand: In welcher Zeit wirst du dreizehn Jahre alt werden? Fritz: In sechs Monaten werde ich dreizehn Jahre alt werden. Monsieur Durand: Wird Jean bald dreizehn Jahre alt werden? Fritz: Ja, Monsieur, er wird in zwei Monaten dreizehn Jahre alt werden. Monsieur Durand: Wo bist du vor sechs Monaten gewesen? Fritz: Vor sechs Monaten war ich noch in Straßburg.

Heute gings im Dorf noch lustiger zu als am Tage vorher. Jetzt wars Mittagszeit und ein so klarer und sonniger Herbstmittag, wie man sich nicht klarer und sonniger wünschen kann. In der Schenke standen alle Fenster auf, und aus den offenen Fenstern schallte Singen und Lärmen und zwischendurch ein heller Juchzer weit ins Dorf hinein. Du, sagte die eine, heute dauerts aber lange. Es war kein Wunder, daß die kleineren Dorfjungen heulend davonliefen. Sie kommen zu euch zuerst, Nachbar, sagte der Bäcker. Ja, das tun sie, das tun sie, sagte Herr Wesemeier. So gings das Dorf hinab von Haus zu Haus. Du mußt, du mußt, schrien sie von allen Seiten. Und ich will nicht, sagte der Hans. Das hatte denn die Lustigkeit nur erhöht. Der Schulmeister war schon ein ältlicher Mann. Ja, sagte das Mädchen schüchtern. Der Hans war, wie die Grete ihn ansah, nicht minder bleich geworden. Seine Augen fuhren ihm wild im Kopf herum. Aber Vater, sagte das Mädchen. Und weinte bitterlich.

Na, na! das ist nicht ganz so schlimm, meinte der Vater. Du kannst es mir glauben, es ist nicht an dem. Bemühe dich, deine Pflichten gewissenhaft zu erfüllen. Du mußt dir zu helfen wissen. Lerne leiden, ohne zu klagen. Es ist nicht angebracht, die Vorschriften außer acht zu lassen. Es ist ratsam, das Bürgerliche Gesetzbuch zu kennen. Einem jeden das Seine und mir das Meine. Wer A sagt, muß auch B sagen. Ein Walzer im Dreivierteltakt ist immer beliebt. Die Ersten werden die Letzten sein. Wenn ihr ungehorsam seid, so ist es euer Schaden. Sie sind zu Recht verurteilt. Es gibt hier kein Wenn und kein Aber. Jede Sache hat ein

Für und Wider. Mancherlei Unbrauchbares sammelt sich zum Wegwerfen an. Die Räumung hat absprachegemäß stattgefunden. Das Vertilgen des Ungeziefers geschieht durch Spatzen; ob Würmer oder Raupen, sie fressen alles. Um die Ordnung des Staates aufrechtzuerhalten, werden Streitkräfte eingesetzt. Die Polizei konnte noch rechtzeitig dazukommen. Sie wird sich die Waffe nahe legen, um sie gleich bei der Gefahr zur Hand zu haben. Alles Störende wurde entfernt; es herrschte Ruhe.

Es war Abend geworden. Manchmal schauerte es ganz leise durch die Pappeln. Dort blieb sie stehen und holte tief Atem wie jemand, der ein gefährliches Abenteuer glücklich überstanden hat. Aber sie hatte es sehr verstohlen tun müssen. Hinter der Stubentür ein paar Augenblicke, ein paar Minuten auf dem Boden, ein paar in dem Ziegenstall, ein paar am Brunnen. Hier draußen wars besser. Ach! der liebe Mond hatte schon mehr als einmal dort oben gestanden. Daß sie ihn so wieder sehen mußte. Siehst du, Grete, das kommt davon, wenn man Gottes Wort nicht fürchtet. Hundert kleine Geschichten fielen der treuen Seele ein. Ja, ordentlich leicht wars der Grete ums Herz geworden. Sie hatte es früher nie getan, und jetzt geschah es so oft! Dann aber hatte sie sich daran gewöhnt, hatte ein Vaterunser gesprochen und immer hinzugefügt: und behüt mir meinen Hans, lieber Gott! Da war es ihr immer gleich so sonderbar ums Herz. Brum, brum, brum! ging der Baß. Das schnitt ihr jedesmal durch die Seele. Der Vater hatte ihr das nie erlaubt. Und jetzt stand sie wieder auf den Füßen, am ganzen Leibe zitternd vor Schreck und Liebe und Zorn. Der Hans stand daneben, ließ den Kopf und die langen Arme hängen und sprach kein Wort. Gretel, sagte Hans, Gretel. Denn Grete wollte nun nicht mehr weglaufen, weder nach Hause noch in den Teich. Geschehen ist nun mal geschehen, ich will nicht wieder mit den alten Geschichten anfangen. Sie werden mich alle haben wollen, und wer am besten zahlt, der soll mich haben. Hans aber wollte nichts davon wissen, und so heiß werde auch nichts gegessen, als es gekocht werde. Das ging dem Hans vom Munde wie Wasser vom Mühlrad. Und Grete mußte lachen einmal übers andere. Der lange Hans sagte gar nichts. Dummes Zeug, sagte der Vater. Es war so heiß im Zimmer, sagte Grete. Aber der Alte verstand sich auf die Gänsesprache nicht.

Na, na! das ist nicht ganz so schlimm, meinte der Vater. Du kannst mir glauben, es ist nicht an dem. Sich regen, bringt Segen. Zu arbeiten ist des Menschen Pflicht. Wer beizeiten spart, hat im Alter keine Sorgen. Nicht durch Faulenzen, sondern durch Arbeiten kommt man zum Ziel. Du solltest lieber arbeiten, anstatt zu faulenzen. Die Arbeiter werden gut entlohnt. Die gutentlohnten Arbeiter sind zufrieden. Die hochbezahlten Angestellten kosten sehr viel Geld. Die Angestellten werden hoch bezahlt. Durch Arbeiten kann man vorwärts kommen. Das Wohnungsamt stellt Minderbemittelten billige Wohnungen zur Verfügung. Kein Geringerer als der Staat hatte die Preise um ein geringes erhöht. Die armen Leute bedankten sich bei den reichen. Der Vagabund war aufs Betteln aus und nicht aufs Arbeiten. Das Vertilgen des Ungeziefers geschieht durch Spatzen; ob Würmer oder Raupen, sie fressen alles. Um die Ordnung des Staates aufrechtzuerhalten, werden Streitkräfte eingesetzt. Die Polizei konnte noch rechtzeitig dazukommen. Sie wird sich die Waffe nahe legen, um sie gleich bei der Gefahr zur Hand zu haben. Alles Störende wurde entfernt; es herrschte Ruhe.

Am nächsten Tag in aller Frühe hatte die Arbeit wieder begonnen. Zwischendurch hörte man die keifende Stimme der Wirtin. In der ebenfalls weitgeöffneten Haustür stand Hans. Das passierte ihm selten. Heute sah das Ding ganz anders aus. Mit Verlaub, Herr Heinz, sagte Hans und faßte militärisch an seine Mütze. Der Bäcker schob die Mütze noch ein wenig höher. Hans rückte sich die Mütze aus der Stirn. Hans! rief Herr Körner mit seiner pelzigen Stimme. Jürgen Dietrichs böses Weib warf ihm beinahe den Waschzuber an den Kopf. Hans sagte, er sei dem Herrn Schulzen sehr dankbar für den guten Rat. Es war nämlich der Mittag herbeigekommen. Hans verspürte großen Hunger, denn er war ein gewaltiger Esser. Meinetwegen, sagte die Frau und verschwand wieder in der Haustür. Das trifft sich gut, dachte Hans. Er nahm die Säge, legte sie in den halbdurchgeschnittenen Kloben und sägte ihn vollends durch. Hans wiederholte sich mehrmals, daß dies ein großes Glück sei. Es mußte stark auf sieben Uhr gehen. Dann war noch ein wackliger Tisch da, auf dem eine sorgsam ausgekratzte irdene Schüssel stand. Die Türen aber hatte man mitgenommen. Ein Wunder wars nicht, daß das Ding so zusammengetrocknet war. Hans öffnete es. Und nicht ohne einige Mühe, denn es war arg verquollen. In des Schulmeisters Garten bewegte sich etwas. Zuletzt verschwamm alles ineinander.

Na, na! das ist nicht ganz so schlimm, meinte der Vater. Du kannst es mir glauben, es ist nicht an dem. Zum Sterben hat keiner Lust, aber leben will jeder. Hunde, die bellen, beißen nicht. Mit Bellen verscheuchen die Hunde die Diebe. Am vielen Lachen erkennt man den Narren. Die zwei Unruhestifter werden auseinander gesetzt. Der kleine Junge konnte das Gute nicht vom Bösen unterscheiden. Der ernstzunehmende Junge saß auf der sonnenbeschienenen Bank. Das Kind war schön und gescheit. Der Lehrer lobt die fleißigen Kinder, aber nicht die faulen. Der Junge ist gehorsam, er kapiert schnell und hat Freude daran. Er sagt zu allem ja und amen. Er denkt nicht daran, zu verzichten. Nach einem Polizisten rufend, hielten zwei Männer einen halbwüchsigen Burschen fest. Halt! bleiben Sie doch stehen! rief der Polizist. Der Polizist nahm ihn zwecks Überprüfung seiner Personalien auf die Wache mit. Das Vertilgen des Ungeziefers geschieht durch Spatzen; ob Würmer oder Raupen, sie fressen alles. Um die Ordnung des Staates aufrechtzuerhalten, werden Streitkräfte eingesetzt. Die Polizei konnte noch rechtzeitig dazukommen. Sie wird sich die Waffe nahe legen, um sie gleich bei der Gefahr zur Hand zu haben. Alles Störende wurde entfernt; es herrschte Ruhe.

Monsieur Durand: War es in der letzten Nacht sehr dunkel gewesen? Fritz: Nein, Monsieur, die Nacht war klar gewesen. Es gab Sterne, und der Mond war voll. Es war herrlicher Mondschein. Monsieur Durand: Guten Abend, Fritz. Gute Nacht. Bis morgen. Fritz: Guten Abend, Monsieur. Gute Nacht, Monsieur. Jean (zu Fritz): Sei morgen früh um acht Uhr hier unten. Fritz (zu Roger): Seien wir pünktlich hier. Jean (zu Fritz und Roger): Seid pünktlich hier. Jean: Morgen werden wir bei Pépin sein. (Zu Fritz): Habe ein Auge auf ihn! Fritz (zu Roger): Haben wir ein Auge auf ihn! Jean (zu Fritz und Roger): Habt ein Auge auf ihn!

von Miß Mary die weichen freundlichen graublauen ausbreitenden schweren weichen leeren breiten schläfrigen Ärmel und Augen sanft hilflos dick schwer waren in einem Gesicht stets ausgefüllt mit ihrem Feuer des Fleisches saß und saß ganz beim Lehnstuhl und sie trug große monströse Ritzen waren von Körper Lidern ihres Stuhles ein schwarzes gutaussehendes regelmäßiges hübsches weiches Gebilde hatte sie der Masse ein Satinmorgenkleid sie sich dort alle Ecken

La pendule
Le canapé

La glace

24. LEKTION

Monsieur Durand: In einem Augenblick werde ich diesen Sessel meinem Schüler Fritz zeigen. Was zeige ich in diesem Moment? Ich zeige diesen Sessel meinem Schüler Fritz, ich zeige ihn auch Roger. Fritz, du wirst die Standuhr zeigen. Was zeigst du? Du zeigst die Standuhr. Du zeigst sie auch Roger. Sie wird das Klavier zeigen. Was zeigt sie? Sie zeigt das Klavier. Sie zeigt nicht die Standuhr. Fritz und ich, wir werden das Sofa und die Stutzuhr zeigen. Was zeigen wir? Wir zeigen das Sofa und die Stutzuhr. Wir zeigen sie auch Roger. Fritz und Jean, ihr werdet das Büfett zeigen. Was zeigt ihr? Ihr zeigt das Büfett, ihr zeigt nicht die Stutzuhr. Sie werden den Bücherschrank und den Spiegel zeigen. Was zeigen sie? Sie zeigen den Bücherschrank und den Spiegel. Der Stuhl, der Sessel, das Sofa und das Büfett sind Möbel. Was zeigte ich gestern in dieser Stunde meinem Schüler Fritz? Gestern habe ich meinem Schüler Fritz ein einziges Mal den Sessel gezeigt. Du zeigtest die Standuhr. Du hast ein einziges Mal die Standuhr gezeigt. Sie zeigte das Klavier. Sie hat ein einziges Mal das Klavier gezeigt. Wir zeigten das Sofa und die Stutzuhr. Wir haben ein einziges Mal das Sofa und die Stutzuhr gezeigt. Ihr zeigtet das Büfett. Ihr habt ein einziges Mal das Büfett gezeigt. Sie zeigten den Bücherschrank und den Spiegel. Sie haben ein einziges Mal den Bücherschrank und den Spiegel gezeigt. Fritz, zeige die Standuhr. Fritz: Ja, Monsieur, ich werde die Standuhr zeigen, ich zeige die Standuhr, ich habe die Standuhr gezeigt. Monsieur Durand: Zeigen wir die Stutzuhr. Fritz und Jean, zeigt das Büfett. Zeigt Fritz das Klavier? Roger: Nein, Monsieur, Fritz zeigt nicht das Klavier, er zeigt die Standuhr.

Ein großer Finger und ein kleiner Finger zeigen einen großen Zeiger und einen kleinen Zeiger. Ein großer Zeiger und ein kleiner Zeiger fingern einen großen Finger und einen kleinen Finger. Der große Finger und der kleine Finger sind Zeigefinger. Der große Zeiger und der kleine Zeiger sind Fingerzeige. Aber auch der große Finger und der kleine Finger fingern und sind Fingerzeige, wie der große Zeiger und der kleine Zeiger zeigen und Fingerzeige sind. Als Zeigefinger zeigen der große Finger und der kleine Finger die Dinge, wie der große Zeiger und der kleine Zeiger als Zeigefinger die Stunde zeigen. Dagegen zeigen der große Finger und der kleine Finger als Fingerzeige, welche Dinge so passieren, wie der große Zeiger und der kleine Zeiger als Fingerzeige zeigen, welche Stunde es geschlagen hat. Wer zeigt, stellt etwas zur Schau. Wer zeigt, erkennt etwas. Wer zeigt, spürt etwas. Wer zeigt, läßt etwas merken. Wer zeigt, läßt etwas offenbar werden. Wer zeigt, läßt etwas deutlich werden. Wer zeigt, läßt auf etwas schließen. Wer zeigt, läßt etwas kennenlernen. Wer zeigt, bezeugt etwas. Wer zeigt, spricht für etwas. Wer zeigt, beweist etwas. Wer zeigt, gibt etwas an. Wer zeigt, weist auf etwas hin. Wer zeigt, macht etwas verständlich. Wer zeigt, führt etwas vor. Monsieur Dupont zeigte sich stets freundlich. Madame Dupont zeigte sich stets erfreut. René Dupont zeigte sich stets geneigt. André Dupont zeigte sich stets erstaunt. Jean Dupont zeigte sich stets anständig. Roger Dupont zeigte sich stets gereizt. Suzanne Dupont zeigte sich stets gut erzogen. Alice Dupont zeigte sich stets gebildet. Fritz Hickels Fragen zeigten stets Verständnis und Interesse. Opa Duponts Verhalten zeigte Mangel an Zurückhaltung. Tante Adèles Verhalten zeigte Mangel an Verständnis für Opa. Miß Marys Verhalten zeigte Mangel an Entschlußfreudigkeit. Juppiter zeigte sich Europa, Asteria, Leda, Antiope, Alkmene, Danae, Aegina, Mnemosyne, Proserpina und Semele gegenüber erkenntlich. Lea und Rahel, Bilha und Silpa zeigten sich vor Jakob. Jakob erkannte sie. Kaiser Karl V. zeigte sich von seinem 56. Lebensjahre an nicht mehr in der Öffentlichkeit. Mein Vater zeigte sein Können mit Säbel und Gewehr. Meine Mutter zeigte ihre Freude darüber. Mein Opa väterlicherseits zeigte Neigung zum Biertrinken. Mein Opa mütterlicherseits zeigte seine Verachtung. Meine Oma väterlicherseits zeigte Veranlagung zur Fettsucht. Meine Oma mütterlicherseits zeigte immer ihre Liebe. Mein Onkel Fritz zeigte seinen Ärger. Meine Tante Berta zeigte ihre kalte Schulter. Mein Onkel Karl zeigte seine Ungeduld. Meine Tante Erna von der Fischbach zeigte ihre Ausdauer. Mein Onkel Richard zeigte seinen Zorn. Meine Tante Else zeigte ihr Bedauern. Mein Onkel Wilhelm zeigte seine Gefühle. Meine Tante Luise zeigte ihr Einfühlungsvermögen. Mein Onkel Kurt zeigte seine Liebenswürdigkeit. Meine Tante Erna von Liebergallshaus zeigte ihren Fleiß beim Taschentücherbügeln. Tante Trautchen zeigte die Zähne. Gertrud zeigte eine gewisse Unruhe. Lotte zeigte mit dem Zeigefinger. Perry Rhodan zeigte den Tuglanten und Mutanten, was eine Harke ist. Hercule Poirot zeigte in eine bestimmte Richtung.

Chamfort: In den großen Dingen zeigen sich die Menschen, wie es ihnen zukommt, sich zu zeigen; in den kleinen zeigen sie sich, wie sie sind. Schiller: Mut zeiget selbst der Mameluck. Kinderlied: Zeigt her eure Füßchen, zeigt her eure Schuh.

Die Magnetnadel zeigt nach dem magnetischen Nordpol. Das Thermometer zeigt +18° Celsius. Da zeigen die Bäume ihre Knospen. Und schon zeigt sich in der Ferne ein roter Schein. Am Himmel zeigen sich die ersten Sterne. Am Horizont zeigt sich ein Silberstreif. Er ist ein Zeigefinger und ein Fingerzeig. Er ist ein Vorzeiger und ein Anzeiger. Er ist ein Vorzeichen und ein Anzeichen für alles, das auf alle, für alles, das auf jemand, für alles, das auf niemand, für etwas, das auf alle, für etwas, das auf jemand, für etwas, das auf niemand, für nichts, das auf alle, für nichts, das auf jemand, für nichts, das auf niemand zukommt. Dieses alles, etwas und nichts, das auf alle, jemand und niemand zukommt, ist die Zukunft. Denn ob es alles, oder nur etwas, oder gar nichts ist, was auf alle, oder auf jemand, oder auf niemand kommt: es kommt als Zukunft aber nicht, weil es mit allem, oder mit etwas, oder mit nichts kommt, sondern weil es als alles, oder als etwas, oder als nichts kommt.

Alles ist immer überall
alles ist immer hier
alles ist immer nirgends

alles ist jetzt überall
alles ist jetzt hier
alles ist jetzt nirgends

alles ist nie überall
alles ist nie hier
alles ist nie nirgends

etwas ist immer überall
etwas ist immer hier
etwas ist immer nirgends

etwas ist jetzt überall
etwas ist jetzt hier
etwas ist jetzt nirgends

etwas ist nie überall
etwas ist nie hier
etwas ist nie nirgends

nichts ist immer überall
nichts ist immer hier
nichts ist immer nirgends

nichts ist jetzt überall
nichts ist jetzt hier
nichts ist jetzt nirgends

nichts ist nie überall
nichts ist nie hier
nichts ist nie nirgends

Das hat sich gezeigt, weil die Beziehungen zwischen den Wörtern für Menschen und den Wörtern für Menschen, den Wörtern für Dinge und den Wörtern für Dinge, den Wörtern für Menschen und den Wörtern für Dinge, den Wörtern für Dinge und den Wörtern für Menschen, aber auch zwischen den Wörtern für Menschen und den Menschen selber, den Wörtern für Dinge und den Dingen selber, den Wörtern für Menschen und den Dingen, den Wörtern für Dinge und den Menschen, und nicht zuletzt zwischen den Menschen und Menschen, den Dingen und Dingen, den Menschen und Dingen, den Dingen und Menschen auf Grund der verschiedenen Geschlechter und Eigenschaften nicht nur fortwährend einfach Tätigkeiten und Tätlichkeiten, Umstände und Umständlichkeiten, Verhältnisse und Verhältlichkeiten, Bindungen und Verbindlichkeiten, Empfindungen und Empfindlichkeiten darstellen, sondern weil sich alle diese Beziehungen und die Darstellungen dieser Beziehungen immer wieder ändern und verändern. Und so wie diese Beziehungen zwischen den Wörtern und den Menschen und den Dingen nicht nur einfach diese, sondern auch andere sein können, so können auch die fortwährenden Tätigkeiten und Tätlichkeiten, Umstände und Umständlichkeiten, Verhältnisse und Verhältlichkeiten, Bindungen und Verbindlichkeiten, Empfindungen und Empfindlichkeiten immer wieder andere sein. Aber die Änderungen und Veränderungen dieser Beziehungen und die Darstellungen dieser Änderungen und Veränderungen dieser Beziehungen müssen gezeigt und gelernt werden. Und da nun, weil ein großer Finger und ein kleiner Finger einen großen Zeiger und einen kleinen Zeiger zeigen, folglich ein großer Zeiger und ein kleiner Zeiger einen großen Finger und einen kleinen Finger fingern, der große Finger und der kleine Finger Zeigefinger und Fingerzeige, so wie der große Zeiger und der kleine Zeiger Fingerzeige und Zeigefinger sind, zeigen der große Finger und der kleine Finger als Zeigefinger nicht nur die Dinge, wie der große Zeiger und der kleine Zeiger als Zeigefinger nicht nur die Stunde zeigen, und zeigen der große Finger und der kleine Finger als Fingerzeige nicht nur, welche Dinge so passieren, wie der große Zeiger und der kleine Zeiger als Fingerzeige nicht nur zeigen, welche Stunde es geschlagen hat, sondern der große Finger und der kleine Finger, der große Zeiger und der kleine Zeiger als Zeigefinger und als Fingerzeige fingern die Dinge und fingern die Stunde, fingern die Dinge, die so passieren und fingern die Stunde, die geschlagen hat. So ist alles etwas und nichts, etwas alles und nichts, nichts alles und etwas. So sind alle jemand und niemand, jemand alle und niemand, niemand alle und jemand. So ist überall hier und nirgends, hier überall und nirgends, nirgends überall und hier. Und so ist immer jetzt und nie, jetzt immer und nie, nie immer und jetzt.

T.S. Eliot: Jetzige Zeit und vergangene Zeit
sind vielleicht gegenwärtig in künftiger Zeit
und die künftige Zeit enthalten in der vergangenen/
Ist aber alle Zeit ewige Gegenwart
wird alle Zeit unwiderrufbar/
Die Menschen ertragen nicht viel Wirklichkeit/
Vergangene Zeit und künftige Zeit
was hätte sein können und was wirklich war
weisen auf ein stets gegenwärtiges Ende/
Ich kann nur sagen: dort waren sie, doch nicht wo
ich kann nicht sagen, wie lange
denn das stellte es in die Zeit/
Nur durch Zeit wird Zeit überwunden/
Nur in der Zeit ist das Wort/
Nicht nur dies, sondern vielmehr das Zugleich-Sein
und daß das Ende dem Anfang vorangeht
denn Ende und Anfang bestehen von jeher
noch vor dem Anfang und noch nach dem Ende/
Alles ist immer jetzt

All is always now
is always now all
always now all is
now all is always

is now all always
now all always is
all always is now
always is now all

always all is now
all is now always
is now always all
now always all is

now is always all
is always all now
always all now is
all now is always

all always now is
always now is all
now is all always
is all always now

is all now always
all now always is
now always is all
always is all now

Also muß gesagt werden: Deine Antwort zeigt, wie du sprichst. Der Versuch zeigt, wie du singst. Zeig mir, wie du spielst. Zeig uns doch, wie du stellst. Zeig, wie du trägst. Es zeigt sich, wie du liegst. Du zeigst, wie du gibst. Ich zeige dir, wie du gehst. Dir werd ichs zeigen, wie du ziehst. Dein Schreck zeigt, wie du Angst zu fallen hast. Fällst du weich, ziehst du fest, gehst du rasch, gibst du gut, liegst du prima, trägst du schwer, stellst du leicht, spielst du tüchtig, singst du schön, sprichst du richtig, dann wird durch Können aus fallen ein Fall, aus ziehen ein Zug, aus gehen ein Gang, aus geben eine Gabe, aus liegen eine Liege, aus tragen eine Trage, aus stellen ein Gestell, aus spielen ein Spiel, aus singen ein Gesang, aus sprechen eine Sprache; dann wird aus Können also eine neue Kunst, die das Hantieren mit den Dingen zeigt, wie Gardisette, der neue Faltenfall, beweist.

25. LEKTION

Mauerspruch (Paris, Mai 1968): L'art est mort, ne mangez pas son cadavre!

Monsieur Durand: In diesem Augenblick spreche ich französisch. Ich spreche weder englisch, noch italienisch, noch deutsch. Fritz, sprichst du eine andere Sprache als französisch? Fritz: Ja, Monsieur, ich spreche auch deutsch. Monsieur Durand: Sprachst du im letzten Jahre französisch? Fritz: Nein, Monsieur, im letzten Jahre sprach ich nur deutsch.

Frohe Stille wärmt findigen Griff.
Frohe Stille wärmt griffigen Fund.
Frohe Stille findet warmen Griff.
Frohe Stille findet griffige Wärme.
Frohe Stille greift warmen Fund.
Frohe Stille greift findige Wärme.
Frohe Wärme stillt findigen Griff.
Frohe Wärme stillt griffigen Fund.
Frohe Wärme findet stillen Griff.
Frohe Wärme findet griffige Stille.
Frohe Wärme greift stillen Fund.
Frohe Wärme greift findige Stille.
Froher Fund stillt warmen Griff.
Froher Fund stillt griffige Wärme.
Froher Fund wärmt stillen Griff.
Froher Fund wärmt griffige Stille.
Froher Fund greift stille Wärme.
Froher Fund greift warme Stille.
Froher Griff stillt warmen Fund.
Froher Griff stillt findige Wärme.
Froher Griff wärmt stillen Fund.
Froher Griff wärmt findige Stille.
Froher Griff findet stille Wärme.
Froher Griff findet warme Stille.

Wer will, der kann. Da nun aber der, der will, auch kann, kann der, der will, nicht nur können, weil er können will, sondern will auch, weil er kann. Wer kann, der will folglich auch. Die Menschen haben eine gespaltene Zunge, so daß sie die Stimme der Vögel nachahmen und zwei Gespräche zu gleicher Zeit führen können. Aber Sokrates sagte nicht, laßt uns einen Ausflug nach Nirgendheim machen, sondern er sagte, laßt uns einen Staat gründen. Thomas Morus wollte Bungalows, Thomas Campanella war für Hochbauten, Thomas Morus wollte Einzelhäuser, Thomas Campanella war für Wohnblöcke, Thomas Morus wollte Gartenstädte, Thomas Campanella war für Palastanlagen. Der Ochse sehnt sich nach der Wiese mit dem schönsten Futter. In jeder Kartoffel, die wir essen, steckt eine Unmenge angewandter Biologie. Jedes Stadtviertel ist in einem anderen Stil gebaut. Es gibt ein ägyptisches und ein russisches Viertel. Träume sind Schäume; deshalb ist Persil in den Himmel geschrieben. Die Kinder werden nur dann aufgezogen, wenn sie die Luftfahrt ertragen; der Wunsch ist der Vater des Gedankens. Liegt das Nirgendland nun in der Zukunft oder in der Vergangenheit? Alle, die wollen und deshalb können, und alle, die können und deshalb wollen, alle die doppelzüngigen Menschen und Ochsen auf Reisen und zu Hause, in Bungalows und in Hochbauten, in Einzelhäusern und in Wohnblöcken, in Gartenstädten und in Palastanlagen, auf Wiesen und am Tisch, zu Lande und in der Luft, blicken nach vorne und blicken zurück. Aber das, was kommt, ist das, was geht, und das, was geht, ist das, was kommt. Das, was auf uns zukommt ist das, was von uns vergeht, und das, was von uns vergeht ist das, was auf uns zukommt. So ist auch das, was verkommt, das, was zugeht, und das, was zugeht, ist das, was verkommt. Der Ausflug nach Nirgendheim endet in einem gegründeten Staat, und der gegründete Staat ist irgendwo das Nirgendheim. Aus Bungalows werden Hochbauten, aus Hochbauten Bungalows, aus Einzelhäusern werden Wohnblöcke, aus Wohnblöcken Einzelhäuser, aus Gartenstädten werden Palastanlagen, aus Palastanlagen Gartenstädte. Die Stadtviertel geraten in den Himmel, und in die Städte kommt Persil. Wollen, das können und können, das wollen bedingt, macht Zugang aus Vergangenheit und Verkommenheit aus Zukunft. Zugang und Verkommenheit ist zugegangene Vergangenheit und verkommene Zukunft, ist zugegangene Zukunft und verkommene Vergangenheit. Zugang und Verkommenheit sind zugänglich und verkommen. Die Menschen begeben sich in diese zugängliche Verkommenheit und in diesen verkommenen Zugang. Sie ziehen und gehen von Haus zu Haus, von Ort zu Ort, von Land zu Land, von Pol zu Pol. Sie geben und legen bei hoch und niedrig, bei jung und alt, bei groß und klein, bei arm und reich. Sie tragen und stellen in Haus und Hof, in Feld und Wald, in Wald und Busch, in Busch und Feld. Sie singen und spielen mit gespaltenen Zungen. Sie sprechen davon.

Monsieur Durand: Mademoiselle Suzanne sitzt am Klavier. Sie spricht nicht, sie singt. Was singt sie? Fritz: Sie singt ein altes französisches Lied. Monsieur Durand: Welches Lied? Fritz: O mein Land! Das ist ein sehr schönes Lied. Mademoiselle Suzanne spielt sehr gut Klavier. Monsieur René spielt auch sehr gut Geige. Monsieur Durand: Und du? Was spielst du? Fritz: Ich spiele Flöte, aber ich spiele sehr schlecht. Monsieur Durand: Singst du gut oder schlecht? Fritz: Ich singe gut. Ich singe besser als Jean. Roger: Ich spiele mit meinem Ball. Ich spiele Ball. Alice spielt nicht. Sie hat Zahnweh.

sie war sie obschon ihr jetzt in dünner hagerer unbeholfener Sommersonne ihr blaßgelbes und verhärmtes Mieder von einem Mißklang kam der den Vogel zu diesem Gesicht trug Handschuhe um ihren Hals eine neue Federboa sehr leuchtend geschmückt und aufgeputzt in einem Sommersonntagnachmittag der ihren Körper mit rostroten perlenbestickten verzierten seidenen farbigen angenehmen neuen grellen schwarzen glänzenden breiten dunklen wunderlichen hellen schwarzen steifen Bändern und neuen Kleidern und einer Tuchschürze mit Borten standen durchwirkt an einem Strohhut

Monsieur Durand: Der Korb ist in der Ecke. Er ist nicht an seinem Platz. Sein Platz ist unter dem Schreibtisch. Stelle den Korb unter den Schreibtisch. Ein Platz für jedes Ding, und jedes Ding an seinen Platz. Fritz: Ja, Monsieur, ich werde den Korb unter den Schreibtisch stellen. Ich stelle den Korb unter den Schreibtisch, ich habe den Korb unter den Schreibtisch gestellt.

Monsieur Durand: Jean, was trägst du auf der Schulter? Jean: Monsieur, das ist das dicke Buch von Papa. Monsieur Durand: Lege es auf den Tisch. Jean: Ich werde es auf den Tisch legen, ich lege es auf den Tisch, ich habe es auf den Tisch gelegt.

Was nicht liegt, das liegt nicht. Aber das was liegt, das liegt auch nicht, denn wenn das was liegt, liegt und noch nicht hereingenommen ist, liegt das was liegt, nicht, wenn es versehentlich liegt. Was nicht liegt, das liegt, wenn es nicht liegt wie das was liegt wenn es liegt und kein Versehen vorliegt, sondern liegt wie das was nicht liegt und liegt, weil es liegen wird als das Mögliche, das liegt ohne Einschränkung, daß es nicht liegen wird, weil es liegen wird wie das was liegt und kein Versehen vorliegt. Was liegt, das liegt, wenn es liegt wie es liegt und kein Versehen vorliegt.

Wer Besitz liebt herzt verspieltes Kreuz
wer Besitz liebt herzt gekreuztes Spiel
wer Besitz liebt spielt herzliches Kreuz
wer Besitz liebt spielt gekreuztes Herz

wer Besitz liebt kreuzt herzlichen Besitz
wer Besitz liebt kreuzt besessenes Herz

Wer Besitz herzt spielt liebes Kreuz
wer Besitz herzt spielt gekreuzte Liebe
wer Besitz herzt liebt verspieltes Kreuz
wer Besitz herzt liebt gekreuztes Spiel
wer Besitz herzt kreuzt verspielte Liebe
wer Besitz herzt kreuzt liebes Spiel

Wer Besitz spielt herzt liebes Kreuz
wer Besitz spielt herzt gekreuzte Liebe
wer Besitz spielt liebt herzliches Kreuz
wer Besitz spielt liebt gekreuztes Herz
wer Besitz spielt kreuzt herzliche Liebe
wer Besitz spielt kreuzt liebes Herz

Wer Besitz kreuzt herzt verspielte Liebe
wer Besitz kreuzt herzt liebes Spiel
wer Besitz kreuzt spielt herzliche Liebe
wer Besitz kreuzt spielt liebes Herz
wer Besitz kreuzt liebt herzliches Spiel
wer Besitz kreuzt liebt verspieltes Herz

Christoph August Tiedge: Nicht der Besitz, nur das Enthüllen, das leise Finden
nur ist süß. Kant: Daß ich etwas Gutes nicht habe, was ich habe besitzen können,
schmerzt lange nicht so sehr, als daß ich etwas nicht mehr besitze, was ich gehabt
habe. Rainer Maria Rilke: Willst du, ich soll dir geben, sei, bitte, erst Schale und
schön, sei erst bereit im Empfangen und ruhig im Halten.

Monsieur Durand: Fritz, gib Jean ein Stück Kreide. Fritz: Ja, Monsieur, ich werde Jean ein Stück Kreide geben, ich gebe Jean ein Stück Kreide, ich habe Jean
ein Stück Kreide gegeben. Monsieur Durand: Roger, gehe jetzt ein bißchen in
den Salon. Gehe vorwärts oder rückwärts. Gehe einen Schritt, zwei Schritte, drei
Schritte vorwärts. Roger: Vorwärts, marsch! Eins, zwei, eins, zwei! Gehe zurück
oder vorwärts! Gehe einen Schritt, zwei Schritte, drei Schritte zurück. Monsieur
Durand: Roger und Fritz, kommt beide zu mir nach vorne! Fritz vor Roger. So
ists recht! Roger hinter Fritz. Jean: Der Hund geht nicht voran. Roger zieht ihn
vorwärts.

Monsieur Dupont zog das große Los. Madame Dupont zog sich bis aufs Hemd
aus. René zog Jeannette an seine Brust. André zog Leine. Jean zog es an den Haaren herbei. Roger zog den Hund an den Ohren. Suzanne zog einen schiefen Mund.
Alice zog aller Augen auf sich. Fritz Hickel zog seinen Kopf aus der Schlinge.

Opa Dupont zog Tante Adèle und Miß Mary ungemein an. Tante Adèle zog aber bekanntlich den kürzeren. Miß Mary zog am gleichen Strang. Juppiter zog vom Leder. Jakob zog nach Ägypten. Kaiser Karl V. zog das Schwert.

Monsieur Durand: Was fällt da aus deiner Tasche? Jean: Das ist mein Messer, welches fällt. Roger: Ich falle über einen Stein. Monsieur Durand: Schon als Kind sang Mademoiselle Suzanne sehr gut. Hier sind zwei Quadrate mit einem Zentimeter Seitenlänge. Jean: Suzanne singt, während sie Klavier spielt. Roger zieht den Hund, während er vorwärts geht. Fritz: Meine Uhr geht sehr gut. Sie hat ein regelmäßiges Ticktack, tick tack, tick tack, tick tack. Jean: Meine Uhr geht sehr schlecht. Sie hat ein unregelmäßiges Ticktack, horch! Tick tick tack, tick tack, tack tack tick, tick, tack, tick. Monsieur Durand: Hier sind zwei Stücke Holz. Das eine hat eine regelmäßige Form. Seine beiden Seiten haben die gleiche Form. Das andere hat eine unregelmäßige Form. Seine beiden Seiten haben nicht die gleiche Form.

Mein Vater zog es in die Länge. Meine Mutter zog Parallelen. Mein Opa väterlicherseits zog von Lokal zu Lokal. Mein Opa mütterlicherseits zog seine Bahn. Meine Oma väterlicherseits zog Schranken. Meine Oma mütterlicherseits zog es abends an den warmen Ofen. Mein Onkel Fritz zog den Beutel. Meine Tante Berta zog es ins Lächerliche. Mein Onkel Karl zog sich unsere Reinetten zu Gemüte. Meine Tante Erna von der Fischbach zog es in Frage. Mein Onkel Richard zog in den Krieg. Meine Tante Else zog es in Betracht. Mein Onkel Wilhelm zog auf Friedenswacht. Meine Tante Luise zog es in Erwägung. Mein Onkel Kurt zog zu Felde. Meine Tante Erna von Liebergallshaus zog schöne Kleider an. Tante Trautchen, Gertrud und Lotte zogen zur Verantwortung. Perry Rhodan zog den Mutanten und Tuglanten zu Leibe. Hercule Poirot zog den Mördern und dem Nemäischen Löwen das Fell über die Ohren.

Von Bilder Menschen und Gegenden von Bilder Menschen Gegenden und von Bilder und Menschen Gegenden von Bilder und Gegenden Menschen von Bilder Gegenden Menschen und von Bilder Gegenden und Menschen von Menschen Bilder und Gegenden von Menschen Bilder Gegenden und von Menschen und Bilder Gegenden von Menschen und Gegenden Bilder von Menschen Gegenden Bilder und von Menschen Gegenden und Bilder von und Bilder Menschen Gegenden von und Bilder Gegenden Menschen von und Menschen Bilder Gegenden von und Menschen Gegenden Bilder von und Gegenden Bilder Menschen von und Gegenden Menschen Bilder von Gegenden Bilder Menschen und von Gegenden Bilder und Menschen von Gegenden Menschen Bilder und von Gegenden Menschen und Bilder von Gegenden und Bilder Menschen von Gegenden und Menschen Bilder

29. LEKTION

Fritz (grüßt Monsieur Durand): Guten Tag, Monsieur! Monsieur Durand: Guten Tag, Fritz, wir wollen heute morgen ein bißchen Sprachlehre treiben. Der kleine Roger hat seinem Bruder seine Bilder gezeigt. Dieser Satz besteht aus neun Wörtern. „Der" ist ein Wort, „klein" ist ein Wort. Das erste Wort „der" ist ein Geschlechtswort. „Klein" ist ein Eigenschaftswort. „Roger" ist ein Name. „Bild" und „Bruder" sind Dingwörter. „Zeigen" ist ein Tätigkeitswort. Fritz, zähle die Wörter dieses Satzes! Fritz: Ich zähle die Wörter dieses Satzes, eins, zwei, drei, vier, fünf, sechs, sieben, acht, neun. Er besteht aus neun Wörtern. Monsieur Durand: Zähle die Buchstaben des Wortes „seinem"! Fritz: Das Wort „seinem" besteht aus sechs Buchstaben, s, e, i, n, e, m. Monsieur Durand: Buchstabiere das Wort „Bilder"! Fritz: Ich buchstabiere das Wort „Bilder", B, i, l, Bil, d, e, r, der, Bilder.

Menschen Bilder von und Gegenden Menschen Bilder von Gegenden und Menschen Bilder und von Gegenden Menschen Bilder und Gegenden von Menschen Bilder Gegenden von und Menschen Bilder Gegenden und von Menschen von Bilder und Gegenden Menschen von Bilder Gegenden und Menschen von und Bilder Gegenden Menschen von und Gegenden Bilder Menschen von Gegenden Bilder und Menschen von Gegenden und Bilder Menschen und Bilder von Gegenden Menschen und Bilder Gegenden von Menschen und von Bilder Gegenden Menschen und von Gegenden Bilder Menschen und Gegenden Bilder von Menschen und Gegenden von Bilder Menschen Gegenden Bilder von und Menschen Gegenden Bilder und von Menschen Gegenden von Bilder und Menschen Gegenden von und Bilder Menschen Gegenden und Bilder von Menschen Gegenden und von Bilder

Monsieur Durand: Das Geschlechtswort „der" ist männlich. Das Geschlechtswort „die" ist weiblich. „Der kleine Roger" ist der Satzgegenstand von „hat gezeigt". „Seine Bilder" ist die Ergänzung im vierten Fall von „hat gezeigt". „Seinem Bruder" ist die Ergänzung im dritten Fall von „hat gezeigt". Bilde einen Satz aus sechs Wörtern! Fritz: Zum Beispiel, „Jetzt habe ich einen guten Lehrer". Das ist ein Satz aus sechs Wörtern. Monsieur Durand: Nenne den Satzgegenstand! Fritz: Der Satzgegenstand ist „ich". Das ist ein Fürwort. Es ist für meinen Namen da; es ersetzt meinen Namen. Monsieur Durand: Nenne die Ergänzung im vierten Fall! Fritz: Das ist „einen guten Lehrer". Es gibt keine Ergänzung im dritten Fall. Mon-

sieur Durand: „Jetzt" ist ein Umstandswort. Beuge das Tätigkeitswort „heben"
in der Gegenwart, in der Vergangenheit, in der vollendeten Gegenwart und in der
Zukunft! Fritz: Gegenwart: ich hebe, du hebst, er hebt, sie hebt, es hebt, wir heben, ihr hebt, sie heben. Vergangenheit: ich hob, du hobst, er hob, sie hob, es hob,
wir hoben, ihr hobt, wir hoben. Vollendete Gegenwart: ich habe gehoben, du hast
gehoben, er hat gehoben, sie hat gehoben, es hat gehoben, wir haben gehoben,
ihr habt gehoben, sie haben gehoben. Zukunft: ich werde heben, du wirst heben,
er wird heben, sie wird heben, es wird heben, wir werden heben, ihr werdet heben,
sie werden heben. Monsieur Durand: Gut. Aber in diesem Satz hast du drei Fehler gemacht: „Die Tieren zieht die Wägen". Berichtige sie! Fritz: Ich berichtige
meine Fehler: „Die Tiere ziehen die Wagen". Jetzt ist in meinem Satz kein Fehler
mehr. Er ist richtig.

Satzgegenstand und Satzaussage, Anfang und Ende, Hans und Grete.

So hatte denn Hans, worauf ihm vorläufig alles ankam, in unmittelbarer Nähe seine
Grete. Und das machte ihn so vergnügt, daß es ihm gar nicht schwer wurde, seiner
Natur zu folgen. Und alles von der guten Seite zu nehmen. Diese Arbeit erforderte
einen starken und kühnen Mann. Was ihm aber noch besser gefiel als die Arbeit,
war, daß er den ganzen Tag im Walde zubringen durfte. Das hat der Junge von
seinem Vater, sagten die Leute. Nein, sagte Hans, das soll mir keiner wieder nach-
sagen. Und Hans nahm einen tüchtigen Schluck, legte die Flasche neben sich und
horchte. Und jetzt kam ein Vogel, der etwas zurückgeblieben war. Des Alten Gesicht verfinsterte sich zusehends. Freut mich, daß ihr ein so gutes Gedächtnis habt,
sagte Hans. Der Herr Schulze hatte gemeint, Art lasse nicht von Art und der Apfel
falle nicht weit vom Stamm. Aber noch auf dem Nachhausewege sollte er über
die Meinung der verfänglichen Worte aufgeklärt werden. Aber Meister Heinz war
ein aufgeklärter Mann und machte sich einen Pfifferling aus solchem Altweiberge-
schwätz. Der Abend war so finster, wie ein Abend im Anfang des Oktober nur
sein kann. Hans hörte das alles mit seinen scharfen Ohren. Und Grete schaute zwischen den Tannen hervor. Er rief ihr zu, sie solle herankommen; sie rief zurück:
komm du doch! Er lief auf sie zu. Die gehört mir, sagte Hans. Oho, sagte der Alte,
so schnell geht das nicht. Da ging der Schuß los, und Hans stand kerzengerade neben dem Baumstumpf.

Na, na! das ist nicht ganz so schlimm, meinte der Vater. Du kannst es mir glauben,
es ist nicht an dem. Hell lodern die Flammen und erleuchten die Nacht. Es ist ein
ständiges Hin und Her. Er stand nach dem Kriege vor einem Nichts; den übrigen
wird es nicht viel anders ergangen sein. Fortmüssen aus der Heimat ist eine bittere
Sache. Die Flüchtlinge befinden sich bereits im sichern, sie können sich auf die
Ereignisse des näheren nicht mehr besinnen. Möge dich der Herr beschützen. Nachdem der Notar den letzten Willen zur Kenntnis genommen hatte, gab der Pfarrer

die letzte Ölung. In der Kirche wurde am Heiligen Abend das Heilige Abendmahl gegeben. Der Pfarrer erzählte uns etwas über den heiligen Paulus und die Heiligen Drei Könige. Das Mädel lernt die zehn Gebote auswendig. Zu vergeben ist Christenpflicht. Wir wollen Sonntag nachmittag zur Messe gehen. Wir wollen am Sonntagnachmittag zur Messe gehen. Bist du auch nicht an den Stacheldraht zu nahe gegangen, fragte die Mutter. Lebt ihr noch, schluchzte sie auf, wo seid ihr denn? Ich dachte, ich hätte alles geträumt. Das Vertilgen des Ungeziefers geschieht durch Spatzen; ob Würmer oder Raupen, sie fressen alles. Um die Ordnung des Staates aufrechtzuerhalten, werden Streitkräfte eingesetzt. Die Polizei konnte noch rechtzeitig dazukommen. Sie wird sich die Waffe nahe legen, um sie gleich bei der Gefahr zur Hand zu haben. Alles Störende wurde entfernt; es herrschte Ruhe.

Der Vater war ganz außer sich gewesen. Und Grete hatte nicht zu widersprechen gewagt. Der Herr Pfarrer war sehr häßlich, klein und dünn und schief, hatte nur ein Auge und trug eine große blaue Brille. Hans hatte auf alle diese Fragen mit einem kräftigen Nein geantwortet. Und auf alle Fälle wolle er es nicht wieder tun. Grete geriet jedesmal in großen Zorn, wenn Hans sich nicht schämte. Und doch hatte den Hans, wenn er so auf den Busch klopfte, der alte Instinkt ganz sicher geführt. Da war denn das so lange und so leise geführte Gespräch ins Stocken gekommen. Grete saß und strickte und wagte nicht, die Augen aufzuschlagen. Jetzt würde das Schreckliche kommen. Der Vater leuchtete ihm aus der Haustür. Grete saß noch immer in derselben Stellung, die Augen auf das Strickzeug geheftet, dessen Nadeln mehr als nötig klapperten. Der Alte ging ein paarmal in der Stube auf und ab. Grete drückte es fast das Herz ab. Sie dachte, sie müßte sterben, wenn sie es sagte. Und endlich sagte sie es doch. Sie saß noch eine Weile und weinte still vor sich hin. Dann packte sie ihre Sachen zusammen. Trotzdem konnte sich Grete nicht beruhigen. Die Nacht war dunkel und windig. Ach, du guter Gott! schrie Grete und stürzte auf ihr Bett. Ach, du guter Gott, das ist gewiß der Hans gewesen!

Na, na! das ist nicht ganz so schlimm, meinte der Vater. Du kannst es mir glauben, es ist nicht an dem. Das feindliche Heer ist nach Ablauf des Waffenstillstandes in das Land wieder eingefallen. Das Land kämpfte auf seiten der Alliierten. Sie taten vieles gemeinsam, obwohl wenig Verbindendes vorhanden war. Ob Franzosen freundlich sind, weiß ich nicht. Sie kämpften zu Wasser und zu Lande. In Indien können die meisten weder lesen noch schreiben; sie sind des Lesens und Schreibens unkundig. Die Deutsche Sprache ist für den Ausländer schwer zu erlernen. Viele Eingeborene sind Wilde. Sie haben Tüchtige und Strebsame herangebildet. Jeder bekommt seinen Teil zugewiesen. Das Mein und Dein muß ein jeder unterscheiden können. Es fehlt den Armen selbst am Notwendigsten. Der Bundeshaushalt stellt Milliarden zur Verfügung. Auch sagt man: Geben ist seliger denn Nehmen. Immer müssen sie betteln und hausieren, obwohl Betteln und Hausieren verboten ist, klagte der Hauswirt. Das Vertilgen des Ungeziefers geschieht durch Spatzen; ob Würmer oder Raupen, sie fressen alles. Um die Ordnung des Staates aufrechtzuerhalten, werden Streitkräfte eingesetzt. Die Polizei konnte noch rechtzeitig dazukommen. Sie wird sich die Waffe nahe legen, um sie gleich bei der Gefahr zur Hand zu haben. Alles Störende wurde entfernt; es herrschte Ruhe.

Der Altweibersommer war in dieser Nacht zu Ende gegangen. Hans spürte es mehr als mancher andere. Aber die letzten Tage hatten den armen Jungen nicht eben weich angefaßt. Bis sein Herr ihm sagte: Der Krug geht so lange zu Wasser, bis er bricht. Hans schwur das Blaue vom Himmel herab, als Herr Heinz abermals auf den Punkt zu sprechen kam. Und das war noch nicht das Schlimmste. Und wenn auch, dachte Hans, wer nicht wagt, nicht gewinnt. Aber als er im Begriff war, das Weib fortzuschicken, vermochte er es nicht. Ein böses Stück Arbeit, Hans, sagte der Pantoffelklaus. Hans war durchaus nicht in der Stimmung zu einer Unterhaltung. Nu, nu, nichts für ungut, sagte der Alte. So, sagte Hans. Ja, sagte der Pantoffelklaus. Wüßte nicht, brummte Hans. Nu, das fände sich schon, sagte der Alte. So, sagte Hans. Ja, ja, sagte der Pantoffelklaus. Wie meint ihr das? Nu, ich meine nur. Und der Alte schüttelte bedenklich den Kopf. Ich werde auch ledig bleiben, sagte Hans. Das wäre, Hans, das wäre! sagte der Pantoffelklaus. Was sagt ihr? rief Hans. Ja, ja, sagte der Klaus. Als er nach Hause kam, hatte es zu regnen aufgehört. Endlich fings wieder an zu regnen. Das war mal ein vergnügter Abend, sagte Hans.

Na, na! das ist nicht ganz so schlimm, meinte der Vater. Du kannst es mir glauben, es ist nicht an dem. Er trug ein goldenes Abzeichen an der Brust; es war das Goldene Sportabzeichen. Hans erhielt vom Wehrmeldeamt die Aufforderung, sich mit dem Bruder zusammen zu stellen. Er ist seines Sieges gewiß, und siegesgewiß war er noch immer. Er erhielt im Zweiten Weltkrieg das Eiserne Kreuz und das Goldene Verwundetenabzeichen. Friedrich der Große gewann viele Schlachten. Seine Vorliebe für die großen Soldaten kostete viel Geld. Der erste, der neunte und der fünfzehnte raustreten! brüllte der Spieß. Ihm wurde das Goldene Verdienstkreuz der Bundesrepublik überreicht. Die Soldaten zogen singend durch das Dorf; man konnte die Singenden noch weit hören. Unzählige Tausende erlebten manches Schöne während des Urlaubs. Im Kriege starben die Menschen zu Hunderten und Tausenden. Zum Schießen gehört ein gutes Auge, aber zum Stoßen der Kugel Kraft. Der Offizier kommandierte: Alles links um! Die Soldaten waren aufs Äußerste gefaßt. Sie stellten auf das Grab ein eisernes Kreuz. Das Vertilgen des Ungeziefers geschieht durch Spatzen; ob Würmer oder Raupen, sie fressen alles. Um die Ordnung des Staates aufrechtzuerhalten, werden Streitkräfte eingesetzt. Die Polizei konnte noch rechtzeitig dazukommen. Sie wird sich die Waffe nahe legen, um sie gleich bei der Gefahr zur Hand zu haben. Alles Störende wurde entfernt. Es herrschte Ruhe!

Roger: Jean, du richtest mich wieder auf, richte mich wieder auf. Jean, du richtest dich wieder auf, richte dich wieder auf. Jean, du richtest ihn wieder auf, richte ihn wieder auf. Jean, du richtest sie wieder auf, richte sie wieder auf. Jean, du richtest uns wieder auf, richte uns wieder auf, Jean und Fritz, ihr richtet euch wieder auf, richtet euch wieder auf. Fritz (zu Monsieur René): Ich grüße Sie. Roger: Jean richtet sich wieder auf, Fritz richtet sich auch wieder auf, sie richten sich auf. Monsieur Durand (zu Monsieur René): Monsieur René, setzen Sie sich hierhin. Jean: Jeder für sich. Ich richte mich ganz alleine auf.

la mouche

attraper

manger

du chocolat!
du chocolat!

demander

lever

coucher

habiller

déshabiller

la poupée est debout

la poupée est couchée

frapper entrer

fermer

tousser

hm!
hm!

mener

le tour de la maison

le médecin

30. LEKTION

Familie Dupont stand stets mit beiden Beinen auf der Erde, morgens und abends, Tag und Nacht, tagein tagaus. Aber das Zimmer mit dem Weltbild unter dem Säbel und dem Gewehr stand auf wackligen Füßen, wenn abends der Abend kam. Dann drangen nämlich die Sonnenstrahlen von schräg her gegen die Scheiben und zeichneten Karo achten aus Licht gegen die Gardinen. Nichts mehr stand gerade, die Karo achten erschienen auf der Tapete mitten unter den gekreuzten Blättern und Rosen, der bärtige Mann auf dem Weltbild zog eine Schippe und hatte ein Gesicht wie Braunbier und Spucke. Das Zimmer hatte einen Treff bekommen und ließ die Flügel hängen. Monsieur Dupont, René, André und Jean saßen in der bekannten Reihenfolge am Tisch, und obgleich die Familie stets mit beiden Beinen auf der Erde steht, gingen die Knaben jetzt doch in die Knie. Monsieur Dupont spielte seine Karte und sagte: Ihr habt wohl keine Puste mehr. René verlor den Atem und sagte: Ich passe. André und Jean waren nicht kapitelfest. Nur Monsieur Dupont, wie der Hecht im Karpfenteich, ließ Luft ab und zeigte die Zähne. Er stach, und René hatte einen Knacks bekommen. Monsieur Dupont behielt den Kopf oben. Er sagte: Messieurs, hier steht die Lampe. Auch die Deckenlampe brannte nun. Sie gab aber nur einen schwachen, ungenauen Schein. Es war Zwielicht. So war nur das Zimmer von dem doppelten Licht erhellt und nicht der Tisch, an dem Monsieur Dupont mit seinen Knaben saß. Die Tischplatte schimmerte rötlich, die Kanten waren nicht begrenzt. Madame Dupont ging ab und zu durch das grenzenlose Zwielicht, öffnete und schloß eine Tür, die in der Nähe des Weltbildes zu finden ist. Monsieur Dupont war nicht tot zu kriegen. Er blieb auf dem Posten und ließ nicht locker. René und Jean hing bereits die Zunge aus dem Hals, André schluckte schwer. Die Karten torkelten übereinander, Könige fielen hin, um die Damen war es schlecht bestellt. Die Bauern waren ohnmächtig geworden. Monsieur Dupont nutzte Nacht und Nebel und gab den Knaben den Rest. Er hatte kein Herz, aber mit dem Pik stach er die letzten Könige. Das Zwielicht breitete sich jetzt rasch aus und verwischte die Konturen der Gegenstände. Die Tür, durch die Madame Dupont ein- und ausging, verschwamm mit der Wand. Das Sofa in der Zimmerecke war bis auf den Widerschein eines mit Goldfäden bestickten Kissens vom Schatten verschluckt. Der Schrank war schon gänzlich ins Dunkel gerückt. Nur die Glasscheiben der Schranktüren, die Messingbeschläge der Schubladen und Monsieur Duponts Brillengläser blitzten auf, wenn das Sonnenlicht ein Stückchen weiterrückte. Monsieur Dupont fuhr den Knaben in aller Frische zwischen die Damen. Jean und André waren am Boden. Monsieur Dupont konnte sie nicht leiden sehen und gab ihnen eine Spritze. René blickte erschreckt auf. Er hatte vierzig Augen. Monsieur Dupont sagte: Dann gute Nacht.

Jean: Wie hat Alice die Nacht verbracht? Suzanne: Sie hat eine schlechte Nacht verbracht. Sie hat neununddreißig Grad Fieber gehabt. Sie hatte Kopf- und Magenschmerzen. Sie war sehr krank. Jetzt geht es ihr besser. Das Fieber ist heute morgen gefallen. Sie hat nur mehr siebenunddreißigeinhalb Grad. Fritz: Ist sie im letzten Jahre krank gewesen? Suzanne: Ja, sie hat die Masern gehabt. Das ist eine leichte Krankheit. Auf dem Körper hat man ganz kleine rote Bläschen. Jean: Das ist keine schwere Krankheit wie die Cholera. Es sind die Mücken, die die Cholera verursachen. (Zu Suzanne): Wie geht es Alice und Roger? Suzanne: Roger ist ganz gesund. Er hat den ganzen Vormittag Fliegen gefangen. Er ißt Brot und bittet um Schokolade. Alice ist in ihrem Bett. Sie spielt mit ihrer Puppe. Sie legt sie schlafen, weckt sie auf, zieht sie an und wieder aus. Nénette hat eine Krankheit des Herzens, aber ihr Magen ist gesund.

stets monströse Ritzen ihres Fleisches dort in ihrem Körper waren prachtvoll dick und rot und alle dampfenden warmen und längerwerdenden Vögel trug sie unten glänzend und ausgefüllt hatte mit ganz feuchtem Gebilde die Ecken des blauen angenehmen kleinen jungen durchnäßten Stuhles überall hilflos vermischt mit der schläfrigen Erde und den graublauen Blumen und dem leeren Farnkraut der freundlichen Luft dem weichen Frühlingsfeuer der breiten Luft hoch weiß grün gelb saß über Miß Mary auf diesem ausbreitenden Lehnstuhl sanft und schwer beim freien Nebel und ein Satinmorgenkleid war über und über all mit der weichen schweren Freude des Sonnenscheins und die Tage die Erde sie die aufstieg vom Feuer von der die Masse erfüllt waren von Blättern Lidern Feldern schweren Augen von einem Gesicht und der Frühling der flaumige klare hohe junge Rauch aus sich aus Duft saß wuchs sie leuchteten und der Gesang der große Ärmel war weiches regelmäßiges gutaussehendes hübsches Wasser ein Baumwipfel

Monsieur Dupont sagte: Aus dem Walde schallt es dumpf, Pik ist Trumpf. Aber das Weltbild unter dem Säbel und dem Gewehr mit seinen Bäumen und allerhand Getier der nordischen Wälder war in dem ungenauen Licht zwischen den Wänden zerflossen. Die doppelten Schatten verlängerten sich, Tischbeine, Stuhlbeine, Männerbeine und Knabenbeine wurden dick und wuchsen in die Breite. André saß mit dem Rücken zum Fenster. Das rötliche Sonnenlicht fiel auf seine Karten. Die Farben und Bilder waren genau erkennbar. Kreuz und Pik waren schwarz, Herz und Karo waren rot. Der Kreuzbube schaute links an ihm vorbei aus dem Fenster, der Karo Bube schaute nach rechts und zeigte mit seiner dinarischen Nase nach dem Weltbild des 20. Jahrhunderts. André sagte: Alle Gewehre aufs Rathaus. Monsieur Dupont und René luden ab und zogen sich aus. Der bärtige Mann auf dem bewaldeten Weltbild neben dem klaren Bach rückte immer mehr auf Hinterhand. Monsieur Dupont und René gingen baden. André mischte wieder und verteilte die Seele des Spiels. Jean und René drehten ihre Karten zum Licht hin, das durch das Fenster schien. Monsieur Dupont rückte an seiner Brille, René kniff die Augen zusammen. Herz und Karo waren nur noch schwer unterscheidbar, und Pik nahm jetzt auch die rötliche Farbe des Lichts an, das von draußen durch das Fenster kam. Monsieur Dupont ordnete seine Karte neu, er steckte die Pikfarben zwischen Herz und Karo, und sein Kreuz rückte er nach rechts hinter die Buben. René behielt seine Ordnung bei. Sein blankes Kreuz steckte zwischen Herz und Karo, die Pikfarben flankierten links außen. Er sagte: Was vorne nicht geht, geht hinten auch nicht mehr. Trotz Säbel und Hellebarden, trotz Zepter und Reichsapfel waren die Könige schwach und siechten immer mehr dahin. André nahm sich der Damen an.

Madame Dupont: Du hast deine kleine Schwester heute nacht gut gepflegt. Es geht ihr besser. (Es wird an die Tür geklopft.) Herein! Da ist Alice! Suzanne, schließ die Tür! Nun, Alice, du bist aufgestanden? Was macht deine Gesundheit? Alice: Ich huste noch ein bißchen. Hum, hum! Ich habe auch noch ein bißchen den Schnupfen. Ich bin nicht fest auf meinen Beinen, und ich habe es ein bißchen an den Augen. Madame Dupont: Schließe die Augen. Suzanne, gibt deiner Schwester die Hand und führe sie in den Garten. Du machst zwei oder drei Runden um das Haus. Du wirst deine Schwester in einer Viertelstunde ins Haus zurückführen. Alice, erkälte dich nicht. Ich werde heute nachmittag beim Arzt vorbeigehen. Doktor Albert war gestern nicht zu Hause.

Schade, sagte Monsieur Dupont, schade, daß die Spritze auf das Kreuz nicht gesessen hat. René sagte: Du hättest sie auf das Herz geben sollen. Mit Herz ist nichts zu wollen, sagte André. Jean sagte: Herzlich lieben die Mädchen. Dann war das Zimmer nur noch von der Lampe erhellt, die an der Decke hing. Das Sonnenlicht war verschwunden, und das Licht der Deckenlampe warf einen Schein in das Zimmer, in dem auch die Eigenschaften der Dinge allmählich sichtbar wurden. Der Schrank entpuppte sich als ein halbhoher Kasten aus dunkler Eiche, die beiden Vorderfüße waren aus Rundhölzern gedrechselt. Auf dem Eichenkasten lag ein gehäkeltes Deckchen, in das ein Spruch eingewebt war. Ein Kerzenhalter stand darauf, genau in der Mitte, wo der Faden der Spirale begann. André sagte: Ramsch.

Jean: Mama, schau zum Fenster hinaus! Madame Dupont: Was gibt es da draußen? Jean: Kühe auf der Straße. Sie sind ganz allein. Ein Hund hütet sie. Sie bewegen sich nicht. Madame Dupont: Suzanne, Du mußt deiner Schwester auch Milch geben. Alice: Danke, meine kleine Mama, ich liebe dich sehr. Madame Dupont: Schon gut! Küß mich! Liebst du auch die Kirschen? Alice: O ja, Mama! Madame Dupont: Sie sind jetzt nicht mehr grün, sie sind reif. Du wirst heute mittag welche bekommen. Roger (zu Jean): Ich liebe Pépin nicht, ich verachte ihn. Er ist böse. Ich liebe Fritz sehr. Er ist artig. er ist mein Freund, er ist mein lieber Freund Fritz. Pépin ist mein Feind.

Warme Stille freut findigen Griff.
Warme Stille freut griffigen Fund.
Warme Stille findet frohen Griff.
Warme Stille findet griffige Freude.
Warme Stille greift frohen Fund.
Warme Stille greift findige Freude.
Warme Freude stillt findigen Griff.
Warme Freude stillt griffigen Fund.
Warme Freude findet stillen Griff.
Warme Freude findet griffige Stille.
Warme Freude greift stillen Fund.
Warme Freude greift findige Stille.
Warmer Fund stillt frohen Griff.
Warmer Fund stillt griffige Freude.
Warmer Fund freut stillen Griff.
Warmer Fund freut griffige Stille.
Warmer Fund greift stille Freude.
Warmer Fund greift frohe Stille.
Warmer Griff stillt frohen Fund.
Warmer Griff stillt findige Freude.
Warmer Griff freut stillen Fund.
Warmer Griff freut findige Stille.
Warmer Griff findet stille Freude.
Warmer Griff findet frohe Stille.

Mein Vater, der Becker Bier, mein Opa väterlicherseits, der Neufang Bier, mein Onkel Fritz, der Bruch Bier und mein Onkel Karl, der Walsheim Bier trank, spielten Karten wie Monsieur Dupont, René, André und Jean. Auch sie saßen unter dem Weltbild des blinden Urwillens von Schopenhauer und des dunklen Drangs von Klages, über dem ein Säbel und ein Gewehr angebracht waren. Auch ihre Könige trugen Reichsapfel und Zepter, Schild und Leier, auch ihre Buben trugen Säbel und Hellebarden, Schwerter und Spieße, auch ihre Damen trugen Rosen und Nelken, Tulpen und Margretchen. Auch sie reizten und täuschten, stießen und schmierten, bedienten und verramschten einander. Auch ihre Eigentümer waren besessen, ihre Frauen geliebt, ihre Knaben geherzt, ihre Waffen gekreuzt, ihre Karten gespielt. Sie hatten ihr Leben, und sie hatten ihre Arbeit. Sie waren gesund, wie sichs gehört, taten ihre Pflicht, wie sichs gehört und heiligten den Feiertag, wie sichs gehört. Also besaßen sie Kraft, besaßen sie Mittel, besaßen sie Zeit. Und so wie sie ein Leben hatten, waren Kraft, Mittel und Zeit ihre Lebenskraft, ihre Lebensmittel, ihre Lebenszeit. Und so wie sie ihre Arbeit hatten, waren Kraft, Mittel und Zeit ihre Arbeitskraft, ihre Arbeitsmittel, ihre Arbeitszeit. Sie scherten sich nicht um die Wörter, und sie scherten sich nicht um die Welt. Wie sichs gehört, standen sie in Reih und Glied, im Senkel, die Hacken geschlossen, die Augen rechts, die Hände an der Hosennaht, mit angewinkelten Ellenbogen. Alle unter einem Hut. Kein Sauhaufen. Ohne Umstände. Und ihre Lebenskraft war ihre Arbeitskraft, ihre Lebensmittel waren ihre Arbeitsmittel, ihre Lebenszeit war ihre Arbeitszeit. Sie scherten sich nicht um die Welt, und sie scherten sich nicht um die Wörter. Wie sichs gehört, wußten sie nicht, wie der Hase lief, wo der Hund begraben lag, wo die Musikanten wohnten, wos lang ging, wo Barthel den Most holte, wo die Glocken hingen, aus welchem Loch der Wind pfiff, was drei Erbsen für eine Brühe gaben. Und so war ihre Arbeitskraft ihre Lebenskraft, ihre Arbeitsmittel waren ihre Lebensmittel, ihre Arbeitszeit war ihre Lebenszeit. Obwohl auch sie mit beiden Beinen auf der Erde standen, stolperten sie hinein, als es dunkel wurde. Das Licht ging aus, und sie hatten keinen Schimmer, was in den tausend Jahren vor sich ging. Sie hatten es in..erlich, wie die Geißen. Ihr Name war Hase. Sie hatten gerade gefehlt. Das Blatt war ausgerissen. Sie mauerten. Sie ramschten. Sie paßten. Es war dunkel geworden, und mein Vater, mein Opa väterlicherseits, mein Onkel Fritz und mein Onkel Karl paßten unter dem blinden Urwillen und dem dunklen Drang, wie mein Onkel Richard, mein Opa mütterlicherseits, mein Onkel Wilhelm und mein Onkel Kurt. Sie paßten wie Monsieur Dupont, René, André und Jean, die in Chaville unter dem Weltbild saßen. Auch dort war die Kerze jetzt fast heruntergebrannt. Die Gardinen hingen hinter Andrés Rücken steif über die Fensterbank. Monsieur Dupont, René, André und Jean blickten angestrengt in ihre Karten, auf denen die Farben und die Bilder nur noch schwach erkennbar waren. Das Zimmer mit dem Weltbild war gänzlich ins

Halbdunkel getaucht, und Monsieur Dupont mit seinen Knaben mühte sich in diesem Randschatten mit Königen und Bauern, die nur mehr sehr schwer unterscheidbar waren. Die Hellebarden der Bauern blitzten nicht mehr auf, das Margretchen der Kreuz Dame verlor seine Blüte, die Rose der Herz Dame kroch unter das Deckblatt, und Pik König senkte seine Leier. Karo Königs Stab über dem Spiel, des Herz Buben Lanze für einen Stoß, das schwache Licht in dem Familienzimmer, das Wort vom guten Einvernehmen, der Frieden der Familie, Monsieur Duponts Stolz, Renés Hals, Andrés Treue, Jeans Knie, das ungeschriebene Gesetz von der liegenden Karte die liegt, Suzannes und Alices Schweigen sowie Madame Duponts Herz waren gebrochen.

Lessing: Eine Rose gebrochen, ehe der Sturm sie entblättert. Georg Herwegh: Das arme Menschenherz muß stückweis brechen. Volksmund: Glück und Glas, wie leicht bricht das.

le chou — le haricot

planter | semer

le raisin

la vigne

le vin

le houblon

l'orge

la charrue

le laboureur

la bêche — la fourche

arroser

couper — la branche

arbre taillé — arbre non taillé

la graine — le navet

la carotte — la salade

le jardinier — la jardinière

la ronde

33. LEKTION

Madame Dupont: Wo war der Geldbeutel? Roger: Unter dem Buffet. Ich habe auch ein zerbrochenes Glas gefunden. Madame Dupont: Noch ein Glas, das das Dienstmädchen zerbrochen hat! Sie zerbricht doch alles, diese Marie! Suzanne: Mein kleiner Roger, geh, hol mir den Regenschirm von Mama! Roger: Ja, ich gehe ihn dir holen. (Er geht den Regenschirm holen und bringt ihn Suzanne.) Suzanne: Danke, mein kleiner Roger. Ich danke dir, du bist sehr artig. Madame Dupont: Suzanne, wie spät ist es auf deiner Uhr? Ich habe acht Uhr zwanzig. Suzanne: Ich habe acht Uhr fünfunddreißig, aber meine Uhr geht fast fünf Minuten vor. Es ist genau acht Uhr dreißig auf der Pendeluhr, und sie geht genau. Madame Dupont: Meine Uhr geht also zehn Minuten nach. Ich werde sie stellen. Jetzt geht sie richtig. Meine Kinder, ich verlasse euch. Ich werde sonst zu spät auf dem Markt sein. Ich werde in einer Stunde zurückkommen. Ich bin nicht zu früh dran.

in und an von um zu und sie über den Körper der hoch grün weiß rot aufstieg die die den und dem und eine und einem und einem Farnkraut die dampfenden perlenbestickten steifen Nebel des seidenen farbigen breiten Sonnenscheins die hellen Blumen der Frühling einer Erde aufgeputzt mit ihrem Mißklang kam sie von unten und trug ihren freien schweren rostroten blauen längerwerdenden Baumwipfel überall standen Vögel aus diesem warmen durchnäßten Gesicht und leuchteten gelb aus der Tuchschürze der Federboa und obschon ihr Vogel prachtvoll war in wunderlichen Blättern glänzenden Bändern angenehmen Kleidern grellen Feldern wuchs diesem der junge Sommersonntagnachmittag auf dem Hals und hohe Erde hagerer Luft war vom dunklen kleinen angenehmen Mieder über Borten und Duft erfüllt mit der neuen Luft der schwarzen Freude der verzierten Sommersonne geschmückt mit unbeholfener dünner Frühlingsfeuer vermischt mit einem jungen schwarzen neuen Gesang der

Handschuhe und feuchtem Rauch sehr durchwirkt jetzt ihr blaßgelbes verhärmtes Wasser der flaumige neue Strohhut war über all leuchtend und glänzend helle Tage

Roger (im Garten zu Suzanne): Du hast schönen Kohl. Wer hat ihn gepflanzt? Suzanne: Ich war das. Ich habe auch einige Getreidekörner gesät. In diesem Viereck hier baue ich Kartoffeln an. Hier habe ich Bohnen gesät. Aber in diesem Jahr werde ich nicht viel davon ernten. Es hat im Monat Mai zu viel geschneit und gehagelt. Ich werde keine große Bohnenernte haben. Schau meinen Weinstock! Er ist ganz schön. In diesem Jahr wird es Trauben und Wein geben. Ich habe auch noch einige Stengel Hopfen, da in dieser Ecke, und ein wenig Gerste. (Zu Fritz): Ich habe keinen Pflug. Die Landleute haben Pflüge. Sie bebauen ihre Felder. Es sind Bauern. Ich habe einen Spaten. Ich grabe die Erde mit einem Spaten um. Ich habe auch eine Gabel. Seit sechs Tagen haben wir keinen Regen gehabt. Das Wetter ist trocken. Diese Trockenheit ist sehr schlecht für die Pflanzen. Hier habe ich heute morgen gegossen. Die Erde ist naß. Dieser Zweig war zu lang. Ich habe ihn abgeschnitten. Monsieur Leroux, der Gärtner, hat sehr schöne Rüben. Er hat mir Samen gegeben. Ich habe ihn hierhin gesät. Aber die Rüben sind nicht aufgegangen, die Gelbrüben auch nicht. Ich werde weniger Gemüse als im letzten Jahr haben. Ich werde mehr Salat haben. Roger: Du bist eine sehr gute Gärtnerin, meine kleine Suzanne.

Sie gebrauchen weder Mist noch Jauche zur Düngung der Äcker, weil sie glauben, daß diese den Saaten schädlich sind und die Exkremente die Lebensfähigkeit der Feldfrüchte schwächen und verkürzen, gleich wie Frauen, die durch Schminke und nicht infolge von Leibesübungen schön sind, schwache Kinder gebären (wir haben auch noch andere Beerdigungsstätten für natürliche Stoffe und Körper und zwar nicht in Höhlen, sondern in dem angrenzenden Erdreich selbst, wo wir viele Erdarten zubereiten wie die Chinesen ihr Porzellan). Daher düngen sie auch die Erde nicht, sondern bearbeiten sie vielmehr tüchtig und gebrauchen geheime Hilfsmittel, damit der Same rasch aufgeht, sich vervielfacht und nicht abstirbt (wir aber besitzen dies in größerer Verschiedenartigkeit, und einiges davon ist feiner als das chinesische Porzellan). Zu diesem Zwecke besitzen sie ein Buch, das sie „Georgika" nennen (wir verfügen ferner auch über eine große Mannigfaltigkeit an Dünger und Treibstoffen, ferner an weiteren Massen und Mitteln, die die Erde fett und fruchtbar machen).

Keimen knospen schwellen sich aufblähen platzen drängen grassieren sprießen steigen treiben wachsen sich weiten werden wuchern zunehmen auffressen auftreiben sich dehnen sich mästen sich mehren sich multiplizieren sich potenzieren sich stärken sich steigern sich strecken verbreiten verdicken verdoppeln vergrößern verlängern vermehren vervielfachen vervielfältigen ver-x-fachen sich ausweiten um sich greifen überspringen auflaufen auseinanderlaufen anlaufen anschwellen ansteigen anwachsen aufblühen aufgehen aufkommen aufschießen aufsteigen sich ausbreiten sich ausdehnen auseinandergehen sich entfalten sich entwickeln erblühen sich dehnen fortschreiten gedeihen überhandnehmen vorschreiten die Schale sprengen sich recken und strecken aus den Nähten platzen ins Kraut schießen die Welt gewinnen.

Mordpflanzen! Wir sind verloren! Nur ruhig, Redhorse! Machen wir uns Gedanken darüber, wie wir diesen unangenehmen Planeten wieder verlassen! Hoi, hoi, hoi! Vorsicht! Der Schuß muß treffen! Sonst! Wooohr! Endlich! Das große Jagen hat begonnen! Und in zwei Wochen wird Perry mit von der Partie sein! Glaubt ihr, daß er unserer Einladung vom vorigen Jahr folgt? Der Großadministrator bricht kein Versprechen. Aber wir werden ihn nochmals auffordern. Diesmal versalzen wir ihnen die Jagdsaison gewaltig! Rhodan wird sich wundern! Düsenaggregate ein! Hahaha! Der Segen kommt sprichwörtlich von oben. Die Terraner und ihre Sprichwörter, hahaha!

Zuerst ist es nur eine einzige Wucherblume, die auf Feldern Fluren Gewannen Halden Heiden Rainen Weiden Wiesen Abhängen Anhöhen Bergen Erhöhungen Höhen Hügeln Kuppen Klippen Steigungen Buckeln Erdrücken Felsen Gebirgen Gipfeln Steilen Wänden in Tälern Mulden Gruben Senken Höhlen Kaulen Kesseln Klüften aufläuft auseinanderläuft anläuft anschwillt ansteigt anwächst aufblüht aufgeht aufkommt aufschießt aufsteigt sich ausbreitet sich ausdehnt auseinandergeht sich entfaltet sich entwickelt erblüht fortschreitet gedeiht sich mästet sich mehrt sich multipliziert sich potenziert sich verdickt sich verdoppelt sich vergrößert sich verlängert sich vervielfältigt sich vervielfacht sich ver-x-facht sich ausweitet um sich greift.

Hey! Es regnet Blütenstaub! Was solls! Wer kennt sich schon mit diesem Wetter aus! Zumindest ungewöhnlich für diese Jahreszeit! Mission erfüllt! Hahaha! Wenn wir erst wiederkommen! Ein paar Tage göttliche Ruhe! Na na, Redhorse, so lyrisch! Eine Botschaft, Freunde! Man lädt uns nach Croix ein! Richtig! Wir hatten es bereits letztes Jahr versprochen! Ich verachte die Jagd auf wehrlose Tiere! Aber Auris! Das ist ein fairer Sport! Es ist nur Pfeil und Bogen als einzige Waffe gestattet! Mensch und Tier haben also gleiche Chancen! Wir sollten den Leuten die Freude machen! Zumal alle Jäger Raumfahrer sind! Also gut, ich bin wieder einmal überstimmt! Hurrah! Perry Rhodan und seine Freunde! Wenn wir vorsichtig sind, kann uns gar nichts passieren! Oh, Perry! Ich bin richtig aufgeregt! Parinbüffel! Prächtige Tiere! Die haben vielleicht ein Tempo drauf! Ich habe es geahnt! Crash! Auris! Um Himmels Willen! Ssring! Er muß treffen! Ein Meisterschuß! Danke! Das war im letzten Moment! Wunderbare Blumen! Es scheint, als wären sie gerade erst erblüht! Und wie sie duften!

Diese Wucherblume keimt knospt schwillt bläht sich auf platzt drängt grassiert
sprießt steigt treibt wächst weitet sich wird wuchert nimmt zu frißt auf an Häuserwänden Fassaden Giebeln auf Dächern in Kellern auf Treppen in Fluren Dielen auf Böden an Decken auf Speichern Estrich Parkettböden Fußböden in Mansarden Stockwerken auf Bühnen Kanzeln an Denkmälern Domen Türmen in Galerien unter Kuppeln Gewölben an Türen Toren Pforten in Schlössern auf Schwellen an Portalen in Eingängen an Pfählen Pfeilern Säulen Söllern Masten Stangen
auf Brettern Planken Latten Teppichen in Schränken auf Regalen Schreinen Sesseln Stühlen und wird zum Drachenkraut.

Oh, was? Auris, heh! Bewußtlos! Sollten die Blumen? Eigenartig! Die waren
doch vorhin nicht da! Vorsicht! Gehen Sie nicht zu nahe ran! Schnell zum Dorf!
Hier geschieht etwas Unheimliches! Eine Dornenhecke rund ums Dorf! Sie ist
blitzschnell gewachsen! Furchtbar! Die Einwohner hatten nicht einmal Zeit zu
fliehen! Geht nicht zu nahe hin! Die Dornen sind sicher giftig! PS-Energie wirkt
manchmal Wunder! Vielleicht? Wir brechen mit dem Gleiter durch! Komm,
Goratschin! Höher! Sonst schaffen wirs nie! Chaos! Grauenhaft! Wie konnten sich
diese Mordpflanzen auf Croix entwickeln? Auris Zustand ist bedenklich! Medika-
mente! Wir schlagen uns zum Space-Jet durch! Der Gleiter ist im Eimer! Trieb-
werkschaden! Vielleicht ist irgendwo eine Lücke! Diese bestialischen Pflanzen breiten sich immer noch aus! Mordpflanzen! Wir sind verloren! Nur ruhig, Redhorse!
Machen wir uns lieber Gedanken darüber, wie wir diesen unangenehmen Planeten
wieder verlassen! Der Space-Jet jedenfalls dürfte ausfallen! Perry schafft es! Rhgh!
Redhorse! Schnell! Diese verdammte Pflanze!

Wucherblume und Drachenkraut treiben jetzt auf dehnen sich stärken sich steigern sich an Häuserwänden an Fassaden an Giebeln auf Dächern in Kellern auf
Treppen in Fluren auf Dielen auf Böden an Decken auf Speichern auf Estrich auf
Parkettböden auf Fußböden in Mansarden in Stockwerken auf Bühnen auf Kanzeln auf Denkmälern an Domen an Türmen auf Galerien unter Kuppeln in Gewölben an Türen an Toren an Pforten in Schlössern auf Schwellen an Portalen in Eingängen auf Pfählen auf Pfeilern auf Säulen auf Söllern an Masten auf Stangen
auf Planken auf Brettern auf Latten auf Teppichen in Schränken auf Regalen auf
Schreinen auf Sesseln auf Stühlen auf Sofas in Wiegen an Bettladen in Matratzen
in Kissen unter Bettdecken, strecken sich verbreiten sich vermehren sich springen
über und werden zu Ringelblumen und Hexenkraut.

Ahhh! Nicht aufgeben, Perry! Danke, Redhorse! Das Biest wollte mich doch glatt
strangulieren! Wir hörten den Schrei! Was? Schon gut, Goratschin! Wir kommen
nicht an den Jet! Was nun? Wir müssen zum Meer! Da gibt es eine Stadt. Wirst
du es schaffen, Auris? Natürlich! Es geht mir schon wieder besser. O.K.! Dann

brechen wir durch! Die Fackeln! Die Stille geht mir auf die Nerven! Hoffentlich laufen wir in keine Falle! Seid doch ruhig! Euer Geschwätz macht mich ganz nervös! Großer Gott! Laufende Pflanzen! Ein Überfall! Die Pflanze tötet ihn! Wir können dem Jäger nicht helfen! Ich verfluche die Minute, als ich meine Waffen im Schiff zurückließ! Wir haben uns rettungslos verirrt! Egal! Jedenfalls sind wir den Mordpflanzen entkommen! Da bin ich nicht sicher! Seht nur! Tote Tiere. Die Pflanzen haben furchtbar gewütet! Schaut euch das an! Als wäre es für die Pflanzen das natürlichste, spazieren zu gehen! Geht ihnen aus dem Weg!

Unter Bettdecken in Kissen in Matratzen an Bettladen in Wiegen auf Sofas auf Stühlen auf Sesseln auf Schreinen auf Regalen in Schränken auf Teppichen auf Latten auf Brettern auf Planken auf Stangen an Masten auf Söllern auf Säulen auf Pfeilern auf Pfählen in Eingängen an Portalen auf Schwellen in Schlössern an Pforten an Toren an Türen in Gewölben unter Kuppeln auf Galerien an Türmen an Domen auf Denkmälern auf Kanzeln auf Bühnen in Stockwerken in Mansarden auf Fußböden auf Parkettböden auf Estrich auf Speichern an Decken auf Böden auf Dielen in Fluren auf Treppen in Kellern auf Dächern an Giebeln an Fassaden an Häuserwänden dehnen sich nun recken und strecken sich Wucherblume und Drachenkraut Ringelblume und Hexenkraut Glockenblume und Warzenkraut Sonnenblume und Donnerkraut, schreiten vor und sprengen die Schale.

Ich werde wahnsinnig! Volle Deckung! Sie benutzen ihre Blätter als Wurfgeschosse! Wir können hier nicht bleiben! Los, weiter! Wenn ich nur wüßte, wer das alles inszeniert? Das Meer! Eine ehemalige Stadt! Die Pflanzen waren vor uns da! Mal sehen, vielleicht finden wir einen brauchbaren Gleiter! Perry ist hinter uns! Ahhh! Die Mordpflanzen haben uns eingekreist!

Wucherblume Drachenkraut Ringelblume Hexenkraut Glockenblume Warzenkraut Sonnenblume Donnerkraut Strohblume Kreuzkraut Maiblume Schwengskraut Heublume Milchkraut Wollblume Hirschkraut platzen aus den Nähten und nehmen überhand auf Regalen Schreinen Sesseln Stühlen in Schränken auf Brettern Planken Latten Teppichen an Pfählen Pfeilern Säulen Söllern Masten Stangen in Eingängen an Portalen auf Schwellen in Schlössern an Türen Toren Pforten unter Kuppeln Gewölben in Galerien an Denkmälern Domen Türmen auf Bühnen Kanzeln in Mansarden Stockwerken auf Speichern Estrich Parkettböden Fußböden an Decken auf Böden in Fluren auf Treppen in Kellern auf Dächern an Häuserwänden Fassaden Giebeln.

Bleibt uns nur noch das Wasser! Einen Space-Jet für einen Fischerkahn! Vorwärts! Wir dürfen keine Zeit verlieren! Wenn diese Biester auch noch schwimmen können! Unke nicht, Iwan! Das Wasser schadet sicher ihrem Chlorophyll-Teint! Ein Boot! Wie bestellt! Macht doch schon! Ab die Post! Wollen wir das Pflänzchen als.

Souvenir mitnehmen? Schlechter Witz, Goratschin! Und nun? Zurück können wir
nicht mehr! Kein Trinkwasser! Keine Nahrungsmittel! Wir haben unser Ende nur
verzögert! Eure Schwarzseherei geht mir wirklich auf die Nerven! Ein Sturm zieht
auf! Ade, du schöne Welt! Festhalten, Freunde, jetzt wirds Ernst! Nach unserer
Berechnung dürfte es kein Leben mehr auf Croix geben! Die Mordpflanzen haben
den Planeten für uns erobert! Hahaha! Das Gegenmittel für die Pflanzen, Steryd-
Säure! Alle Zeugen sind bereits beseitigt! Wie schön! Sogar die Stadt ist überwu-
chert! Vorwärts! Die Säure muß versprüht sein, wenn die Nachhut eintrifft! Das
Boot kentert! Splash! Zusammenbleiben! Perry! Am Ufer warten die Mordpflanzen! Wenn schon! Bei einem Kampf bleibt immer noch ein Fünkchen Hoffnung!

Nun schießen Wucherblume Glockenblume Strohblume Sonnenblume Maiblume
Heublume Wollblume Kuckucksblume Pilgerblume Schlüsselblume Osterblume
Ringelblume Wetterblume Immenblume Honigblume Adlerblume Hexenkraut Gän-
gelkraut Kreuzkraut Drachenkraut Schwengskraut Milchkraut Donnerkraut Hirsch-
kraut Bingelkraut Krätzenkraut Warzenkraut Tollkraut Kapperkraut Krötenkraut
Wiegenkraut kleinblütiges Franzosenkraut in Klüften Kesseln Kaulen Höhlen Sen-
ken Gruben Mulden Tälern auf Wänden Steilen Gipfeln Gebirgen Felsen Erdrücken
Buckeln Steigungen Klippen Kuppen Hügeln Höhen Erhöhungen Bergen Anhöhen
Abhängen Wiesen Weiden Rainen Heiden Halden Gewannen Fluren Feldern mächtig
ins Kraut.

Seht! Die Biester verdorren! Was soll das denn nun wieder? Großartig! Auf diese
Weise werden wir das ganze Sonnensystem in die Hand bekommen! Nach den
Berichten soll ja auch unser Todfeind Rhodan verunglückt sein! Ja! Hahaha! Zu
tragisch! Meine Seele weint vor Kummer, hahaha! Ein Springerschiff! Mir schwant
etwas, Goratschin! Die Springer! Kommt! Wir betrachten uns die Sache mal aus
der Nähe! Dieser Leichtsinn! Laß nur, Auris! Perry weiß schon, was er tut! Schnapp
ihn dir, Goratschin! Was! Uhhh! So, Freund! Und nun plaudere mal ein bißchen!
Sonst lassen wir dich da oben verhungern! Jetzt sind wir dran! Schnell zum Schiff!
Aber nicht doch! Auris! Ins Schiff, rasch! Vorsicht, du klemmst dir deine Patsch-
händchen ein! Glück nennt man das, was wir soeben hatten! Wo bleibt die Nachhut? Los, ihr Blechautomaten! Versprüht das Mittel! Die Kanister sind leer!
Waaas! Gute alte Erde! Fast hätte ich die Hoffnung aufgegeben, sie wiederzusehen!
Unsere Wissenschaftler werden bald ein Vernichtungsmittel für diese Mordpflan-
zen zusammenbrauen! Croix ist wieder die Welt der Jagd! Wir danken Ihnen, Sir!
Keine Ursache. Das dicke Ende kommt noch nach, die Abrechnung mit den
Springern!

Wucherblume Glockenblume Strohblume Sonnenblume Maiblume Heublume
Wollblume Kuckucksblume Pilgerblume Schlüsselblume Osterblume Ringelblume

Wetterblume Immenblume Honigblume Adlerblume Hexenkraut Gängelkraut Kreuzkraut Drachenkraut Schwengskraut Milchkraut Donnerkraut Hirschkraut Bingelkraut Krätzenkraut Warzenkraut Tollkraut Kapperkraut Krötenkraut Wiegenkraut kleinblütiges Franzosenkraut Peterling Bibernellen Brustwurz Hammelmöhre Mohrenkümmel Beifuß Geißbart Brandlappe Scheißblatt Huflattich Hühnerdarm Augentrost Schlotterhose Kletterhur Speckfresser Teufelsmilch Rüstertitten Blutrute Bettseicher Arschkratzer Blutze Jupejunker Willewilgen Schißmell Unvertritt Sauerlump Lelum Flieren Gopper Dielpoß Willeflas Fotzebäse.

Alle sind immer überall
alle sind immer hier
alle sind immer nirgends

alle sind jetzt überall
alle sind jetzt hier
alle sind jetzt nirgends

alle sind nie überall
alle sind nie hier
alle sind nie nirgends

jemand ist immer überall
jemand ist immer hier
jemand ist immer nirgends

jemand ist jetzt überall
jemand ist jetzt hier
jemand ist jetzt nirgends

jemand ist nie überall
jemand ist nie hier
jemand ist nie nirgends

niemand ist immer überall
niemand ist immer hier
niemand ist immer nirgends

niemand ist jetzt überall
niemand ist jetzt hier
niemand ist jetzt nirgends

niemand ist nie überall
niemand ist nie hier
niemand ist nie nirgends

Goethe: Eines schickt sich nicht für alle! Goethe: Da macht wieder jemand einmal einen dummen Streich. Goethe: Es wandelt niemand ungestraft unter Palmen.

89

Suzanne: Fritz, höre die kleinen Mädchen von Monsieur Beaulieu, unserem Nachbarn! Sie singen einen Reigen. Wir haben zwei Nachbarn. Der rechte ist Monsieur Beaulieu, der linke ist Monsieur Pépin. (Auf der anderen Seite der Mauer hört man die Kinder singen):

Zu meiner Rechten
da ist ein Rosenstock,
zu meiner Rechten
da ist ein Rosenstock.
Daran ist eine Rose
im Monat Mai,
daran ist eine Rose
im Monat Mai.
Zu meiner Linken
da ist ein Rosenstock,
zu meiner Linken
da ist ein Rosenstock.
Daran ist eine Rose
im Monat Mai,
Daran ist eine Rose
im Monat Mai.

l'eau coule

l'eau est trouble

remplir

vider

contre

verser

la ferme

le cochon — la paille

le bâtiment

rencontrer

aller à la rencontre de quelqu'un

lancer

chien gras

chien maigre

35. LEKTION

Wer Pflanzen sät, muß fleißig gießen. Wer ein Haus
baut, muß reichlich Zinsen zahlen. Wer eine Sache
bereinigt, muß tüchtig schwitzen. Zum Gießen gehört
Wasser, zum Zahlen gehört Geld, zum Schwitzen
gehört Schweiß. Wenn Wasser in Strömen fließt, dann
ist gut gießen. Wenn Geld in Strömen fließt, dann
ist gut zahlen. Wenn Schweiß in Strömen fließt, dann
ist gut schwitzen. Je flüssiger das Wasser ist, um so
besser läßt sich gießen. Je flüssiger das Geld ist, um so
besser läßt sich zahlen. Je flüssiger der Schweiß ist,
um so besser läßt sich schwitzen. Wasser, Geld und
Schweiß sind Flüssigkeiten. Suzanne gießt fleißig, weil
sie Pflanzen gesät hat. Monsieur Dupont zahlt reichlich, weil er ein Haus gebaut hat. Hans und Grete
schwitzen tüchtig, weil sie eine Sache bereinigen. Aber
Flüssigkeiten sind nicht ein für alle Male Flüssigkeiten.
Wenn sie erstarren, sind die Flüssigkeiten fest. Dann
kann Suzanne nicht mehr gießen, weil sie kein Wasser
hat. Dann kann Monsieur Dupont nicht mehr zahlen,
weil er kein Geld hat. Dann können Hans und Grete
nicht mehr schwitzen, weil sie kein Geld haben. Bei
erstarrten Flüssigkeiten empfiehlt es sich nicht, Pflanzen zu säen, ein Haus zu bauen, eine Sache zu bereinigen. Aber Flüssigkeiten sind nicht nur flüssig oder fest.
Wenn sie verdunsten, sind die Flüssigkeiten gasförmig.
Auch dann kann Suzanne nicht gießen, weil ihr Wasser nicht mehr flüssig ist. Auch dann kann Monsieur
Dupont nicht zahlen, weil sein Geld nicht mehr flüssig
ist. Auch dann können Hans und Grete nicht schwitzen, weil ihr Schweiß nicht mehr flüssig ist. Verdunstete
Flüssigkeiten sind wie erstarrte, sie fließen nicht. Und
weil nun aber zum Gießen Wasser, zum Zahlen Geld
und zum Schwitzen Schweiß gehört, kommt es darauf
an, Wasser, Geld und Schweiß flüssig zu halten. Denn
je flüssiger das Wasser ist, um so haltbarer sind hernach
die Pflanzen. Je flüssiger das Geld ist, um so haltbarer

91

ist hernach das Haus. Je flüssiger der Schweiß ist, um so haltbarer ist hernach die bereinigte Sache. Je flüssiger, um so fester.

Fritz: Was machst du da? Jean: Ich zerstöre meine Hütte. Fritz: Warum machst du das kaputt, was du gemacht hast? Jean: Sie war zu klein. Ich werde sie wieder aufbauen. Ich werde sie größer machen. Ich werde sie haltbarer machen.

Je haltbarer die Pflanzen sind, um so flüssiger war das Wasser beim Gießen. Je haltbarer das Haus ist, um so flüssiger war das Geld beim Zahlen. Je haltbarer eine bereinigte Sache ist, um so flüssiger war der Schweiß beim Schwitzen. Erstarrtes oder verdunstetes Wasser eignet sich nicht zum Gießen. Erstarrtes oder verdunstetes Geld eignet sich nicht zum Zahlen. Erstarrter oder verdunsteter Schweiß eignet sich nicht zum Schwitzen. Da nun aber Heraklit gesagt hat, daß alles flösse, und da nun die fließenden Übergänge von einem Aggregatzustand in den anderen durch Wärmebewegung verursacht werden, müssen Suzanne, Monsieur Dupont und Hans und Grete auf die Temperatur ihrer Flüssigkeiten achten. Suzanne muß darauf achten, daß ihr Wasser nicht zu kalt und nicht zu warm wird. Monsieur Dupont muß darauf achten, daß sein Geld nicht zu kalt und nicht zu warm wird. Hans und Grete müssen darauf achten, daß ihr Schweiß nicht zu kalt und nicht zu warm wird. Suzanne, Monsieur Dupont und Hans und Grete müssen darauf achten, daß sie weder kalte Hände noch kalte Füße noch einen kalten Kopf bekommen, daß es ihnen weder zu warm ums Herz noch zu warm unter dem Hintern noch zu warm unter den Sohlen wird. Dabei muß Suzanne vor allem auf kalte Hände und ein warmes Herz achten, weil es bei ihr ums Gießen geht. Monsieur Dupont muß vor allem auf kalte Füße und einen warmen Hintern achten, weil es bei ihm ums Zahlen geht. Hans und Grete müssen vor allem auf einen kalten Kopf und warme Sohlen achten, weil es bei ihnen ums Schwitzen geht. Suzanne gießt nicht im Winter und gießt nicht im Sommer. Monsieur Dupont zahlt nicht im Winter und zahlt nicht im Sommer. Hans und Grete schwitzen nicht im Winter und schwitzen nicht im Sommer. Deshalb warte auch du die beste Zeit ab, mit Wasser zu gießen, mit Geld zu zahlen, mit Schweiß zu schwitzen. Die beste Zeit, Pflanzen zu säen und mit Wasser zu begießen, die beste Zeit, ein Haus zu bauen und mit Geld zu bezahlen, die beste Zeit, eine Sache zu bereinigen und mit Schweiß zu beschwitzen ist folglich die Zeit zwischen Ostern und Pfingsten.

Es ist um Pfingsten herum. Der Revierförster Bostelmann hat die Geschichte schon siebenhundertmal erzählt und ist bereit, sie auf Verlangen noch einmal so oft zu erzählen. Aber wen der Böse lieb hat, den macht er kugelfest. Die Geschichte hat so Hand und Fuß, daß die Winkelzüge wenig dagegen verschlagen. Und doch behauptet der Hans steif und fest, er sei es allein gewesen. Die Geschworenen machten kurzen Prozeß, da der Schulze Eisbein versichert, er habe es ja immer gesagt, und der Apfel falle nicht weit vom Stamm. Ist das nicht, um sich die letzten Haare auszuraufen? Es ist alles Lug und Trug. Aber es soll noch schlimmer kommen. So geht es den ganzen Winter und auch den ersten Teil des Frühjahrs hindurch. Der gute Doktor lächelt, wie wenn ihm seine Kinder die Geschichte vom Frieder und Katerlieschen erzählen, oder die andere von dem Fischer, der von dem Butt verlangt, daß der Butt ihn zum lieben Gott mache. Nun kann freilich der Geheime Sanitätsrat Stelzenbach eine so schwierige Aufgabe gar nicht in Angriff nehmen, ohne sich vorher die Erlaubnis dazu von der Lieblingskammerfrau der Fürstin einzuholen, aber hier will das Glück, daß Frau Schneefuß einen Bruder hat, der gern Bahnhofsinspektor auf der Hauptstation der neuen Eisenbahn wäre – ein Posten, der zu vergeben ganz in der Hand von Doktor Eckharts Schwager, dem Eisenbahndirektor Schneller liegt. Eine Schwierigkeit bleibt dann freilich noch immer, insofern, als Frau Schneefuß sich einer Reprimande von seiten der Frau Oberhofmeisterin, Baronin von Adlerskron, aussetzen würde, falls sie bei dieser Dame nicht nachfragt, ob Excellenz in dem betreffenden Falle nicht gnädigst durch die Finger sehen will. Indessen, auch diese letzte Schwierigkeit wird behoben, da der Vetter des Eisenbahndirektors, der Bankier Moser, der von dem unermüdlichen Doktor Eckhart, seinem Hausarzt, ebenfalls ins Vertrauen gezogen wird, gerade in diesen Tagen Gelegenheit hat, Excellenz eine namhafte Gefälligkeit zu erweisen, und mit jener weltmännischen Liebenswürdigkeit, die diesen Finanzmann auszeichnet, sich von der Frau Baronin nun jene bewußte kleine Gefälligkeit als Provision ausbittet. Frau Schneefuß erzählt hernach, so was sei ihr in ihrem ganzen Leben noch nicht vorgekommen. Und da ist kein Wort zuviel und keines zuwenig, daß der Fürstin ist, als lese sie eine Dorfgeschichte, von Meisterhand geschrieben. Ach ja, sagt Grete. Der Fürst ist anfangs ein wenig zerstreut; aber bald fängt die Geschichte doch an, ihn zu interessieren. Gleich darauf tritt Hans herein. Das hat man davon, sagt der Fürst. Die Fürstin muß diesen politischen Stoßseufzer verstehen. Ganz wie ich gesagt habe, sagt der Fürst. Der Heckpfennig ist ein Esel. Ja, das ist er, sagte Hans. Und lustig genug ists, daß sies glauben. Hans sieht sehr verlegen aus. Hans sieht starr vor sich hin. Nun denn, ruft der Fürst, so will ich dirs zeigen. Hans rührt sich nicht. Grete schlägt die Augen nieder. Als sie aber zwischen die Fliederbosquets kommen, blicken sie sich beide zu gleicher Zeit um. Hans, lieber Hans! Grete, liebe Grete!

Fritz: Heute ist der 22. Juni. Das ist der erste Sommertag. Jean: Ja, heute beginnt der Sommer. Er wird am 23. September enden. Er dauert drei Monate, wie die anderen Jahreszeiten. Wir sind am Ende des Frühlings und am Anfang des Sommers. Roger, bringe die Bank, entferne das Stück Holz, rolle das Faß ein bißchen weiter weg! Gib mir ein Glas Wasser! Das Wasser fließt. Halte es an! Roger: Da ist ein Glas Wasser. Jean: Das Wasser ist nicht klar. Es ist Erde hineingefallen. Es ist trüb. Leere das Glas und fülle es wieder mit klarem Wasser. Schütte das Wasser gegen die Mauer! Gieße mir noch ein Glas Wasser ein!

Pindar: Das Beste ist das Wasser. Kaiser Wilhelm II.: Unsere Zukunft liegt auf dem Wasser. Volksmund: Das Wasser hat keine Balken.

Quellwasser Bergwasser Regenwasser Seewasser Flußwasser Meerwasser Leitungswasser Trinkwasser Haarwasser Mineralwasser Gesichtswasser Kölnisch Wasser fließendes Wasser stehendes Wasser hartes Wasser weiches Wasser tiefes Wasser seichtes Wasser kaltes Wasser warmes Wasser heißes Wasser kochendes Wasser verdunstendes Wasser Wasserdampf. Meinem Onkel Fritz reichte das Wasser bis zum Hals. Meiner Tante Berta war es Wasser auf die Mühle. Mein Onkel Karl hielt sich über Wasser. Meine Tante Erna von der Fischbach grub ihm das Wasser ab. Mein Onkel Richard ging durch Feuer und Wasser. Meine Tante Else schwitzte Blut und Wasser. Mein Onkel Wilhelm tanzte wie ein beschwingter Korken auf dem Wasser. Meine Tante Luise war vom reinsten Wasser. Mein Onkel Kurt trug Wasser auf beiden Schultern. Meine Tante Erna von Liebergallshaus war munter wie ein Fisch im Wasser. Gertrud dagegen ist ein stilles Wasser. Lotte hat nah ans Wasser gebaut. Tante Trautchen ist mit allen Wassern gewaschen. Keiner kann ihr das Wasser reichen. Das Familienfest fiel ins Wasser. Die Geburtstagsfeier war ein Schlag ins Wasser. Wasserschlagen Wassertreten Wassersport Wasserspiele Wasserball Wasserkunst Wasserfarbe Wasserspeier Wasserfall Wasserglas/ Wasserader Wasserleitung Wasserbruch Wasserloch Wasserkraft/ Wasserstand Wasserstation Wasseruhr Wasserwaage Wassermesser Wasserflugzeug Wassergefahr Wassernot/ Wassergott Wassermann Wasserjungfrau Wassernymphe/ Wassersucht Wasserkopf Wasserpocken/ Wasserzeichen/ Wassersuppe Wassertrinker/ Wasserstraße Wasserspiegel Wasserfläche Wasserkante Wasserhöhe/ Wasserhose Wasserpfeife Wasserstrahl Wasserscheide Wasserkur Wasserrecht/ Wasserstoff Wasserstoffsuperoxyd Wasserstoffbombe. Es wird nur mit Wasser gekocht.

Zehnjähriger Schüler: Wenn man Wasser kochen läßt und hält den Finger hinein, daß man sich dann die Finger verbrennt, das ist die Anomalie des Wassers. Volksmund: Wer zum Tranke Wasser nimmt/ selten dem die Fußgicht kömmt. Koromandel: Sauft Wasser wie das liebe Vieh/ und meint, es sei Krambambuli.

Fritz: Worauf liegen die Hasen? Jean: Sie liegen auf Stroh. Fritz: Womit ernährt Suzanne sie? Jean: Sie ernährt sie mit Kohl, mit Gras und mit Gelbrüben. Heute hat sie ihnen ihre Nahrung noch nicht gegeben. Im nächsten Jahr werden wir ein kleines Schwein haben. Im Bauernhaus gibt es ihrer sehr schöne. Der Bauer wird uns eines davon geben. Da ist Leroux. Guten Tag, Nicolas, wie geht es dir? Blühen deine Rosen heute? Leroux: Ja danke, es geht mir gut. Und dir? Jean: Danke, nicht schlecht. Wohnst du immer noch in der rue Victor-Hugo? Leroux: Nein, ich wohne jetzt in der rue Jeanne-d'Arc neben einem großen Gebäude. Wir bewohnen ein einstöckiges Haus in einem Garten. Es ist ein altes Haus, aber wir haben viel Platz. Jean: Und dein Großvater? Leroux: Er wohnt bei uns im ersten Stock. Aber er ist nur während der Nacht zu Hause. Den ganzen Tag über ist er im Garten. Jean: Ist dein neuer Garten größer als der alte? Leroux: Nein, er ist ungefähr genau so groß, aber unser neues Haus ist größer als das alte. Hier werden wir bis zum neuen Jahr bleiben. Unsere neue Adresse ist 26, rue Jeanne d'Arc. Es ist eine kleine Straße, und es gibt nicht viel Bewohner. Jean: Bist du Auguste seit jüngstem begegnet? Leroux: Ja, vorgestern abend. Ich ging aus, um Beaulieu zu treffen. Aber zuerst bin ich Pépin begegnet. Er war auf der Straße, und er warf Steine in deinen Garten. Suzanne: Fritz und Roger! Monsieur Durand ist da! Fritz und Roger: Er ist da! Er ist da! (Sie treten ein.)

Alles und alle sind immer überall
alles und jemand sind immer überall
alles und niemand sind immer überall

alles und alle sind jetzt überall
alles und jemand sind jetzt überall
alles und niemand sind jetzt überall

alles und alle sind nie überall
alles und jemand sind nie überall
alles und niemand sind nie überall

alles und alle sind immer hier
alles und jemand sind immer hier
alles und niemand sind immer hier

alles und alle sind jetzt hier
alles und jemand sind jetzt hier
alles und niemand sind jetzt hier

alles und alle sind nie hier
alles und jemand sind nie hier
alles und niemand sind nie hier

alles und alle sind immer nirgends
alles und jemand sind immer nirgends
alles und niemand sind immer nirgends

alles und alle sind jetzt nirgends
alles und jemand sind jetzt nirgends
alles und niemand sind jetzt nirgends

alles und alle sind nie nirgends
alles und jemand sind nie nirgends
alles und niemand sind nie nirgends

stets der und der obschon sie dort jetzt an diesem Sommersonntagnachmittag
ein hübsches blaßgelbes verhärmtes gutaussehendes schwarzes regelmäßiges weiches Gebilde war leuchtend schwer sanft hilflos dick saß Miß Mary in ihrem Lehnstuhl aufgeputzt mit einem Feuer beim freundlichen Vogel in Kleidern von ganz
unbeholfener Sommersonne die sehr ausgefüllt kam um alle Ecken des Stuhles
und sie saß in ihrem Mißklang mit einem weichen Gesicht und einem steifen Gesicht trug sie den Körper ihres Fleisches eine Körper Masse durchwirkt waren
Hals und Augen und neue Ärmel ein Mieder geschmückt ihr Strohhut der von
einer Federboa Borten große Handschuhe trug hatte von Bändern sich dünner
hagerer Tuchschürze und sie standen ihr sie waren mit schweren weichen rostroten perlenbestickten verzierten seidenen farbigen angenehmen neuen grellen
schwarzen glänzenden breiten dunklen wunderlichen hellen schwarzen neuen
ausbreitenden graublauen schläfrigen breiten leeren Lidern zu ihren Ritzen und
einem Satinmorgenkleid

Leroux: Der Hase ist aus seinem Stall gefallen. Die Häsin ist auch herausgefallen.
(Er hebt sie auf.) Mademoiselle Suzanne hat ihre Hühnchen gut gehegt. Sie sind
schön. Sie sind nicht mager. Die Hasen sind auch sehr schön. Sie hat sie sehr gut
gehegt. Sie sind dick und fett. Sie haben Fett wie kleine Schweine. Es gibt ihrer
sieben.

Suzanne hat Pflanzen gesät und mit Wasser begossen. Jetzt hegt sie Tiere. Monsieur
Dupont hat ein Haus gebaut und mit Geld bezahlt. Jetzt erfindet er eine Maschine.
Hans und Grete haben eine Sache bereinigt und mit Schweiß beschwitzt. Jetzt
lieben sie sich. Auch Tiere verlangen nach Wasser. Auch eine Maschine verlangt
nach Geld. Auch Liebe verlangt nach Schweiß. So darf Suzanne weiterhin ihr Wasser nicht erstarren oder verdunsten lassen, sondern muß es flüssig halten. So darf
auch Monsieur Dupont weiterhin sein Geld nicht erstarren oder verdunsten lassen,
sondern muß es flüssig halten. So dürfen Hans und Grete ihren Schweiß nicht erstarren oder verdunsten lassen, sondern müssen ihn flüssig halten. Nicht das festeste oder das gasförmigste, sondern das flüssigste Wasser ist das beste. Nicht das
festeste oder das gasförmigste, sondern das flüssigste Geld ist das beste. Nicht das
festeste oder das gasförmigste, sondern der flüssigste Schweiß ist der beste. Aber
die fließenden Übergänge von einem Aggregatzustand in den anderen sind nicht
nur Erstarrungen und Verdunstungen von Flüssigkeiten, damit dieselben flüssig
werden. Wenn Wasser, Geld und Schweiß sich verfestigen und verflüchtigen können, dann können sie auch wieder flüssig werden. Festes und gasförmiges Wasser,

festes und gasförmiges Geld, fester und gasförmiger Schweiß können wieder flüssiges Wasser, flüssiges Geld und flüssiger Schweiß werden. Das Wasser schmilzt oder es verdichtet sich und wird wieder flüssig zum Gießen der Pflanzen und zum Tränken der Tiere. Das Geld schmilzt oder es verdichtet sich und wird wieder flüssig zum Zahlen eines Hauses und zum Zahlen einer Maschine. Auch der Schweiß schmilzt oder er verdichtet sich und wird wieder flüssig zum Schwitzen der Bereinigung und zum Schwitzen der Liebe. Suzanne, Monsieur Dupont und Hans und Grete zeigen, wie Flüssigkeiten flüssig bleiben müssen. Sie sind Zeigefinger und zeigen, welche Stunde es geschlagen hat, und sie sind Fingerzeige und fingern, welche Dinge so passieren, wenn Wasser flüssig ist zum Gießen, wenn Geld flüssig ist zum Zahlen und wenn Schweiß flüssig ist zum Schwitzen. Suzanne, Monsieur Dupont und Hans und Grete sind Bilder zum rechten Gebrauch von Flüssigkeiten. Sie sind sichtbare, schulbare, genießbare, bildbare Bilder. Sie sind Vorbilder. Alle sehen auf sie. Jeder sieht auf sie. Sie sehen sich gesehen.

36. LEKTION

Monsieur Durand: Ich sehe, ich sah, ich habe gesehen. Ich werde sehen. Sieh! Sehen wir! Seht! Roger schließt die Augen, er sieht nicht. Er öffnet die Augen, er sieht.

Ich liebe diesen Blick über die Dächer Terranias, Captain. Ja, es ist hier schön. Eine Funkbotschaft, Sirs! Immer diese Störungen, kann man sich hier denn nie ausruhen? In Ihrer Position ist Ausruhen Luxus, Bully! Gut gekontert, Thompson! Geben Sie das Ding her. Levtan, ein Galaktischer Händler, bittet um Landeerlaubnis. Was will er? Hallo, Susen, machen Sie mir eine Bildverbindung mit Levtan! Ich habe wichtige Informationen für Sie, Rhodan! Landen Sie! Heh, das Bild verschwimmt. Komm! Zum Raumhafen. Ich wette, da steckt ne Teufelei dahinter. Aha, da ist er! Ich tippe auf Spionage. Ich komme mit schlechten Nachrichten. Ich bin ein Freund der Terraner! Hier, auf dem Planeten Goszul beraten die Springer, wie sie Euch vernichten können. Wenn er nicht lügt, sieht Terrania bald so aus! Denn die vereinigten Springer sind sicher in der Übermacht. Verhört ihn. Aber gründlich! Wer lebt auf Goszul? Warum warnst du uns? Sprich schneller! Oh! Ich kann nicht mehr. Gut so! Gebt ihm jetzt falsche Informationen. Dreißig Schlachtschiffe der Terraner stehen auf der Venus, das militärische Potential ist den Springern weit überlegen. Die Goszuls sehen genau aus wie die Springer. Sie wurden von den Springern versklavt. Ich glaube, so ist unsere Maske richtig. Los, Levtan, laß uns zurückkehren! Ja, Herr! Oberst Summers! Folgen Sie im Sicherheitsabstand! Komm, Perry, sonst wächst du an! Hoffentlich klappt dein Plan, Perry! Ich wette, Rhodans Plan klappt. Achtung, Fertigmachen zur Transition! Führe uns zu den Goszuls. Wir sind da, Herr! Die Hypnose wirkt noch immer! Antigrav-Projektoren einschalten!

Ludwig Wittgenstein: Die Grammatik des Wortes „wissen" ist offenbar eng verwandt der Grammatik der Worte „können", „imstande sein". Aber auch eng verwandt der des Wortes „verstehen". (Eine Technik „beherrschen".) Nun gibt es aber auch diese Verwendung des Wortes „wissen": wir sagen „Jetzt weiß ichs!" und ebenso „Jetzt kann ichs!" und „Jetzt versteh ichs!"

Fertig! Nimm jetzt die Hypnose von ihm, Ishibashi! Und nun, nach verabredetem Plan! Faules Volk, die Goszuls! Gefällt dir wohl, Bully? Hoffentlich fallen wir nicht auf! Heh, bring uns zum Hafen! Gern, Freund! Er hat nichts gemerkt. Hoffentlich! Wir sind da. Laßt uns was essen! Hier ist ne Kneipe. Schöne Kneipe! Die Bedienung ist besser als die Kneipe. Pst! Werft jetzt die Kapseln weg! Hallo, Jungs! Ich bin Schiffsmeister Roupen, wenn ihr Arbeit sucht, seid ihr bei mir richtig. Wir segeln ins Land der Götter. Einverstanden, Roupen. Gut, dann kommt! Sie nennen die Springer „Götter"! Schöne Götter! Sklaventreiber sind sie! Mit diesem Handelsschiff kommen wir unauffällig genau dahin, wo wir hinwollten. Richtig. Nur die Arbeit gefällt mir nicht. Seht: Ein Walzenschiff der Götter! Ich sehe noch was! Leider. Ein Kaperschiff! Alles gefechtsklar machen! Bring den Säureeimer, Junge! Schnell, Jungs! Geradezu mittelalterliche Waffen. Aber auch sie tun ihre Wirkung. Ich möchte kein solches Ding auf den Kopf. Hey! Verdammt! Das war ein Volltreffer in ihre Takelage, Bully! Teufelszeug, die Säure! Dort, die Stadt der Götter! Wieder ein Sklavenschiff! Fleißig sind die Tölpel, das muß man ihnen lassen. Elende Plackerei! Pst! Wir verstecken uns zwischen Säcken, Bully. Hoffentlich entdecken sie uns nicht. Sie sind weg, Captain, einfach weg! Ich, Levtan, war auf Terra! Dreißig Superschiffe hat Rhodan. Er lügt! Er ist ein guter Spion! Los, es ist dunkel genug. Zuerst zum Hauptgebäude. Aha, ein Wächter! Gähn! Was? Pst! Das reicht im Moment. Zur Schaltstation, schnell! Wo ist die Vernichtungsschaltung? Hier! Erledigt. Zurück zum Wächter! Bearbeite ihn, Ishibashi! Du wirst alles vergessen. Vorsicht, er kommt zu sich. Oh, komisch, plötzlich diese Kopfschmerzen. Gut so, jetzt zum Konferenzgebäude! Dort beraten die Springer noch immer. Laßt uns trotzdem angreifen. Heh, habt ihr Angst? Hier, ein Raumschiff! Das ist doch Meltok, unser Verbindungsmann zu den Goszuls! Was ist geschehen? Was? Die Rekopest ist ausgebrochen. Die Rekopest, bei den Goszuls? Wir müssen fliehen, schnell! Die Rekopest! Unheilbar! Flieht! Sie laufen wie die Hasen! Unser Plan klappt. Heh, seht ihr den Dicken? Also, fliehen wir, aber vorher schalten wir die Vernichtungsanlage ein. In drei Stunden fliegt die Station in die Luft! Niemandem wird sie in die Hände fallen, niemandem! Und jetzt schnell weg! Well, die Herren Galaktischen Händler sind getürmt. Erwartungsgemäß! Vorerst denken die wohl nicht mehr an Krieg! Hier Rhodan, Solarsystem, bitte kommen! Okay, Sir! Das ging aber schnell!

Wer etwas weiß, wird etwas können. Wer etwas können wird, wird etwas kennen werden. Jemand weiß etwas. Das, was jemand weiß, ist etwas, das jemand weiß im Hinblick darauf, daß er etwas können wird, weil er etwas weiß. Jemand weiß und kann etwas. Das, was jemand weiß und kann, ist etwas, das jemand weiß und kann im Hinblick darauf, daß er etwas kennen wird, weil er etwas weiß und kann. Jemand weiß und kann und kennt etwas. Das, was jemand weiß und kann und kennt, ist etwas, das jemand weiß und kann und kennt im Hinblick darauf, daß er etwas wissen wird, weil er etwas weiß und kann und kennt. Wer etwas weiß, wird also etwas können können. Wer etwas können können wird, wird etwas kennen können werden. Der jemand, der etwas weiß, weiß also wohl etwas, woraus aber nicht unbedingt folgt, daß er etwas weiß im Hinblick darauf, daß er etwas können wird, weil er etwas weiß. Der jemand, der etwas weiß und kann, weiß und kann also wohl etwas, woraus aber nicht unbedingt folgt, daß er etwas weiß und kann im Hinblick darauf, daß er etwas kennen wird, weil er etwas weiß und kann. Der jemand, der etwas weiß und kann und kennt, weiß und kann und kennt also wohl etwas, woraus aber nicht unbedingt folgt, daß er etwas weiß und kann und kennt im Hinblick darauf, daß er etwas wissen wird, weil er etwas weiß und kann und kennt. Wer also etwas weiß, besitzt das Wissen, die Weise zu finden, die das Können bedingt, wie der, der etwas weiß und kann, das Wissen besitzt, die Weise zu finden, die das Können bedingt und das Können besitzt, die Kunst zu finden, die das Kennen bedingt. Und der, der etwas weiß und kann, besitzt das Wissen, die Weise zu finden, die das Können bedingt und besitzt das Können, die Kunst zu finden, die das Kennen bedingt und besitzt schließlich das Kennen, die Kenntnis zu finden, die ein neues Wissen bedingt.

Ein Lob für Oberst Summers! Donnerwetter, Sir, die Kerle hauten ab, als hätten sie den Tod getroffen! Etwa so war es auch, Oberst! Wir haben bei den Goszuls ein paar harmlose Bakterien ausgestreut, die aber die gleichen Symptome hervorrufen wie die tödliche Rekopest. Da verdufteten die Springer wie der Blitz. In zwei Tagen aber sind die Goszuls wieder gesund. Und jetzt nehme ich diese Station für die Menschheit in Besitz! Hurra! Hurra! Übrigens, die drei Stunden sind herum. Die Station müßte explodieren, wenn wir nicht die Vernichtungsanlage zerstört hätten. Okay, okay! Jetzt zerstöre ich diese elende Maskerade!

Arrgh! Wumm! Rrrrh! Tjeng! Hoi! Wooohr! Ahhh! Hmmm! Hicks! Hacks! Boabuh! Bluabua! Boing!

Monsieur Dupont: Ich kann, ich konnte, ich habe gekonnt. Ich werde können. Könne! Können wir! Könnt! Ich hebe diesen kleinen Tisch in die Höhe. Er ist nicht schwer. Ich kann ihn in die Höhe heben. Roger kann ihn auch in die Höhe heben. Der große Tisch wiegt fünfzig Kilo. Roger kann ihn nicht in die Höhe heben. Er ist zu schwer.

Eeeyyyaaah! Uhhh! Arrgh! Ohhh! Worrgh! Crash! Sring! Aaah!

100

Monsieur Dupont: Ich will, ich wollte, ich habe gewollt. Ich werde wollen. Wolle!
Wollen wir! Wollt! Dieses Tier da ist ein Esel. Es ist der Esel von Monsieur Robin,
dem Händler. Sein Herr will ihn vorwärts gehen lassen, aber der Esel will nicht.
Monsieur Robin zieht ihn, stößt ihn, gibt ihm Stockschläge, nichts geschieht. Der
Esel will sich nicht bewegen, und er bewegt sich nicht. Ich weiß, ich wußte, ich
habe gewußt. Ich werde wissen. Wisse! Wissen wir! Wißt! Roger, weißt du, wo
René ist? Roger: Nein, Monsieur, ich weiß es nicht. Aber ich weiß, wo Alice und
Suzanne sind. Sie sind zusammen im Büro. Ich sage, ich sagte, ich habe gesagt.
Ich werde sagen. Sag! Sagen wir! Sagt! Fritz, du hast mir heute morgen „Guten
Tag!" gesagt. Ich trinke, ich trank, ich habe getrunken. Ich werde trinken. Trink!
Trinken wir! Trinkt! Jean trinkt ein Glas Wasser. Ich stecke, lege, setze. Ich
steckte, legte, setzte. Ich habe gesteckt, gelegt, gesetzt. Ich werde stecken, legen,
setzen. Steck, leg, setz! Stecken wir, legen wir, setzen wir! Steckt, legt, setzt!
Ich stecke meine Hand in die Tasche. Ich lege das Buch auf den Tisch. Ich setze
meinen Hut auf den Kopf. Ich nehme, ich nahm, ich habe genommen. Ich werde
nehmen. Nimm! Nehmen wir! Nehmt! Ich nehme das Buch mit meiner Hand.
Ich lerne, ich lernte, ich habe gelernt. Ich werde lernen. Lerne! Lernen wir!
Lernt! Jetzt lernt André seine Lektion. Ich verstehe, ich verstand, ich habe verstanden. Ich werde verstehen. Versteh! Verstehen wir! Versteht! Fritz, verstehst
du die Wörter „stecken, legen, setzen"? Fritz: Ja, Monsieur, ich verstehe sie.
„Stecken, legen, setzen" bedeutet an einen Platz befördern. Sie sprechen langsam.
Ich verstehe sie immer.

Ludwig Wittgenstein: „Ein Wort verstehen", ein Zustand. Aber ein seelischer Zustand? Betrübnis, Aufregung, Schmerzen, nennen wir seelische Zustände. Mache
diese grammatische Betrachtung: Wir sagen: „Er war den ganzen Tag betrübt".
„Er war den ganzen Tag in großer Aufregung". „Er hatte seit gestern ununterbrochen Schmerzen". Wir sagen auch: „Ich verstehe dieses Wort seit gestern". Aber
„ununterbrochen"? Ja, man kann von einer Unterbrechung des Verstehens reden.
Aber in welchen Fällen? Vergleiche: „Wann haben deine Schmerzen nachgelas-
sen? " und „Wann hast du aufgehört, das Wort zu verstehen? "

Monsieur Durand: Roger, was sagst du? Roger: Ich sage, daß wir ein schönes
Land bewohnen. Monsieur Durand: Ich sehe, daß du dein Land liebst. Roger: Ich
weiß, daß Frankreich ein großes Land ist. André: Fritz, hast du verstanden, was
Roger zu Monsieur Durand gesagt hat? Fritz: Ja, ich habe sehr gut verstanden,
was er gesagt hat. André: Roger, warum hast du die Läden geschlossen? Roger:
Ich habe die Läden geschlossen, weil die Sonne zu heiß ist. André: Warum liebst
du Auguste nicht? Roger: Ich liebe ihn nicht, weil er böse ist. André: Wann hat
Leroux Pépin getroffen? Roger: Er hat ihn getroffen, als Pépin vor unserem Haus
vorbeigegangen ist. André: Wann macht Pépin seine Aufgaben? Roger: Er macht

seine Aufgaben, wenn er Zeit hat. Das ist nicht jeden Tag. Er arbeitet, wenn er nichts anderes tun kann.

Wer das Wissen besitzt, die Weise zu finden, die das Können bedingt und das Können besitzt, die Kunst zu finden, die das Kennen bedingt und schließlich das Kennen besitzt, die Kenntnis zu finden, die ein neues Wissen bedingt, der versteht nicht nur etwas von der Welt, so wie sie war und wie sie ist, sondern der versteht auch etwas von der Welt von morgen. Perry Rhodan ist unser Mann im All. Heija, wie gehts der Sonne entgegen!

Monsieur Durand: Roger, weißt du, wo die Sonne aufgeht? Roger: Ja, Monsieur, sie geht im Osten auf und im Westen unter. Im Norden ist es kalt, im Süden ist es warm. Monsieur Durand: Fritz, weißt du, wo Spanien liegt? Fritz: Ja, Monsieur, Spanien liegt südlich von Frankreich. Monsieur Durand: Kannst du mir den Namen einer großen spanischen Stadt nennen? Fritz: Ja, Monsieur, Madrid ist die größte Stadt Spaniens. Monsieur Durand: Welche Sprache sprechen die Spanier? Sie sprechen spanisch.

38. LEKTION

je sors

sortir

dormir

le réveille-matin

toucher

je sens la rose, elle sent bon

sentir

à quoi te sert-il?

servir à poche

je me mouche

l'épingle

Monsieur Dupont zieht keine Spanischen Stiefel an.
Madame Dupont erntet keinen Spanischen Pfeffer.
René Dupont bewundert keinen Spanischen Reiter.
André Dupont übt keinen Spanischen Schritt.
Jean Dupont bläst in kein Spanisches Rohr.
Roger Dupont grüßt keine Spanische Flagge.
Suzanne Dupont spürt keinen Spanischen Wind.
Alice Dupont klopft an keine Spanische Wand.
Fritz Hickel trägt keinen Spanischen Kragen.

Der Beamte bildete einen Satz. Der Satz, den der Beamte gebildet hatte, war ein Fragesatz. Daß der Satz, den der Beamte gebildet hatte, ein Fragesatz war, ergab sich aus der Betonung des Satzes. Der Beamte bildete also einen Satz und gab durch die Betonung des Satzes zu verstehen, daß der Satz, den er gebildet hatte, ein Fragesatz war. Dieser Fragesatz war an Jean gerichtet. Der Umstand, daß der Beamte, der den in Frage stehenden Fragesatz an Jean gerichtet hatte, ein spanischer Beamter war, läßt begreiflich werden, daß nicht nur der Beamte, sondern auch der Satz spanisch war, das heißt, in seiner Eigenschaft als spanischer Beamter hatte der Beamte einen Satz gebildet, dessen Haupteigenschaft ebenfalls darin bestand, spanisch zu sein. Ein spanischer Satz, ein Satz also, der in spanischer Sprache gebildet ist, ist ein Satz, der nicht nur im einfachen, sondern auch im übertragenen Sinne spanisch ist. Ein selbst in diesem doppelten Sinne spanischer Satz ist unverfänglich, wenn er als Aussagesatz sowohl gesagt als auch gemeint ist, weil im Aussagesatz nicht der doppelte Sinn, sondern das Sagen des Satzes wichtiger ist. Der doppelte Sinn eines Satzes, der spanisch ist, gewinnt aber seine ganze Bedeutung, wenn der Satz nicht als Aussage-, sondern als Fragesatz gemeint und gesagt ist; denn während er als Fragesatz auf eine Antwort hinzielt, ist diese Antwort nur dann möglich, wenn mindestens der einfache Sinn dieses Satzes, der ein Fragesatz und spanisch ist, buchstäblich verstanden wird. Ein auf der Straße, oder auf dem Markt, oder im Hotel, oder am Strand des Meeres formulierter spanischer

Fragesatz ist als Fragesatz irrelevant, das heißt: wenn ein Spanier oder ein der spanischen Sprache im einfachen wie im übertragenen Sinne Mächtiger auf der Straße, oder auf dem Markt, oder im Hotel, oder am Strand des Meeres einen Fragesatz formuliert, der auf eine Antwort hinzielt, so ist der, für den dieser Fragesatz zur Erzielung einer Antwort formuliert wurde, nicht zu dieser erwarteten Antwort gezwungen, wenn er weder im einfachen noch im übertragenen Sinne des Spanischen mächtig ist. Während umgekehrt aber ein Franzose oder ein Deutscher zum Beispiel in Spanien auf der Straße, oder auf dem Markt, oder im Hotel, oder am Strad des Meeres einen französischen oder einen deutschen Fragesatz in französischer oder in deutscher Sprache an einen des Französischen oder des Deutschen nicht mächtigen Spanier richtet, so ist der Spanier aus Gründen der Lebenserhaltung gezwungen, diesen französischen oder deutschen Fragesatz nicht spanisch, und schon gar nicht im übertragenen Sinne, sondern französisch oder deutsch zu beantworten. So sehr irrelevant ein also auf quasi neutralem oder exterritorialem, wenn nicht gar durch Dominanz fremden Kapitals nicht mehr spanischem Boden in Spanien formulierter Fragesatz in spanischer Sprache ist, so relevant ist ein in spanischer Sprache formulierter Fragesatz, wenn er auf territorialem Boden, in Spanien auf territorialem Parkett, in Alicante in Spanien zum Beispiel auf dem territorialen Parkett einer „Sección criminal" gestellt wird. Der fragliche Beamte also, der den in Frage stehenden Fragesatz gebildet hatte, war ein Kriminalbeamter. Dieser Kriminalbeamte erwartete eine Antwort auf seinen Fragesatz, den er an Jean gerichtet hatte; und Jean war, falls er sein Leben erhalten wollte, gezwungen, diesen Fragesatz zu beantworten. Der Kriminalbeamte sagte: „El coche". Er richtete seinen Fragesatz an Jean, einen Satz, dessen Bau und dessen grammatische Formen spanisch klangen und spanisch waren und infolgedessen für Jean unbegreif- und unbeantwortbar. Aber der Kriminalbeamte sagte ein Wort, das genau zu hören war, er sagte: „El coche". Das Wort war in diesen eigentümlich spanisch klingenden spanischen Satzbau eingebettet und mit diesen spanischen Formen verknüpft, so daß es unbegreifbar war, was von dem Wort „coche" gesagt wurde. Er sagte: „El coche", und er sagte: „El camión". Er wiederholte den Satz immer wieder, und schließlich waren es drei Wörter, deren Klang genau zu verstehen war. Der Beamte sagte: „El coche", er sagte: „El camión", und er sagte: „La mujer". Die Tatsache, daß der Kriminalbeamte diese drei Wörter nicht nur sagte, sondern sie in einem spanischen Satz mit spanischer Grammatik so verwandte, daß sie, in Verbindung mit einer eigentümlichen Betonung, eine Frage darstellten, ließ darauf schließen, daß der Beamte mit ihnen in grammatischen Verbindungen auf eine Antwort hinzielte. Der Beamte wiederholte seinen Fragesatz. Die Wörter kehrten wieder: „El coche, el camión, la mujer". Wollte er fragen, ob die „mujer" am Steuer der „coche" den „camión" rechtzeitig gesehen, trotzdem nicht die Gelegenheit gehabt habe, zu bremsen, bevor sie die „coche" gegen den „camión" gefahren hatte, oder wollte er fragen, ob die „mujer" am Steuer der „coche" Zeichen zum Überholen gegeben, der „camión" aber das Zeichen unbeachtet gelassen habe und ausgeschert wäre, bevor die „mujer" Gelegenheit gehabt hatte, die „coche" zum Stehen zu bringen, oder wollte er fragen, ob der „camión" Zeichen gegeben, die „mujer" aber die Zeichen des „camión" nicht rechtzeitig gesehen oder falsch gedeutet habe, bevor sie die „coche" gegen den „camión" gefahren hatte? Der Kriminalbeamte wiederholte seinen Fragesatz, er wiederholte ihn mehrere Male, dann, als Jean ihn nicht beantwortete, änderte er den Bau des Satzes. Die Wörter „coche, camión" und „mujer" kehrten auch in dem veränderten Satz wieder; aber die plötzliche Veränderung des Satzbaus und der grammatischen Formen ließ die Hoffnung auf Verständlichkeit nicht wachsen. Im Gegenteil, die häufige Wiederholung des Fragesatzes hatte schon so viel Vertrautheit geschaffen, daß es fast möglich schien, den Satzbau und die grammatischen Formen zu erraten. Aber die plötzliche Veränderung des Satzbaus und der grammatischen Formen stürzte Jean in tiefe Hoffnungslosigkeit, in der sich Unverständlichkeit in Unverständnis verwandelte. An dieser Stelle aber enden Sätze über Sätze, oder besser: Sätze über einen Satz. Unverständnis ist ein Wort für den psychologischen Roman, den ich nicht schreibe.

Dilthey: Die Natur erklären wir, das Seelenleben verstehen wir. Freud: Die Psychoanalyse hat uns nämlich gelehrt, daß jeder Mensch in seiner unbewußten Geistestätigkeit einen Apparat besitzt, der ihm gestattet, die Reaktionen anderer Menschen zu deuten, das heißt, die Entstellungen wieder rückgängig zu machen, welche der andere an dem Ausdruck seiner Gefühlsregungen vorgenommen hat. Auf diesem Wege des unbewußten Verständnisses alter Sitten, Zeremonien und Satzungen, welche das ursprüngliche Verhältnis zum Urvater zurückgelassen hatte, mag auch den späteren Generationen die Übernahme jener Gefühlserbschaft gelungen sein. Schiller: Was kein Verstand der Verständigen sieht, das übet in Einfalt ein kindlich Gemüt.

Ich gehe aus, ich ging aus, ich bin ausgegangen. Ich werde ausgehen. Gehe aus! Gehen wir aus! Geht aus! René: Ich gehe aus. Ich gehe nach Paris. Ich werde heute abend gegen sieben Uhr zurückkehren. Es ist mild heute. Es ist weder zu heiß noch zu kalt. Ich schlafe, ich schlief, ich habe geschlafen. Ich werde schlafen. Schlafe! Schlafen wir! Schlaft! Monsieur Dupont: Suzanne schläft auf der Decke im Gras. Ist sie nicht krank? Madame Dupont: Nein, sie hat gestern abend bis Mitternacht bei ihrer Schwester gewacht. Ihr Wecker hat sie heute morgen um sechs Uhr geweckt. So sind ihr nur sechs Stunden Schlaf geblieben. In der letzten Nacht war sie schon sehr lange wach gelegen. Um zwei Uhr wurde sie schläfrig. Ich fühle, ich fühlte, ich habe gefühlt. Ich werde fühlen. Fühle! Fühlen wir! Fühlt!

Monsieur Dupont: Fühle ihre Stirn. Was fühlst du, warm oder kalt? Madame Dupont: Ihre Stirn fühlt sich sehr frisch an, sie hat kein Kopfweh. Roger: Ich rieche meine Rose mit der Nase. Sie riecht gut. Sie hat einen guten süßen Duft. Ich diene, ich diente, ich habe gedient. Ich werde dienen. Diene! Dienen wir! Dient! Jean: André, wozu dient dein Taschentuch in deiner Westentasche? Putzt du dir nicht mit diesem Taschentuch die Nase? Es ist sehr schön. André: Aber ja, es dient mir zum Naseputzen. Guck doch her! Wozu dient denn deine Uhrkette? Ist sie nützlich? Jean: Sie dient dazu, meine Uhr zu halten. Sie ist sehr nützlich. Sie ist nicht wie deine Krawattennadel, die ist unnütz. André: Aber nein, sie ist nicht unnütz, sie hält meine Krawatte. Sieh, Suzanne erwacht. Marie (das Dienstmädchen): Madame, ist es Zeit, den Tee zu servieren? Madame Dupont: Ja, Marie, es ist fast fünf Uhr. Servieren Sie den Tee. (Zu Fritz): Marie ist ein Dienstmädchen oder ein Hausmädchen; man sagt auch eine Bediente. Sie bedient uns; oder sie ist seit sieben Jahren in unseren Diensten.

Jean hörte die Wörter „el coche", „el camión", „la mujer" in einem spanischen Fragesatz, René ging aus, Suzanne schlief im Gras, Madame Dupont fühlte Suzannes Stirn. Wozu dient in diesem Zusammenhang Andrés Taschentuch, Jeans Uhrkette, Duponts Marie? Das was auf den ersten Blick spanisch klingt, sind auf den zweiten böhmische Dörfer, und ist auf den dritten das Ende des Lateins. Augen, Ohren und zarte Haut sind ein und dasselbe im Hinblick auf Zugehörigkeit aller Berührungspunkte. Denn wer ausgeht, trägt ein Taschentuch. Wer schläft, verläßt sich auf die Uhr an ihrer Kette. Wer schließlich eine Stirne fühlt, der kann Maria nicht verleugnen. Aber wer ausgeht, trägt sein Taschentuch nicht nur zum Naseputzen, wie der, der schläft, sich nicht nur auf die Zeitvermessung seiner Uhr verläßt und der, der eine Stirne fühlt, nicht nur Maria nicht verleugnen kann. Wer ausgeht, trägt sein Taschentuch im Hinblick auf. Wer schläft, verläßt sich auf die Uhr aus Zugehörigkeit zu. Wer eine Stirne fühlt, der kann Berührungspunkte mit nicht mehr verleugnen. Aber was spanisch klingt, was böhmische Dörfer sind und was das Ende des Lateins bedeutet, läßt sich weder mit der Elle messen noch auf einer Waage wiegen.

So leidet Fritz Hickel unter keinem Spanischen Kragen.
Alice verbirgt sich hinter keiner Spanischen Wand.
Suzanne ißt keinen Spanischen Wind.
Roger fängt keine Spanische Flagge.
Jean fühlt kein Spanisches Rohr.
André sieht keinen Spanischen Schritt.
René verfängt sich in keinem Spanischen Reiter.
Madame Dupont schneidet keinen Spanischen Pfeffer.
Monsieur Dupont wendet keine Spanischen Stiefel an.

Monsieur Dupont (seine Uhr hervorziehend): Es ist genau sieben Minuten vor fünf Uhr. Roger (einen Meterstab in der Hand, mißt den Tisch): Papa, ich habe den Tisch gemessen. Er ist genau ein Meter zehn lang und siebzig Zentimeter breit. Monsieur Dupont: Welches ist das Gewicht des Stuhles? Roger: Er wiegt ungefähr zwei Kilogramm. Ich habe keine Waage. Ich kann ihn nicht genau wiegen.

fuir

la sortie   l'entrée

cueillir

les ciseaux

ouvrir

présenter

la serviette   couvrir

l'abeille

offrir   accepter

offrir   refuser

souffrir

piquer

Findige Stille freut warmen Griff.
Findige Stille freut griffige Wärme.
Findige Stille wärmt frohen Griff.
Findige Stille wärmt griffige Freude.
Findige Stille greift frohe Wärme.
Findige Stille greift warme Freude.
Findige Freude stillt warmen Griff.
Findige Freude stillt griffige Wärme.
Findige Freude wärmt stillen Griff.
Findige Freude wärmt griffige Stille.
Findige Freude greift stille Wärme.
Findige Freude greift warme Stille.
Findige Wärme stillt frohen Griff.
Findige Wärme stillt griffige Freude.
Findige Wärme freut stillen Griff.
Findige Wärme freut griffige Stille.
Findige Wärme greift stille Freude.
Findige Wärme greift frohe Stille.
Findiger Griff stillt frohe Wärme.
Findiger Griff stillt warme Freude.
Findiger Griff freut stille Wärme.
Findiger Griff freut warme Stille.
Findiger Griff wärmt stille Freude.
Findiger Griff wärmt frohe Stille.

Novalis: Es lassen sich auch eine Perspektiv und mannigfache tabellarische Projektion der Ideen denken. Alle Ideen sind verwandt. Das Air de Famille nennt man Analogie. Sippschaften von Gedanken. Die Analyse ist die Divinations- oder die Erfindungskunst auf Regeln gebracht. Mallarmé: Hier liegt das ganze Geheimnis, verborgene Beziehungen herstellen, reine Ganzheiten von Beziehungen jedes zu allem. Bertrand Russel: Hieraus folgt, daß in der Philosophie nichts Richtiges gesagt werden kann. Jeder philosophische Satz ist schlechte Grammatik, und das Beste, was wir durch philosophische Erörterungen erreichen können, ist die Einsicht, daß sie ein Mißgriff sind.

Hercule Poirot, Agatha Christies Privatdetektiv, bedenkt das eine, das andere und das nächste. Wenn Hercule Poirot das eine, das andere und das nächste bedenkt, dann bedenkt er das eine mit dem einen, das andere mit dem anderen, das nächste mit dem nächsten, aber auch das eine mit dem anderen, das eine mit dem nächsten und das andere mit dem nächsten. Hercule Poirot, der das eine, das andere und das nächste bedenkt, bedenkt aber nicht nur das eine mit dem einen, das andere mit dem anderen, das nächste mit dem nächsten, das eine mit dem anderen, das eine mit dem nächsten und das andere mit dem nächsten, sondern geht einen Schritt weiter und bedenkt auch das andere mit dem einen, das nächste mit dem einen und das nächste mit dem anderen. Nachdem nun Hercule Poirot außer dem einen mit dem einen, dem anderen mit dem anderen, dem nächsten mit dem nächsten, dem einen mit dem anderen, dem einen mit dem nächsten und dem anderen mit dem nächsten auch das andere mit dem einen, das nächste mit dem einen und das nächste mit dem anderen bedacht hat, geht er wieder einen Schritt weiter und bedenkt das eine mit dem anderen und dem nächsten, das eine mit dem nächsten und dem anderen, das andere mit dem einen und dem nächsten, das andere mit dem nächsten und dem einen, das nächste mit dem einen und dem anderen und das nächste mit dem anderen und dem einen. Aber Hercule Poirot, der das eine, das andere und das nächste jedes für sich und alles miteinander bedacht hat, bedenkt nun, daß das eine nicht nur das eine, das andere nicht nur das andere und das nächste nicht nur das nächste, sondern das eine auch das andere wie das andere das eine, das eine auch das nächste wie das nächste das eine, das andere auch das nächste wie das nächste das andere ist. Das eine ist nämlich das eine, weil es das andere, und das andere ist das andere, weil es das eine, das andere ist das andere, weil es das nächste, das nächste ist das nächste, weil es das andere, das eine ist das eine, weil es das nächste und das nächste ist das nächste, weil es das eine gibt. Denn das eine ist nicht mehr das eine, das am Anfang steht, wie das andere nicht mehr das andere ist, das nach dem einen wie das nächste nicht mehr das nächste ist, das nach dem anderen folgt. So ist das eine nicht nur das andere, sondern auch das nächste, wie das eine nicht nur das nächste, sondern auch das andere, das andere nicht nur das eine, sondern auch das nächste, das andere nicht nur das nächste, sondern auch das eine, das nächste nicht nur das eine, sondern auch das andere, das nächste nicht nur das andere, sondern auch das eine ist. Und weil das eine das eine, das andere und das nächste, das andere das eine, das andere und das nächste und das nächste das eine, das andere und das nächste ist, ist jedes etwas anderes und doch dasselbe. Hercule Poirot ist Hercule Poirot. Herkules ist Herkules. Hercule

Poirot ist wie Herkules. Herkules ist wie Hercule Poirot. Hercule Poirot ist ein Herkules. Herkules ist ein Hercule Poirot. Hercule Poirot ist Herkules. Herkules ist Hercule Poirot.

floh vom höllen tor der pluto wider setzte sich auf seinen hintern von der keule schwingt er zerberus an kopf und beinen durch die luft geknotet mit dem schwanz aus dem ein schlangen biß sich auf die zähne fletschte daß der greifer eisenhut zerstampfte herkules/

pflückte die verwünschten hesperiden äpfel atlas gab ihm das gewölbe auf den kopf und kragten hat er frisch gewagt
ist halb gewonnen wurde der betrüger zum betrognen wandte dieser sich in list und tücke
griff der riese unter seine arme ließ er plötzlich fiel der stein von herkules/

öffnete den pferch geryons rinder stürmten alle samt und sonders in die winde trieben ihn die schiffe ließ er orthros doppel kopf als trumpf auf seinem buben blieb der dreifach stark geleibte und bekopfte auf der strecke nach dem isthmus eilte herkules/

bedeckte ihre scham alkippe wollte jungfrau bleiben lebens lang und breit erklärt sie sich der amazone
hielt sie was versprochen war der schöne gürtel hippolytas reizte ihn an ihrem leib und leben lag ihr ein und alles gab sie herkules/

bot den stuten diomedes menschen fleisch von fremden an die stadt gekommen starben sie
verschlangen ihren eignen herrn und meisterlich wie unser held die wilden rosse zähmte
seinen zorn als sie den liebling fraßen aber später noch dem könig alexander aus der hand des herkules/

litt den wüsten stier nicht minos herden vieh verdarb das gras und kräuter welkten unter seinem huf
zerteilte sich die see nachdem das laster ordentlich gebändigt geht er in der fuhr nach attika woher der gute rauch von abgebrannten blättern kitzelte die prima nase hatte herkules/

floh nicht eine dieser stymphaliden vögel mit den eisen klauen was nicht niet und nagel fest
wie pfeile waren ihre federn als geschosse brachen ihre schnäbel in die panzer ächzen grell
und klappern dröhnen über ihrem eignen mut zeigt selbst der lahme muckt und flieht vor herkules/

pflückte nicht den lorbeer wollte sich augias um sein köpfchen

110

köpfchen dachte unser held vertraute auf das alte lied vom wasser haben wirs
gelernt
und so ein mist und dünge mit der jauche ist man nicht beschissen sagte herkules/
öffnete das maul der wilde eber brüllte über das verwüstete gebirge zog der held
nach erymanthos
gehts der nase nach dem stinken immer tiefer in den winter
schlaf nicht
ein ums andre mal erhebt sich ein geschrei aus lauter kehle klingt so tief ins
schneefeld treibt ihn herkules/
bedeckte ihre augen voller gram erboste sich artemis über diesen unverstand und
wußte nicht wozu
der held die schnelle hindin mit dem pfeil gelähmt auf seiner schulter trug er
die notwendigkeit und nicht den übermut sollst du begreifen kannst du schließlich herkules/
bot ihm einen teils des waldes riß jolaos aus den stämmen schuf er fackeln für
die schlangen köpfe
wuchsen nicht mehr unter flammen schwang er seine klinge spaltete den rumpf
und glieder
blut für seine pfeile schlugen wunden fortan blieb er unbesieglich unser held
und meister herkules/
litt das gräßliche gehabe nicht und gut getarnt erschien er jäh eurysteus kroch
in einen topf
nachdem der gute held die löwen haut mit dessen krallen es gelang nicht eher
ihm als so
begann er seine arbeit war der mühe wert gehalten hatte sie athene schützte
ihren herkules/

Ich fliehe, ich floh, ich bin geflohen. Ich werde fliehen. Fliehe! Fliehen wir!
Flieht! Jean (zu Fritz): Sieh die Katze! Sie flieht vor dem Hund mit hundert
Stundenkilometer Geschwindigkeit. Da, sie ist bei den Beaulieus! Sie läuft zum
Eingang hinein. Da ist sie wieder. Sie läuft zum Ausgang hinaus. Ich pflücke, ich
pflückte, ich habe gepflückt. Ich werde pflücken. Pflücke! Pflücken wir! Pflückt!
André (zu Fritz): Ich pflücke Kirschen. Ich breche keine Zweige entzwei. Ich
schneide sie nicht entzwei. Ich habe weder Messer noch Schere. Ich öffne, ich
öffnete, ich habe geöffnet. Ich werde öffnen. Öffne! Öffnen wir! Öffnet! Madame
Dupont: Jean, öffne die Tür für Marie! (Marie bringt die Teekanne und die Tassen
herein und reicht sie Madame Dupont auf einem Tablett.) Ich bedecke, ich bedeckte, ich habe bedeckt. Ich werde bedecken. Bedecke! Bedecken wir! Bedeckt!

Madame Dupont: Danke, Marie! (Zu den Kindern): Es zieht. Blätter fallen in die

111

Tassen. Bedeckt sie. (Zu ihrem Gatten): Du hast schon ein Stück Zucker. Ich füge dir noch ein zweites hinzu. Roger: Ich bedecke die meine mit einer Serviette. O, eine Biene! Ich biete an, ich bot an, ich habe angeboten. Ich werde anbieten. Biete an! Bieten wir an! Bietet an! André: Mama, ich biete dir meine schönsten Kirschen an. Madame Dupont: Danke, mein Großer, und ich biete dir eine Tasse Tee an. Roger: Und ich biete dir Zucker und Kuchen an. André: Und ich nehme den Tee und den Zucker an, aber ich weise den Kuchen zurück. Ich habe vorhin schon zu viel davon gegessen. Ich will keinen mehr davon nehmen. Ich leide, ich litt, ich habe gelitten. Ich werde leiden. Leide! Leiden wir! Leidet! Madame Dupont: Alice, leidest du immer noch an den Zähnen? Fühlst du immer noch einen Schmerz in der Hand? Alice: Ja, Mama, ich leide immer noch ein bißchen an den Zähnen. Ich leide aber mehr an der Hand. Heute morgen hat mich eine Biene sehr arg gestochen.

Herkules stellte den Nemeischen Löwen, Hercule Poirot den Pekinesen Augustus. Herkules zerschlug die Lernäische Schlange, Hercule Poirot das Gerücht der Krankenschwester Harrison. Herkules spürte die Arkadische Hirschkuh auf, Hercule Poirot die russische Tänzerin Katrina Samoushenka. Herkules trieb den Erymanthischen Eber in den Schnee, Hercule Poirot den Mörder Marrascaud in die Enge. Herkules mistete die Ställe des Augias aus, Hercule Poirot die Redaktion der Zeitung X-Ray-News. Herkules scheuchte die Stymphalischen Vögel auf, Hercule Poirot die Damen Rice und Clayton. Herkules jagte den Kretischen Stier, Hercule Poirot den Admiral Charles Chandler. Herkules zähmte die Stuten des Diomedes, Hercule Poirot die Töchter des Generals Grant. Herkules fand den von Ares geschenkten Gürtel der Hippolyta, Hercule Poirot den von Rubens gemalten. Herkules brachte die Herde Geryons zur Strecke, Hercule Poirot den falschen Dr. Anderson. Herkules versicherte sich der Äpfel der Hesperiden, Hercule Poirot des Renaissance-Bechers Emery Powers. Herkules fing den Höllenhund Zerberus, Hercule Poirot den Wach- und Schließhund „Doudou".

Roger (ruft den Hund): Boule, komm hierher! (Der Hund bewegt sich nicht.) Boule, ich gebiete dir, hierher zu kommen! (Boule verharrt auf seinem Platz.) Ich befehle dir, ich gebe dir den Befehl zu kommen! (Boule kommt.) Ah, du gehorchst. Das war gerade noch zur rechten Zeit. Du bist nicht sehr gehorsam. Du gehorchst mir nicht. Du bist ungehorsam. Los, spring! (Der Hund ergreift die Flucht. Roger fängt ihn wieder ein.) Ah, du ergreifst die Flucht. Ich werde dich wegen deines Ungehorsams bestrafen. (Er gibt ihm Schläge.) Siehst du, das ist deine Strafe. Jetzt spring! (Der Hund springt über die Bank.) Sehr gut! Spring noch einmal, du wirst eine Belohnung bekommen. (Er zeigt ihm Zucker. Der Hund springt sogleich. Roger gibt ihm den Zucker.) Wenn du mir gehorchst, dann werde ich dich belohnen. Wenn du mir nicht gehorchst, dann werde ich dich bestrafen. Schritt! Gut!

Vorwärts! Gut! (Während er mit dem Hund spielt, bringt er die Teekanne zu Fall und sie zerbricht.) Monsieur Dupont: O, meine schöne Teekanne! Da liegt sie zerbrochen. Roger, komm hierher, damit ich dich an den Ohren ziehe! Roger (weinend): Papa, verzeih mir, ich werde es nicht wieder tun. Madame Dupont: Verzeih ihm. Schau, wie er weint! Monsieur Dupont: Ja, ich verzeihe dir. Aber das ist das letzte Mal. Dieses Kind hier zerbricht mir alles in diesem Hause. Fritz (geht an Madame Dupont vorbei und sagt, indem er seine Mütze lüftet): Pardon, Madame! Madame Dupont: Geh vorbei, mein kleiner Fritz!

Hercule Poirot stellte den Pekinesen Augustus wie Herkules den Nemeischen Löwen. Hercule Poirot zerschlug das Gerücht der Krankenschwester Harrison wie Herkules die Lernäische Schlange. Hercule Poirot spürte die russische Tänzerin Katrina Samoushenka auf wie Herkules die Arkadische Hirschkuh. Hercule Poirot trieb den Mörder Marrascaud in die Enge wie Herkules den Erymanthischen Eber in den Schnee. Hercule Poirot mistete die Redaktion der Zeitung X-Ray-News aus wie Herkules die Ställe des Augias. Hercule Poirot scheuchte die Damen Rice und Clayton auf wie Herkules die Stymphalischen Vögel. Hercule Poirot jagte den Admiral Charles Chandler wie Herkules den Kretischen Stier. Hercule Poirot zähmte die Töchter General Grants wie Herkules die Stuten des Diomedes. Hercule Poirot fand den von Rubens gemalten Gürtel der Hippolyta wie Herkules den von Ares geschenkten. Hercule Poirot brachte den falschen Dr. Anderson zur Strecke wie Herkules den Riesen Geryon. Hercule Poirot versicherte sich des Renaissance-Bechers Emery Powers wie Herkules der Äpfel der Hesperiden. Hercule Poirot fing den Wach- und Schließhund „Doudou" wie Herkules den Höllenhund Zerberus.

(Hinter der Mauer singen die kleinen Beaulieus):
Wir gehn nicht mehr zum Holze,
der Lorbeer ist gepflückt,
die Schöne und die Stolze
hat sich danach gebückt.
Tritt ein in unser Tänzchen,
wir tanzen hin und her,
die Grete küßt ihr Hänschen,
sie liebt ihn ja so sehr.

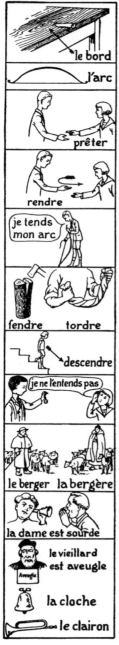

41. LEKTION

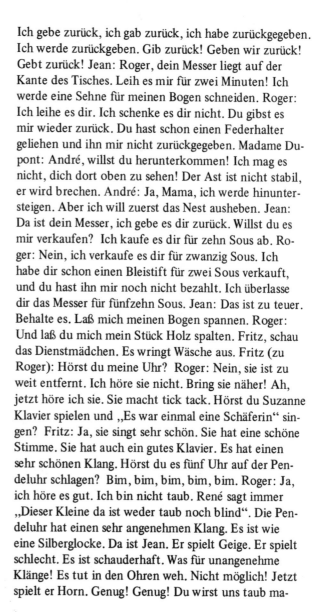

Ich gebe zurück, ich gab zurück, ich habe zurückgegeben. Ich werde zurückgeben. Gib zurück! Geben wir zurück! Gebt zurück! Jean: Roger, dein Messer liegt auf der Kante des Tisches. Leih es mir für zwei Minuten! Ich werde eine Sehne für meinen Bogen schneiden. Roger: Ich leihe es dir. Ich schenke es dir nicht. Du gibst es mir wieder zurück. Du hast schon einen Federhalter geliehen und ihn mir nicht zurückgegeben. Madame Dupont: André, willst du herunterkommen! Ich mag es nicht, dich dort oben zu sehen! Der Ast ist nicht stabil, er wird brechen. André: Ja, Mama, ich werde hinuntersteigen. Aber ich will zuerst das Nest ausheben. Jean: Da ist dein Messer, ich gebe es dir zurück. Willst du es mir verkaufen? Ich kaufe es dir für zehn Sous ab. Roger: Nein, ich verkaufe es dir für zwanzig Sous. Ich habe dir schon einen Bleistift für zwei Sous verkauft, und du hast ihn mir noch nicht bezahlt. Ich überlasse dir das Messer für fünfzehn Sous. Jean: Das ist zu teuer. Behalte es. Laß mich meinen Bogen spannen. Roger: Und laß du mich mein Stück Holz spalten. Fritz, schau das Dienstmädchen. Es wringt Wäsche aus. Fritz (zu Roger): Hörst du meine Uhr? Roger: Nein, sie ist zu weit entfernt. Ich höre sie nicht. Bring sie näher! Ah, jetzt höre ich sie. Sie macht tick tack. Hörst du Suzanne Klavier spielen und „Es war einmal eine Schäferin" singen? Fritz: Ja, sie singt sehr schön. Sie hat eine schöne Stimme. Sie hat auch ein gutes Klavier. Es hat einen sehr schönen Klang. Hörst du es fünf Uhr auf der Pendeluhr schlagen? Bim, bim, bim, bim, bim. Roger: Ja, ich höre es gut. Ich bin nicht taub. René sagt immer „Dieser Kleine da ist weder taub noch blind". Die Pendeluhr hat einen sehr angenehmen Klang. Es ist wie eine Silberglocke. Da ist Jean. Er spielt Geige. Er spielt schlecht. Es ist schauderhaft. Was für unangenehme Klänge! Es tut in den Ohren weh. Nicht möglich! Jetzt spielt er Horn. Genug! Genug! Du wirst uns taub ma-

chen! Weißt du, Fritz, Auguste hat mich gefragt, wie alt du bist. Fritz: Ah, und
was hast du ihm geantwortet? Roger: Ich habe ihm geantwortet, Fritz ist zwölf-
einhalb Jahre alt. Fritz: Hat er dir andere Fragen über mich gestellt? Roger: Ja,
er befragte mich oft über dich. Aber ich gebe ihm keine Antwort. Worüber wird
uns Monsieur Durand morgen befragen? Fritz: Er wird uns zuerst über die Tätigkeitswörter befragen, dann über die Dingwörter und schließlich über die Umstandswörter. Wir werden zwanzig Minuten lang befragt werden. Jean: Siehst du das
Huhn dort unten im Hof? Wie es seine Küken gegen die Katze verteidigt! Es greift
an! Da ist der Hahn, der das Huhn jetzt verteidigt! Er gibt der Katze Schnabel-
hiebe. Er wird ihr mit seinem Schnabel den Kopf spalten. Die Katze zieht sich zurück. Sie zittert auf ihren Pfoten. Sie hat Angst vor dem Hahn. Der Hahn hat keine
Angst vor ihr. Er ist kühn. Er geht vorwärts. Er hat Mut. Roger: Ja, er ist mutig,
er ist sehr tapfer, dieser kleine Hahn. Er hat keine Angst wie die Katze. Diese Katze
ist nicht kühn gegen die Küken. Sie ist ein Feigling. Ich werde sie schlagen. (Er
schlägt die Katze mit dem Stock.)

Volksmund: Quäle nie ein Tier zum Scherz, denn es fühlt wie du den Schmerz.
Berthold Auerbach: Der untrüglichste Gradmesser für die Herzensbildung eines
Volkes und eines Menschen ist, wie sie die Tiere betrachten und behandeln.
Börne: Es gibt Menschen, die hündischer sind als Hunde und nicht heulen, wenn
sie geschlagen werden.
Roger: Schau, das andere Huhn hat ein Ei gelegt. Ich nehme, ich nahm, ich habe
genommen. Ich werde nehmen. Nimm! Nehmen wir! Nehmt! Jean: Nimm das Ei.
Lege es in den Korb zu den anderen. Ich lege, setze, stelle. Ich legte, setzte,
stellte. Ich habe gelegt, gesetzt, gestellt. Ich werde legen, setzen, stellen. Lege,
setze, stelle! Legen, setzen, stellen wir! Legt, setzt, stellt!

Hercule Poirot stellte den Pekinesen Augustus der bettlägerig leidenden Emily
Carnaby, der, nachdem Emilys Schwester, Miss Amy Carnaby, unter Beihilfe et-
licher anderer Gesellschafterinnen gewisser Damen der vornehmen Gesellschaft
von insgesamt sechzehn zuletzt mit Hilfe ihrer Kollegin, Miss Kebles, die Pekinesen Shan-Tung der Gattin Sir Joseph Hoggins, Lady Milly Hoggins, und Nanki
Poo der Gattin Mister Samuelsons, Mrs. Samuelson, unter der poetischen Andro-
hung, ihnen widrigenfalls Schwanz und Ohren zu verstümmeln, zur erpresseri-
schen Zahlung erheblicher Summen entführt hatte, darauf abgerichtet war, deren
Stelle an der Leine der Entführerinnen einzunehmen und in dem Augenblick,
sogar das Prinzip der Einbahnstraßen erfassend, zur Bettstatt der Kranken zurück-
zukehren, in dem die Leine durchschnitten und der Eindruck erweckt war, ein
Hundefänger hätte sich der Tiere bemächtigt, was alles Hercule Poirot durchschaute, weil er sich der Liebe einer leidenden Jungfer zu einem geschenkten Pekinesen und der Durchtriebenheit eines geschenkten Pekinesen allzeit bewußt ist.

Hercule Poirot sagte: Und du, mon ami, von dir möchte ich eines erbitten. Deinen Mantel der Unsichtbarkeit, den brauche ich. In dieser ganzen Reihe von Fällen hat niemand auch nur einen Moment vermutet, daß ein zweiter Hund im Spiel sei. Augustus besaß des Löwen Fell der Unsichtbarkeit. Miss Carnaby sagte: Der Sage nach waren die Pekinesen tatsächlich einst Löwen, Monsieur Poirot, und sie haben noch den Löwenmut.

Hercule Poirot zerschlug das Gerücht, Dr. Charles Oldfield, Arzt in Market Loughborough in Berkshire, habe seine Frau, die vermeintlich an Magengeschwüren gestorben war, obgleich gastrische Entzündungen und Arsenvergiftungen ähnliche Symptome zeigen, absichtlich mit Gift getötet, um seine schöne Laborantin, Miss Jane Moncrieffe, zu heiraten, und überführte die Krankenpflegerin, Schwester Harrison, die den Doktor unerwidert liebte, des Mordes an dessen Frau, was alles Hercule Poirot durchschaute, weil er die Worte einer alternden Krankenschwester, die ihren Gefühlen nicht mehr gewachsen ist, sofort als Gerücht, das aus der Eifersucht erwächst, diagnostiziert.

Miss Harrison war eine noch schöne Frau von ungefähr vierzig Jahren. Sie hatte die regelmäßigen, ausgeglichenen Züge einer Madonna mit seelenvollen dunklen Augen. Dr. Oldfield sagte: Sie war ein so sanftes mütterliches Geschöpf. Wie eine Madonna. Hercule Poirot sagte: Meine Aufgabe, wie die meines Namensvetters Herkules, war es, den ersten, den ursprünglichen Kopf zu packen.

Hercule Poirot spürte für den jungen und schönen Automechaniker Ted Williamson die ein einziges Mal in sein Leben getretene, aber sich unverzüglich wieder daraus entfernende, gleichfalls junge und schöne Juanita, genannt Nita Valetta, die vorletzte Kammerzofe der russischen Tänzerin Katrina Samoushenka, die sich beide fast als identisch erwiesen, auf, da die Ballerina, von schwerer Krankheit befallen, zu ihrer vermeintlich letzten irdischen Glückseligkeit dem zur Reparatur eines defekten Radioapparates herbeigerufenen Handwerker ein Mädchen erfunden hatte, das den Nach-, nicht den Vornamen ihrer ehemaligen, inzwischen in Pisa in Italien verstorbenen Zofe Bianca trug, was alles Hercule Poirot durchschaute, weil eines Mechanikers Schilderung eines Geschöpfes, welches Haare wie Gold und eine muntere Art einherzutrippeln gehabt hätte, ihn unverzüglich in das Reich Terpsichores schließen läßt.

Hercule Poirot dachte: Hier ist eines der schönsten menschlichen Exemplare, die ich je gesehen habe. Ein einfacher junger Mann mit der Gestalt eines griechischen Gottes. Ja, ein griechischer Gott, ein junger Hirte aus Arkadien, dachte Poirot bei sich. Hercule Poirot murmelte im stillen: Haare wie goldene Flügel. Er erinnerte sich an Michael Novgin, den Jäger, seine Sprünge und Pirouetten in jenem phantastischen, unheimlichen Wald, den Ambrose Vandels Genie geschaffen hatte.

Und er erinnerte sich an die wunderschöne fliehende Hindin, ewig verfolgt, ewig begehrt — ein goldblondes, herrliches Geschöpf mit Hörnern auf dem Kopf und schimmernden bronzenen Füßen. Hercule Poirots Finger berührten ganz zart die leuchtenden Wellen von Katrines Haar. Hercule Poirot sagte: Flügel aus Gold, Hörner aus Gold? Katrina flüsterte: Die verwundete Hirschkuh, und ihre Stimme hatte etwas Hoffnungsloses.

Hercule Poirot trieb den Schwerverbrecher und Mörder Marrascaud in Rochers Neiges, einem nur mit der Seilbahn, welche von dessen drei Komplicen außer Betrieb gesetzt wurde, erreichbaren Hotel in den Schweizer Alpen, das zur Aufteilung eines Diebsgutes und zur Durchführung einer plastischen Operation an Marrascaud, unter den Instrumenten eines Dr. Karl Lutz aus Wien, ausgewählt worden war, in die Enge und fing ihn lebendig, während der Schwerverbrecher zuvor den ihn stellenden Kriminalinspektor Drouet, der als Kellner Robert aufgetreten war, tötete und selbst als Kellner Gustave in der Rolle des Inspektors Drouet eine angeblich von Marrascaud verursachte Schußverletzung vortäuschte, um den Operationsverband als solchen zu verschleiern, doch Mr. Schwartz, ein amerikanischer Tourist mit Pistolenkenntnissen die drei Komplicen an der Tötung Poirots hinderte, was alles Hercule Poirot durchschaute, weil er als kriminalistischer Insider den Unterschied zwischen einem Kellner, einem Mörder und einem Detektiv jederzeit festzustellen in der Lage ist.

Inspektor Lementeuil sagte: Ein wilder Eber. Hercule Poirot sagte: Ein wilder Eber. Inspektor Drouet sagte: Er hat nicht die Arglist und Falschheit der Schlange. Er ist ein wilder Eber. Hercule Poirot sagte: Hier ist ihr wilder Eber, meine Herren.

Hercule Poirot mistete die korrupte Redaktion der X-Ray-News samt ihrem Herausgeber Percy Perry aus, der, um einen gewissen Everard, einen Politiker mit diktatorischen Neigungen, an die Spitze des Staates zu bringen, halb-verleumderische Enthüllungen hinsichtlich des früheren Premierministers John Hammed, jetzt Lord Cornworthy, Vater von Dagmar Ferrier, der schönen Gattin des jetzigen Premiers Edward Ferrier, ankündigte, die, zum Entsetzen des Home Secretary, Sir George Conway, das Opfer einer Sexualaffäre in X-Ray-News wurde, welche die Zeitung allerdings zu einer Verklagung und schließlichen Einstellung ihres Erscheinens brachte, da Dagmar Ferrier, von einer Dänin namens Thelma Anderson für pikante diskreditierende Fotos gedoubelt, sich unverdächtigerweise bei dem Bischof von Northumbria aufhielt, was alles Hercule Poirot durchschaute und inszenierte, weil er der Erotik als großer Naturkraft die reinigende Gewalt eines Stromes zutraut.

Hercule Poirot sagte: Vergessen Sie nicht, daß mein Vorname Hercule ist. Percy Perry sagte: Was wir brauchen, um diese Ställe auszumisten, ist der große reinigende Strom der öffentlichen Meinung. Hercule Poirot sagte: Was ist eine große Naturkaft? Der Ges⌐.lechtstrieb, nicht wahr? Die Erotik zieht. Geben Sie den Leuten einen Skandal mit einer sexuellen Note.

Hercule Poirot scheuchte anstelle zweier hakennasiger polnischer Damen, die fast in falschen Verdacht geraten wären, Mrs. Rice und ihre Tochter, Mrs. Elsie Clayton, als gefährliche Erpresserinnen auf, welche letzte dem britischen Unterstaatssekretär Harold Waring während eines Ferienaufenthaltes in einem imaginären Ostblockstaat die Gattin eines übereifersüchtigen Mr. Philip Clayton vorspielte, dieweil ihre Mutter, dank ihrer tiefen Stimme erfolgreich in Männerrollen, den Gatten verkörperte, der schließlich das scheinbare Opfer einer vorgetäuschten Affekthandlung durch seine Gattin, Mrs. Clayton, wurde, wodurch der Unterstaatssekretär, um jedwelche Affäre zu vermeiden, Bestechungsgelder anfordern mußte, die Mrs. Rice, dank ihrer slawischen Sprachkenntnisse, dem örtlichen Polizeichef, dem Kommissar, dem Agenten, dem Hoteldirektor und dem Nachtportier zur Vertuschung der gar nicht geschehenen Tat zu zahlen vorgab, was alles Hercule Poirot durchschaute, weil er weiß, daß jeder Durchschnittsengländer ohne Fremdsprachenkenntnisse mehr einem Appell an seine Ritterlichkeit als an seine Sinne Folge leistet.

Sie schritten sehr langsam den Pfad vom See herauf, und gerade in dem Augenblick, als Harold auf sie aufmerksam wurde, zog eine Wolke über die Sonne. Er fröstelte leicht. Dann starrte er wie gebannt. An diesen zwei Frauen war unbedingt etwas Sonderbares. Sie hatten lange, gebogene Nasen wie Vögel und ihre Gesichter, die einander merkwürdig ähnelten, waren völlig unbeweglich. Über den Schultern trugen sie lose Mäntel, die im Winde flatterten wie die Flügel zweier großer Vögel. Sie sind wie Vögel, dachte Harold im stillen. Unheilverkündende Vögel, fügte er fast unbewußt hinzu. Harolds Eindruck von drohendem Unheil verstärkte sich; die Hand der einen fiel ihm auf, eine lange, krallenartige Hand. Obwohl die Sonne wieder zum Vorschein gekommen war, überfiel ihn abermals ein kleiner Schauer. Mrs. Rice sagte: Ich habe herausbekommen, wer Ihre beiden Harpyien sind, Mr. Waring. Polnische Damen. Elsie sagte: Ich halte sie trotzdem für Geier. Wie immer, wenn er sie sah, überlief Harold ein sonderbarer Angstschauer, wie von einer bösen Vorahnung. Diese unbeweglichen Gesichter, diese schnabelartigen, gebogenen Nasen, diese Hände wie Krallen. Am anderen Ende der Terrasse standen die beiden vogelartigen Frauen auf. Sie rollten ihre Handarbeiten zusammen und kamen herüber. Harold sagte: Zum Teufel mit ihnen! Mit diesen verfluchten blutsaugenden Harpyien! Hercule Poirot sagte: Diese Harpyien werden Sie zwingen zu zahlen. Und er verkündete: Es ist Zeit für die eisernen Klappern!

Und er erwiderte träumerisch: Ich habe die ehernen Klappern verwendet. Oder in die heutige Sprache übertragen, ich ließ Metalldrähte summen, ich habe telefoniert.

44. LEKTION

que signifie: agir?

Roger est content

Jean est mécontent

Roger désire une montre

Hercule Poirot jagte Admiral Charles Chandler, der, erblich mit Irrsinn behaftet, einst während eines Bootsausflugs in Cornwall seine Frau Caroline im Meer ertränkte, die einen Sohn Hugh geboren hatte, dessen Vater Charles Chandlers Freund, Colonel George Frobisher, war, welcher, vorzeiten in Kolonialdiensten in Indien tätig, dem Admiral durch unbefangene Erzählungen die Idee eingab, seinen Stiefsohn Hugh mit der der Datura verwandten Droge Atropin, die ihm zur Behandlung seines Augenleidens verschrieben worden war, als Extrakt einer Rasierkrem beigemengt, allmählich zu vergiften, und gleichzeitig den Verdacht des Irrsinns auf diesen zu lenken, indem er, ihn mit einem Schlafmittel betäubend, ihm eine Reihe von Mordtaten, als da waren Abschlachten von Schafen, eines Papageis und einer Katze, durch nächtliche Befleckung mit Blut zur Last legte, um seine Verlobung mit Diane Maberly aufzulösen und dadurch die Exzesse seines Hasses zu krönen, was alles Hercule Poirot durchschaute, weil der irre und mordlüsterne Admiral sich gegen eine ärztliche Untersuchung seines vermeintlich irren und vermeintlich leiblichen Sohnes widersetzte.

Hercule Poirot flüsterte: Ja, er ist prachtvoll, prachtvoll. Er ist ein junger Stier, ja, man könnte sagen, der Poseidon geweihte Stier. Hugh Chandler erklärte: Erstens träume ich, und wenn ich träume, bin ich wahnsinnig. Vorige Nacht zum Beispiel war ich kein Mensch mehr. Ich war zuerst ein rasender Stier, ein rasender Stier, der in der glühenden Sonne herumtobte, und ich schmeckte Blut und Staub in meinem Mund. Blut und Staub. Und dann war ich ein Hund, ein großer sabbernder Hund. Ich hatte die Tollwut. Kinder stoben auseinander und flohen, wenn ich kam, Männer wollten mich erschießen. Irgend jemand stellte mir eine Schüssel Wasser hin, aber ich konnte nicht trinken. Monsieur Poirot, ich konnte nicht schlucken. Hugh Chandler sagte: Physisch bin ich stark, stark wie ein Stier. Hercule Poirot sagte: Sie sollten eine lindernde Rasierkrem verwenden.

Hercule Poirot zähmte die als Rauschgifthändlerinnen ausgebildeten falschen Töchter des Talmi-Generals Grant, die sowohl Mrs. Patricia Grace, Mrs. Beryl Larkin als auch Mr. Anthony Hawker mit Koks versorgten, dabei aber Dr. Michael Stoddart, der in Sheila Grant, alias Kelly, eine frühere Ladendiebin, verliebt war, derart täuschten, daß dieser die Süchtigen als Lieferanten und die Lieferanten als Süchtige nahm, was alles Hercule Poirot durchschaute, weil der aufgeputzte anglo-indische General, von Poirot am scheinbar gichtigen Fuß gepackt, keinerlei Schmerzregung zeigte.

Lady Carmichael sagte: Sagen Sie mir nicht, daß Sie hergekommen sind, Pferde zu trainieren. In Ihrem Alter! Und immer in Lackschuhen! Sie sehen nicht so aus, als wären Sie je in Ihrem Leben auf einem Pferd gesessen. Hercule Poirot sagte: Die Pferde sind symbolisch, Madame. Es waren die wilden Stuten, die Menschenfleisch fraßen.

Hercule Poirot versicherte sich des „Gürtels der Hippolyta", eines von Rubens gemalten, während einer Gemäldeausstellung aus der Galerie Simpson, Besitzer Mr. Alexander Simpson, gestohlenen, von England nach Frankreich gebrachten Bildes, in Miss Lavinia Popes Mädchenpensionat unter einem falschen Ölgemälde, das er mit Hilfe einer Terpentintinktur entfernte, welches dahingelangt war, indem die Ehefrau eines gewissen Jim Elliot als Verwandlungskünstlerin im Zuge von Calais nach Paris in der Nähe von Amiens, in der Maske Winnie Kings, der Tochter des Kanonikus King aus Grantchester, mit blonden Zöpfen, Zahnregulierungsapparat, Zwirnstrümpfen und Brille, die auf dem Wege ins Mädchenpensionat von London nach Paris schon in London entführt und später, mit Skopolamin betäubt, neben der Hauptstrecke von einem Auto abgesetzt wurde, in der Abteiltoilette verschwindet und als „Prachtweib", wie Detektivinspektor Hearn sagte, wieder erscheint, später mit ihrem ehelichen Komplicen das Gepäck der zeitweise scheinbar geraubten Winnie King, angeblich als Angehörige der Präfektur, abholt und das darin befindliche Rubensgemälde, das auf diese Weise unbehelligt den Zoll passiert hat, bis zu einer späteren weiteren Verwendung mit einem kindlichen Bild der berühmten Grantchester-Bridge übermalt und der Pensionsdirektorin als Geschenk Winnie Kings in die Hände spielt, dieweil die Schulregel zum Glück fordert, daß alle Koffer neuer Pensionatszöglinge bei Ankunft ausgepackt werden müssen, was alles Hercule Poirot durchschaute, weil er aus der Tatsache, daß auf einer Bahnstrecke ein Paar Schuhe gefunden werden, obgleich ein entführtes Kind gleichfalls welche trägt, seine unfehlbare Verwandlungstheorie entwickelt.

Hercule Poirot sagte sanft: Der Gürtel der Hippolyta. Hippolyta gibt ihren Gürtel Herkules – von Rubens gemalt. Ein großes Kunstwerk – mais toute même nicht ganz passend für ihren Salon. Hippolytas Hand lag auf ihrem Gürtel, sie hatte sonst nichts an. Herkules hatte ein Löwenfell leicht über die Schulter geworfen.

Hercule Poirot brachte mit Hilfe Miss Amy Carnabys, bekannt aus der Pekinesenaffäre, einen gewissen Dr. Anderson, einen von einer deutschen Universität ausgestoßenen, unter fremdem Namen lange Zeit in einem chemischen Laboratorium in Sheffield arbeitenden und schließlich seine bakteriologischen Kenntnisse und Fähigkeiten anwendenden Wissenschaftler zur Strecke, der als Oberhaupt einer unter dem Namen „Große Herde" bekannten religiösen Sekte seinen Anhängern im Verlaufe häufig stattfindender sakraler Feiern kleine, aber wirksame Dosen von Cannabis Indica, auch als Blang oder Hasch bekannt, zur Erzeugung von Euphorien injizierte, um einsamen Damen der reichen Gesellschaft, wie Emmeline Clegg zum Beispiel, einmal aus Dankbarkeit und Inbrunst Testamente zugunsten der Sekte zu entlocken, und zum zweiten gewisse Bakterien in die weiblichen Organismen mitinjizierte, die die Damen schließlich in verschiedenen Teilen des Landes, von verschiedenen Ärzten behandelt, ohne das geringste Risiko eines Verdachtes, verschiedene Tode sterben ließen, wie Miss Everett an eitriger Kolitis, Mrs. Lloyd an Bronchopneumonie, Miss Lee an Typhus, Lady Western an Tuberkulose und Miss Amy Carnaby fast an der gleichen Krankheit, wenn diese nicht den Pförtner von Green Hills Sanctuary, Mr. Lippscomb, getäuscht und dadurch Detektivinspektor Cole die Gelegenheit gegeben hätte, als eingeschleuster falscher Sektierer, dem gefährlichen Doktor seine Injektionsspritze zu entwenden, was alles Hercule Poirot durchschaute, weil er eine arische Abstammung sofort erkennt und den Ausschluß von einer deutschen Universität aus Gründen nichtreinen Blutes für eine Lüge hält.

Miss Carnaby sagte: Sie nennen sich die „Herde des Hirten". Sie haben ihr Hauptquartier in Devonshire, auf einem wunderbaren Landsitz am Meer. Die Anhänger gehen für eine sogenannte Retraite hin. Das ist ein Zeitraum von vierzehn Tagen, mit Gottesdienst und Riten. Und es gibt drei große Feste im Jahr, das Blühen der Weide, das Reifen der Weide, das Ernten der Weide. Miss Carnaby bestätigte: Die ganze Sekte dreht sich um das Haupt der Bewegung, den „Großen Hirten". Ein sehr schöner Mensch, glaube ich, mit einem gewissen Auftreten. Hercule Poirot fragte: Sind die Mitglieder der „Großen Herde" zumeist Frauen? In diesem Augenblick kam der Große Hirte selbst aus dem Geheiligten Pferch.

Hercule Poirot brachte den goldenen, vermutlich von Benvenuto Cellini ziselierten Renaissance-Becher, den Papst Alexander VI., Rodrigo Borgia, zuweilen seinen Gästen zum tödlichen Gifttrunk gereicht hatte, welcher dem Finanzier Emery Power gegen die Konkurrenz Sir Reuben Rosenthals bei einer Versteigerung aus dem Besitz des Marchese di San Veratrino zugeschlagen, ihm jedoch schon vor der Inbesitznahme von einer Diebsbande, bestehend aus dem Franzosen Dublay, dem Italiener Riccovetti, dem später bei einem Bankeinbruch im Bankhaus Duvauglier tödlich abgestürzten Iren Patrick Casy und vermutlich auch dem Türken Yougouian, geraubt worden war, nach einem klärenden Gespräch über Pferdewetten in Jimmy Donovans Hotel, mit Emery Powers Erlaubnis wieder ins Kloster der Heiligen Maria und Aller Engel zurück, wohin er gelangt war, nachdem Patrick Casys Tochter, die Rote Kate, jetzt Schwester Mary Ursula, nach ihres Vaters Tod, den Schleier und den Becher genommen, und letzteren, um des Erzeugers Sünden zu sühnen, ins Kloster mitgenommen hatte, was alles Hercule Poirot durchschaute, weil sein System der Elimination ihn in einer solch heiklen Angelegenheit immer an einen Ort führt, wo die üblichen materiellen Werte nicht gelten.

Papst Paul VI.: Die Kirche muß arm sein und darüber hinaus auch arm erscheinen. Napoleon I.: Das sicherste Mittel, arm zu bleiben, ist, ein ehrlicher Mensch zu sein. Volksmund: Arm und fromm war nur bei Joseph im Stalle.

Hercule Poirot blickte auf die Spitzen seiner Lackschuhe. Er seufzte: Irgendwo dort draußen war, wie die Sage ging, das Land der Seligen, das Land der Jugend. Er murmelte: Der Apfelbaum, der Gesang, das Gold. Es geschah tatsächlich, daß am nächsten Tag Mr. Rosselyns „Herkules" völlig unerwartet das Boynan-Rennen gewann und eine Quote von sechzig zu eins für ihn ausgezahlt wurde.

Hercule Poirot fing in der „Hölle", einem Nachtklub der Gräfin Vera Rossakoff, den Wach- und Schließhund „Doudou", dessen Schnauze sowohl als Übergabeversteck für Rauschgifte als auch für die gestohlenen Smaragde der Lady Camington aus der Verbrecherzentrale Golconda Ltd. diente, welches beides Miss Alice Cunningham, Psychologin sowohl als auch Verteilerin für Kokain und Mr. Paul Varesco, Lüst- und Wüstling sowohl als auch Mitinhaber des Etablissements, bewerkstelligten, wodurch zahlreiche Gäste desselben fälschlich verdächtigt und die Inspektoren des Yard irregeführt wurden, was alles Hercule Poirot durchschaute, weil er jungen Damen mit großen Taschen in Tweedkostümen als tiefgläubiger Verehrer des Ancien Régime immer sofort mißtraut.

Keine Haltung, dachte Poirot, keine weibliche Grazie. Seine alternde Seele empörte sich gegen das Drängen und Hasten der modernen Welt. All diese jungen Frauen, die ihn umgaben, einander so ähnlich, so ohne jeden Charme, so bar jeder verführerischen Weiblichkeit! Er zog üppigere Reize vor. Ah! eine femme du monde zu sehen, chic, sympathisch, spirituelle, eine Frau mit weichen Rundungen, raffiniert angezogen. Einst hatte es solche Frauen gegeben! Hercule Poirot betrachtete die Fresken genauer. An der Wand ihm gegenüber spielte Orpheus mit seiner Jazzband, während Eurydike hoffnungsvoll zum Grill blickte. Eins führt zum anderen, wie Hercule Poirot ohne Anspruch auf Originalität so gerne sagt.

Karl Simrock: Nichts können ist keine Schande, aber nichts lernen. Goethe: Ein jeder lernt nur, was er lernen kann. Seneca: Nicht für das Leben, sondern für die Schule lernen wir.

(Fritz, nach Hause gekommen, hat sein Buch genommen und lernt seine Lektion. Er wiederholt sie mit lauter Stimme. Fritz spricht nicht mit leiser Stimme.) René: Was lernst du da? Fritz: Ich lerne meine Lektion für morgen. René: Wollen wir mal sehen! Was bedeuten die Wörter „folgen" und „legen, setzen, stellen"? Fritz: „Folgen" bedeutet „hinterhergehen". Zum Beispiel, „vorhin ist Roger uns gefolgt". „Legen, setzen, stellen" bedeutet „an einen anderen Platz befördern". Zum Beispiel, „Roger hat ein Ei in den Korb gelegt". „Ich habe heute morgen meine Kleider angelegt". „Legen, setzen, stellen" bedeutet auch „Zeit verbrauchen". Zum Beispiel, „ich habe eine Stunde an meinen Aufgaben gesessen". René: Du hast diese beiden Wörter sehr gut verstanden. Du hast ihren Sinn, ihre Bedeutung sehr gut begriffen. Kannst du mir jetzt das Wort „loslassen" erklären? Fritz: Ja, ich werde es Ihnen erklären. „Loslassen" bedeutet „gehenlassen, indem man aufhört, es zu behalten". Zum Beispiel, „ich lasse das Messer los, es fällt hin". René: Sehr gut. Du hast mir eine sehr gute Erklärung gegeben. Du behältst gut, was man dir erklärt. Fritz: O, ich vergesse auch manchmal die Wörter, die man mich lehrt. Ich habe kein sehr gutes Gedächtnis. Ich vergesse fast immer die Daten. Ich kann sie nicht behalten. Und dann weiß ich auch viele Wörter nicht auf französisch. Möchten Sie mir einige erklären? Ich habe sie in meinem Buch gefunden und in mein Heft abgeschrieben. Hier ist die Liste! René: Wollen wir mal sehen! Diese Liste enthält ein Eigenschaftswort, zwei Hauptwörter und Tätigkeitswörter. „Notwendig". Zum Beispiel, „um leben zu können, ist es notwendig, zu essen", das heißt, man muß essen, um zu leben. „Um schreiben zu können, ist es notwendig, eine Feder oder einen Bleistift zu haben". Hast du verstanden? Fritz: Ja, das ist leicht zu verstehn. Roger: Schau, René, ich habe eine Milchdose gezeichnet. Das war leicht zu zeichnen. Ich habe auch einen Stuhl gezeichnet. Das war sehr schwer. Monsieur Durand hat mir eine gute Note gegeben, sehr gut. René: Warst du zufrieden, daß du eine gute Note bekommen hast? Roger: O ja, ich war zufrieden. Monsieur Durand war auch zufrieden. Er ist mit mir zufrieden, wenn ich schöne Zeichnungen mache. Schau, da ist dein Hund! Ich gebe ihm ein Stück Zucker. Er tanzt. Er ist zufrieden. Jean hat eine schlechte Note für seine Englischaufgabe bekommen. Er ist unzufrieden. Fritz: Ich verstehe das Tätigkeitswort „tätig sein" nicht gut. André: „Tätig sein" ist irgend etwas machen, sich regen, sich bewegen. Zum Beispiel, du schreibst, du bist tätig; du gehst, du bist tätig; du setzt deinen Hut auf, du bist tätig. Du bist dreimal tätig, du vollbringst drei Tätigkeiten. Roger hat dir bei deinen Aufgaben geholfen, er war sehr tätig. Er hat gut gehandelt. Pépin hat die Katze aufgehängt. Er hat schlecht gehandelt. Jean (zu René): Hast du aus Paris eine Uhr mitgebracht? Du weißt, Roger wünscht sich seit langem eine Uhr. René (zu Roger): Wie wünschst du sie dir? Aus Gold oder aus Stahl? Roger: Ich wünsche sie mir aus Nickel. Jean: Ich wünsche mir schönes Wetter für Sonntag, um nach Versailles zu gehen. Roger: Ich möchte auch eine Kette aus Silber haben.

124

47. LEKTION

l'oranger

je ne peux l'alteindre

Jean changé l'ampoule

je saute à pieds joints

les pieds joints

la machine à coudre

traire

E.E. Cummings: Platon sagt es ihm, er konnt es nicht glauben (Jesus sagt es ihm, er wollt es nicht glauben), Laotse sagt es ihm und ob, und General (ja woll) Sherman, und sogar (ob dus glaubst oder nicht) du sagtest es ihm, ich sagte es ihm, wir sagten es ihm (er glaubte es nicht, nein zu Befehl), erst als ein japanisiertes Stück von der alten Sixth-Avenue-S-Bahn in seinem Hirnkasten stak, da mußt er dran glauben (die New Yorker Hochbahn wurde vor dem Zweiten Weltkrieg als Alteisen an Japan verkauft).

Also den rechten Glauben lehren, keine falschen Lehren lehren, die Lehre vom Schall lehren, die guten Sitten lehren, Morus lehren.

Während sie nämlich aus zwar sehr geschmackvollen, aber billigen Ton- und Glasgeschirren essen und trinken, stellen sie aus Gold und Silber nicht nur für die Gemeinschaftsräume, sondern auch für die Privathäuser allerorts Nachtgeschirre und lauter Gefäße für schmutzigste Zwecke her. Zudem werden die Ketten und schweren Fußfesseln, in die sie die Sklaven schließen, aus denselben Metallen geschmiedet. Schließlich tragen alle, die irgendein Verbrechen ehrlos gemacht hat, goldene Ringe an den Ohren, Goldringe an den Fingern, Goldketten um den Hals, und sogar um den Kopf haben sie einen goldenen Reif.

(Man hört André singen: Kennst du das Land, wo die Apfelsinenbäume blühn?) Monsieur Durand: Verstehst du das, was André singt? Fritz: Ja, Monsieur, ich verstehe es. Der Apfelsinenbaum ist ein Baum, der Apfelsinen trägt. Kennen bedeutet wissen was ist. Zum Beispiel: Ich kenne das Elsaß, ich bin dort gewesen, ich habe es gesehen. Ich kenne Sie, ich weiß, wer Sie sind. Ich kenne viele Leute in Chaville: Leroux, Pépin undsoweiter. Monsieur Durand: Beuge mir dieses Tätigkeitswort, Fritz! Fritz: Ich kenne, ich kannte, ich habe ge-

125

kannt. Ich werde kennen. Kenne! Kennen wir! Kennt! Monsieur Durand: Betrachte das Haus gegenüber von uns. Du wirst ein Licht im Fenster sehen. Ei, sieh doch, es erscheint! Jetzt verschwindet es! Da erscheint es von neuem! Sage mir, wo du geboren bist! Fritz: Ich bin in Straßburg geboren. Monsieur Durand: Welches ist das Datum deiner Geburt? Fritz: Es ist der 6. Januar 1930. Man sagt: geboren werden. Ich werde geboren, ich wurde geboren, ich bin geboren worden. Ich werde geboren werden. Werde geboren! Werden wir geboren! Werdet geboren! Ich habe auch noch andere Tätigkeitswörter gelernt: malen oder anstreichen, nähen und melken. Ich male, male an, streiche, streiche an. Ich malte, malte an, strich, strich an. Ich habe gemalt, angemalt, gestrichen, angestrichen. Ich werde malen, anmalen, streichen, anstreichen. Male! Malen wir! Malt! Male an! Malen wir an! Malt an! Streicht! Streichen wir! Streicht! Streicht an! Streichen wir an! Streicht an!

Jedermann hat das Recht, sich das Nähen auf der Maschine oder das Melken der Kuh vorzustellen. Aber wenn sich jemand das Malen vorstellt, dann sind es die Maler, das heißt also die, die malen, die dem, der sich das Malen vorstellt, das Recht absprechen, sich das Malen vorzustellen. Aber es gibt Maler und Maler, das heißt, es gibt Maler und Streicher, die beide für sich das Recht in Anspruch nehmen, dem das Recht abzusprechen, der sich das Malen vorstellen will. Maler malen und Streicher streichen, aber es gibt auch Maler, die streichen und Streicher, die malen, und so gibt es malende und streichende Maler und streichende und malende Streicher, das heißt, es gibt Maler und Streicher, die sowohl malen als auch streichen beziehungsweise streichen und malen. Malen ist malen und streichen. Wer malt, setzt Male, und wer streicht, setzt Striche. Maler und Streicher bezeichnen mit Malen und Strichen, doch ihre Male und Striche als Zeichen sind nicht eine wie die anderen gleich angesehen. Malers Male sind höher angesehen als Streichers Striche, und da es malende und streichende Maler so wie streichende und malende Streicher gibt, so gibt es nicht nur Malers Male und Streichers Striche, sondern auch Malers Striche und Streichers Male. Wer aber auf und ab und entlang malt, der malt an, wie der, der auf und ab und entlang streicht, anstreicht. So gibt es malen und anmalen wie streichen und anstreichen. Aber malen verhält sich zu streichen nicht wie anmalen zu anstreichen. Im Verhältnis des Malens zum Streichen gibt es den Unterschied des Ansehens, und infolgedessen verhalten sich Maler zu Streichern nicht wie Anmaler zu Anstreichern. Maler malen und Streicher streichen, aber Anmaler und Anstreicher malen und streichen an, beziehungsweise streichen und malen an, das heißt, sie malen an und sie streichen an beziehungsweise streichen an und malen an. So bedeutet malen malen und streichen streichen wie anmalen anstreichen und anstreichen anmalen bedeutet (auf Grund des geringeren Ansehens). Da aber malen malen, streichen streichen, anmalen anstreichen und anstreichen anmalen bedeutet, und da Maler Maler, Streicher Streicher, Anmaler aber Anstreicher und Anstreicher Anmaler sind (auf Grund des geringeren Ansehens), malen sowohl Maler als auch Anstreicher und malen Maler als auch Anstreicher an.

Fritz: In diesem Augenblick malt (streicht) Jean eine Kiste (eine Kiste an). Er malt (streicht) sie rot (rot an). Er benutzt rote Mal (Streich) farbe.

So stellt sich der kleine Fritz das Malen beziehungsweise das Anmalen vor, und der kleine Hans, der die Kiste malt beziehungsweise anmalt, ist ein Maler beziehungsweise ein Anmaler. Malen und Anmalen wie Anmalen und Malen als Tätigkeiten des Malers beziehungsweise des Anmalers wie des Anmalers beziehungsweise des Malers gelten als Tätigkeiten der Kunst und des Handwerks beziehungsweise des Handwerks und der Kunst. Malende Maler malen das Malerische des Malens, während anmalende Maler nicht das Malerische des Malens malen. Anmalende Anmaler malen auf und ab und entlang und malende Anmaler malen auf und ab und entlang, indem sie meinen, das Malerische des Malens zu malen. Malende und anmalende Maler wie anmalende und malende Anmaler, die beide als Vertreter von Kunst und Handwerk gelten, streben nicht nach der handwerklichen Vervollkommnung des Handwerks, sondern nach der künstlichen Vervollkommnung der Kunst. Der, der die vollkommene Handhabung des Pinsels beherrscht, trachtet nach der vollkommnen Künstlichkeit des Malerischen. Malende Maler, die malen, anmalende Maler, die anmalen wie anmalende Anmaler, die anmalen und malende Anmaler, die meinen zu malen, trachten alle nach dem, was als die Kunst gilt, das Malerische zu malen, indem sie Male setzen möchten ohne das Auf- und Ab- und Entlangstreichen des Pinsels als handwerkliche Vollkommenheit zu beherrschen (auf Grund des höheren Ansehens). Das Ergebnis dieses Bestrebens aber heißt Malerei. So stellt der kleine Fritz sich das Malen und also auch die Malerei vor, und der kleine Hans, der die Kiste anmalt, ist infolgedessen kein Maler, sondern nur ein Anmaler (auf Grund des geringeren Ansehens), und das Ergebnis seines Tuns ist nicht Malerei, sondern Anstrich.

Psalm 97, Vers 11: Dem Gerechten muß das Licht immer wieder aufgehen. Matthäus 5, Vers 15 und 16: Man zündet auch nicht ein Licht an und setzt es unter einen Scheffel, sondern auf einen Leuchter; so leuchtet es denn allen, die im Hause sind. Hebbel: Wieviel Lichter verdanken bloß ihrem Leuchter, daß man sie sieht!

Monsieur Durand: Jean! das elektrische Licht ist erloschen. Schalte es wieder an! Jean: Monsieur, die Birne ist zu hoch, ich kann sie nicht erreichen. Die Birne ist kaputt. Monsieur Durand: Wechsele sie aus. (Jean wechselt die Birne aus und springt mit geschlossenen Füßen auf die Erde.)

Ein sichtbares Bild schult den Genuß.
Ein schulbarer Genuß bildet das Sehen.
Ein bildbares Sehen genießt die Schule.
Eine genießbare Schule sieht das Bild.

Ein sichtbares Bild genießt die Schule.
Eine genießbare Schule bildet das Sehen.
Ein bildbares Sehen schult den Genuß.
Ein schulbarer Genuß sieht das Bild.

Eine sichtbare Schule bildet den Genuß.
Ein bildbarer Genuß schult das Sehen.
Ein schulbares Sehen genießt das Bild.
Ein genießbares Bild sieht die Schule.

Eine sichtbare Schule genießt das Bild.
Ein genießbares Bild schult das Sehen.
Ein schulbares Sehen bildet den Genuß.
Ein bildbarer Genuß sieht die Schule.

Ein sichtbarer Genuß schult das Bild.
Ein schulbares Bild genießt das Sehen.
Ein genießbares Sehen bildet die Schule.
Eine bildbare Schule sieht den Genuß.

Ein sichtbarer Genuß bildet die Schule.
Eine bildbare Schule genießt das Sehen.
Ein genießbares Sehen schult das Bild.
Ein schulbares Bild sieht den Genuß.

Fritz: Hier sind sie. Ich habe eine Briefmarke auf den Umschlag geklebt. Monsieur Durand: Sie sind zu groß. Fritz: Nimmt man sie bei der Post nicht an? Monsieur Durand: Ich befürchte es. Aber kannst du sie nicht gegen andere kleinere umtauschen? Geh zum Kaufmann, gib ihm diese Photographien und er wird dir andere dafür geben. Er wird sie dir umtauschen.

Sichtbare Bilder schulbare Bilder genießbare Bilder bildbare Bilder/ ferner Standbilder vieler bedeutender Erfinder aus unseren eigenen Reihen, solcher, die hervorragende Dinge und Werke hervorgebracht haben, die, da ihr sie selbst nicht gesehen habt, zu beschreiben zu langweilig wäre; auch kann man, wenn man sie ohne Augenschein richtig begreifen soll, leicht in Irrtum verfallen. Dem Erfinder jedweder bedeutenden Sache nämlich errichten wir alsbald ein Standbild und vermehren seinen Ehrensold reichlich und freigebig. Von diesen Standbildern sind die einen aus Erz, aus Marmor und lydischem Gestein, andere aus Zedernholz und anderen kostbaren Holzarten, vergoldet und verziert, andere aus Eisen, wieder andere aus

128

Silber, einige aus Gold/ Mannsbilder Weibsbilder Urbilder Abbilder Inbilder Eben-
bilder Vorbilder Nachbilder/ Bilder des Jammers Bilder der Phantasie Bilder der
Arbeit Bilder des Fleißes

Monsieur Durand: Was macht Mademoiselle Suzanne? Fritz: Sie näht. Ich nähe,
ich nähte, ich habe genäht. Ich werde nähen. Nähe! Nähen wir! Näht! Sie näht
mit einer Nadel, mit einem Faden und mit einem Fingerhut. Monsieur Durand:
Wer arbeitet mit ihr? Fritz: Das ist eine Näherin. Sie kommt einmal in der Woche
Madame Dupont helfen. Sie arbeitet mit einer Nähmaschine. Monsieur Durand:
Du hast ja das Tätigkeitswort melken vergessen! Fritz: Ach ja, Monsieur! Man
beugt es so, ich melke, ich molk, ich habe gemolken. Ich werde melken. Melke!
Melken wir! Melkt! Die Melkerin melkt ihre Kuh. Monsieur Durand: Wir werden
sie oft wiedersehen. Auf Wiedersehen, Fritz! Fritz: Auf Wiedersehen, Monsieur!
(In ihrem Garten singen die kleinen Beaulieus):
Zicklein will nicht aus dem Kohl!
Zicklein, Zicklein, gehst du raus!
Gehst du raus aus diesem Kohl,
sonst wird man das Wölflein holn,
um das Zicklein aufzufressen.
Sonst wird man das Wölflein holn,
um das Zicklein aufzufressen.

49. LEKTION

Alice: Ich bin von einer Biene gestochen worden. Jean (zu Alice): Du bist von einer Biene gestochen worden. Roger (zu Fritz): Sie ist von einer Biene gestochen worden. Jean (zu Fritz): Wir sind nicht von einer Biene gestochen worden. Alice (zu Jean und Fritz): Ihr seid nicht von einer Biene gestochen worden. Alice (zu Roger): Sie sind nicht von einer Biene gestochen worden. Madame Dupont: Als ich klein war, bin ich jedes Jahr von Bienen gestochen worden. Fritz: Ich bin einmal von einer Biene gestochen worden. Alice: Morgen werde ich nicht gestochen werden. Ich werde nicht in den Garten gehen.

die die sie war des der einer der sie diesem ihrem sehr kleinen Frühling beim Gesang ihres Stuhles den sie der Luft all ihren Mißklang und stets neue Freude mit ihr dort unten ein Frühlingsfeuer war und trug jetzt überall den Hals ganz über dem Wasser ein Duft über alle Ecken kam der Nebel der Vogel des Sonnenscheins hatte Miß Mary durchwirkt ihr Gesicht vom Rauch und von Luft wuchs ihrem Gesicht vom Feuer saß die Sommersonne der Baumwipfel in einem Lehnstuhl der Körper war eine Masse Fleisches dem Körper standen die Gebilde und von einem Sommersonntagnachmittag trug sie sich aus einem der Vögel saß auf der Erde sie leuchteten unbeholfener waren dünner von diesem Farnkraut waren hagerer über der Erde um die Tage obschon zu einem der schweren schwarzen neuen weichen breiten Ritzen und in freien farbigen jungen angenehmen perlenbestickten Lidern und aus seidenen verzierten glänzenden rostroten graublauen Augen und an grellen dunklen schläfrigen durchnäßten angenehmen Blättern und mit schweren schwarzen neuen weichen breiten Blumen und in wunderlichen leeren freundlichen dampfenden blauen Feldern und mit hellen warmen ausbreitenden steifen längerwerdenden Kleidern weiß hilflos prachtvoll glänzend leuchtend hoch ausgefüllt rot aufgeputzt sanft erfüllt schwer vermischt gelb geschmückt dick aufstieg grün verhärmtes blaßgelbes hübsches weiches regelmäßiges schwarzes gutaussehendes Satinmorgenkleid mit Bändern und junge Tuchschürze und flaumige Borten und hohe Ärmel und klare Handschuhe und große Mieder und monströse Federboa mit feuchtem Strohhut

Bei dieser Fülle von Eigenschaftswörtern schien es Monsieur Dupont, als handele es sich um eine Beschreibung des Weltbildes unter dem Säbel und dem Gewehr, unter dem er mit René, André und Jean beim Kartenspielen saß. Monsieur Dupont, René, André und Jean unter dem Weltbild, das Weltbild unter dem Säbel und dem Gewehr waren allesamt in Eigenschaftswörter verstrickt, die das Aussehen Miß Marys beschrieben. Aber Miß Mary verschwamm in den Eigenschaftswörtern genauso wie Monsieur Dupont, René, André und Jean und wie das Weltbild an der mit Rosen und Kreuzen tapezierten Wand in ihnen verschwammen. Wie sah nun also das Weltbild wirklich aus, und wie Miß Mary, und wie sahen Monsieur Dupont, René, André und Jean unter dem Weltbild aus, das mit den gleichen Eigenschaftswörtern beschrieben werden kann wie Miß Mary an diesem Sommersonntagnachmittag in diesem Satinmorgenkleid in diesem Farnkraut? Monsieur Duponts Herzdame lag auf dem Tisch. Jeder konnte sie betrachten. Da lag sie nun, und ihre beste Eigenschaft war ihre Unüberwindbarkeit. Sie war Trumpf, sie war die Seele des Spiels. Monsieur Dupont sagte: Herzlich lieben die Mädchen. Sie war besonders durchaus geradezu höchst überaus über und über. Sie war äußerst ausnehmend außerordentlich einzigartig grenzenlos unendlich wie das Weltbild. Monsieur Dupont sagte: Nicht von schlechten Eltern. René sagte: Nicht von Pappe. André sagte: Wie sie im Buch steht. Jean sagte: Sie hat sich gewaschen.

Madame Dupont (zu Suzanne): Hast du beim Händler Seife bestellt? Suzanne: Ja, Mama, die Seife ist seit drei Tagen bestellt. Zur gleichen Zeit wurden die Oliven, das Öl und das Petroleum bestellt. Ich weiß nicht, warum es noch nicht geliefert ist. Ich habe bei Monsieur Robin die Bestellung aufgegeben. Fritz: Woraus stellt man Seife her? Madame Dupont: Die Seife wird aus Öl hergestellt. In Marseille gibt es große Seifenfabriken. Die Seife aus Marseille wird in die ganze Welt verschickt und verkauft. Suzanne: Es ist lange her, seit man Leroux gesehen hat. Fritz: Ich bin ihm gestern begegnet. Er hat geweint. Er war traurig. Er ist seit einiger Zeit nicht froh. Er lacht nie. Er hat mir gesagt, daß er von seinem Vater geschlagen worden ist. Suzanne: Warum denn? Arbeitet er denn nicht mehr in der Schule? Madame Dupont: Aber sicher, er arbeitet sehr gut. Er ist klug. Aber sein Vater trinkt von Zeit zu Zeit, und wenn er zuviel getrunken hat, dann schlägt er diesen Kleinen. Er ist nicht glücklich, dieser arme Nicolas. Suzanne: Er ist sehr unglücklich. Er hat vor drei Jahren seine Mutter verloren. Das ist ein großes Unglück. Madame Dupont: Er hat noch seinen Großvater. Das ist ein Glück für ihn. Sein Großvater liebt ihn sehr.

Es gibt Großvaterliebe und Großmutterliebe, Enkelliebe und Enkelinnenliebe. Es gibt Vaterliebe und Mutterliebe, Sohnesliebe und Tochterliebe. Es gibt Onkelliebe und Tantenliebe, Neffenliebe und Nichtenliebe. Es gibt Gattenliebe, Geschwisterliebe und Vetternwirtschaft. Es gibt Menschenliebe und Tierliebe, Nächstenliebe und Vaterlandsliebe. Es gibt alte Liebe und junge Liebe, erwiderte Liebe und unerwiderte Liebe. Es gibt Wahrheitsliebe und Freiheitsliebe, Worte der Liebe und Werke der Liebe. Es gibt Lust und Liebe und Glaube, Hoffnung und Liebe, geschlechtliche Liebe und erbarmende Liebe. Es gibt gestandene Liebe und erwiesene Liebe, entflammte Liebe und erloschene Liebe. Es gibt kindliche Liebe und eheliche Liebe, göttliche Liebe und menschliche Liebe. Es gibt große Liebe und kleinliche Liebe, heiße Liebe und flaue Liebe. Es gibt herbe Liebe und herzliche Liebe, glückliche Liebe und unglückliche Liebe. Es gibt innige Liebe und oberflächliche Liebe, stille Liebe und leidenschaftliche Liebe. Es gibt heimliche Liebe und öffentliche Liebe, treue Liebe und Liebe im Vorübergehn. Lieb ist Donald Duck. Lieber ist Cinderella. Am liebsten ist Walt Disney. Walt Disney mochte den Film. Der Film verzehrte sich nach Jean Cocteau. Jean Cocteau war scharf auf den Stierkämpfer Dominguin. Der Stierkämpfer Dominguin verehrt Picasso. Picasso bevorzugt Cézanne. Cézanne glühte für Aix-en-Provence. Aix-en-Provence reißt sich um die modernen Musiker. Die modernen Musiker machen der Hörspielabteilung des WDR den Hof. Die Hörspielabteilung des WDR ist verrückt nach den Konkreten. Die Konkreten stehen auf Max. Max hat seinen Narren an Gertrude Stein gefressen. Gertrude Stein hat ihre ganze Liebe auf Miß Mary verwandt. Miß Mary schmachtet nach Opa. Opa schwärmt für Tante Adèle. Tante Adèle betet den himmlischen Bräutigam an. Der himmlische Bräutigam hat die ganze Menschheit ins Herz geschlossen. Die Menschheit vergöttert Mao. Die einen lieben den jungen Goethe. Die anderen begehren Madame Bovary. Die nächsten sehnen sich nach dem reifen Köpcke. Ihr wünscht euch gleich Josefine Mutzenbacher.

Griffige Stille freut warmen Fund.
Griffige Stille freut findige Wärme.
Griffige Stille wärmt frohen Fund.
Griffige Stille wärmt findige Freude.
Griffige Stille findet frohe Wärme.
Griffige Stille findet warme Freude.
Griffige Freude stillt warmen Fund.
Griffige Freude stillt findige Wärme.
Griffige Freude wärmt stillen Fund.
Griffige Freude wärmt findige Stille.
Griffige Freude findet stille Wärme.
Griffige Freude findet warme Stille.
Griffige Wärme stillt frohen Fund.
Griffige Wärme stillt findige Freude.

Griffige Wärme freut stillen Fund.
Griffige Wärme freut findige Stille.
Griffige Wärme findet stille Freude.
Griffige Wärme findet frohe Stille.
Griffiger Fund stillt frohe Wärme.
Griffiger Fund stillt warme Freude.
Griffiger Fund freut stille Wärme.
Griffiger Fund freut warme Stille.
Griffiger Fund wärmt stille Freude.
Griffiger Fund wärmt frohe Stille.

Schiller: Einstweilen, bis den Bau der Welt/ Philosophie zusammenhält,/ erhält sie das Getriebe/ durch Hunger und durch Liebe. Treitschke: Wer bei Tisch nur Liebe findet, wird nach Tisch hungrig sein. Volksmund: Die Liebe geht durch den Magen.

Suzanne (zu Fritz): Alice hat während zwei Tagen nichts gegessen. Sie hat gefastet. In Frankreich frühstückt man zwischen sieben und acht Uhr. Man nimmt bei diesem kleinen Morgenfrühstück Kaffee mit Milch oder Milch oder Suppe zu sich. Fritz: Woraus bereiten Sie die Suppe? Madame Dupont: Ich lasse Fleisch oder Gemüse im Wasser kochen. Dieses Wasser siedet. Sieh doch, auf dem Feuer gibt es welches! Betrachte, wie es kocht! Ich koche, ich kochte, ich habe gekocht. Ich werde kochen. Koche! Kochen wir! Kocht! Wenn es mit dem Fleisch gekocht haben wird, dann wird es Fleischbrühe sein. Man bereitet die Suppe mit der Fleischbrühe und mit Brot. Manchmal tut man Sahne und Butter hinein. Da nimm, koste diese Suppe da! Wie findest du sie? Fritz: Sie schmeckt sehr gut. Suzanne: Am Mittag essen wir zu Mittag. Das ist das Mittagessen. Am Abend essen wir zu Abend. Die Stunde des Abendessens ist zwischen sieben und acht Uhr am Abend. Fritz: Sie nehmen also drei Mahlzeiten am Tag zu sich. Und das Souper? Suzanne: Früher frühstückte man am Morgen, aß zu Abend am Mittag und noch einmal zu Abend am Abend. Aber jetzt benutzt man das Wort „frühstücken" für die beiden Mahlzeiten am Morgen und am Mittag. Man sagt manchmal „zu Abend essen" für das Abendessen um sieben Uhr oder am späten Abend. Um vier Uhr trinken die Kinder Kaffee. Das ist die Kaffeestunde.

Familie Dupont ist eine gebildete Familie. Sie ist eine aus Körpern und aus Geist gebildete Familie. Sie ist die aus den Körpern Opa Duponts, Monsieur Duponts, Madame Duponts, René, André, Jean, Roger, Suzanne und Alice Duponts und aus dem Geist des Weltbildes unter dem Säbel und dem Gewehr gebildete Familie. Die körperliche Bildung der Familie Dupont beruht wie die körperliche Bildung meines Vaters, meines Großvaters väterlicherseits, meines Großvaters mütterlicherseits, meines Onkels Fritz, meines Onkels Karl, meines Onkels Richard, meines Onkels Wilhelm und meines Onkels Kurt und ihrer Familien auf dem rechten Verhalten der männlichen Glieder und der weiblichen Schöße dieser Familien zueinander. Die geistige Bildung der Familie Dupont beruht wie die geistige Bildung meines Vaters, meines Großvaters väterlicherseits, meines Großvaters mütterlicherseits, meines Onkels Fritz, meines Onkels Karl, meines Onkels Richard, meines Onkels Wilhelm und meines Onkels Kurt und ihrer Familien auf dem rechten Verhalten zu dem blinden Urwillen und dem dunklen Drang des Weltbildes. Familie Dupont hält das Weltbild in Ehren, Ruhe und Ordnung für richtig, Unruhe und Unordnung für falsch, an der guten Erziehung fest, ihre Kinder zur Arbeit an, die Mahlzeiten ein, sich beim Gähnen die Hand vor den Mund, nach dem Mittagessen einen Mittagsschlaf, auf Sauberkeit, eine unabhängige und überparteiliche Zeitung, einen Wagen der gehobenen Mittelklasse, sich beim Gehen gerade, Maß, an sich, auf sich, ihr Wohnzimmer stets in einer neutralen Tapete. Auch Monsieur Dupont, Madame Dupont, René, André, Jean, Roger, Suzanne und Alice Dupont machen keine Zugeständnisse, keine Geheimnisse daraus, keine Umstände.

Monsieur Durand: Hier, da, dort sind Umstandswörter des Ortes. Gestern, morgen, immer sind Umstandswörter der Zeit. Gut, schlecht, lebendig sind Umstandswörter der Art und Weise. Zum Beispiel: Ich spreche deutlich. Ihr versteht mich leicht. Ich möchte euch heute morgen nach Versailles führen. Unglücklicherweise regnet es. Wir werden heute nachmittag gehen. Jean, wirst du mitkommen? Jean: Ja, Monsieur. Ich habe immer Vergnügen, mit Ihnen spazieren zu gehen. Fritz: Und dann wirst du mir das Vergnügen bereiten, wiederzukommen. Monsieur Durand: Und, oder, weder, aber, auch, also sind Verbindungswörter. Daß, also, wenn, weil sind andere Verbindungswörter.

Monsieur Dupont, Madame Dupont, René, André, Jean, Roger, Suzanne und Alice Dupont, die eine aus Körpern und aus Geist gebildete Familie bilden, haben ihre Verbindlichkeiten. Diese Verbindlichkeiten der Familie Dupont, die einmal aus ihrer Bildung und zum anderen aus ihrer Bindung hergeleitet werden müssen, sind durch Binde- oder Verbindungswörter ausgedrückt. Diese durch Binde- oder Verbindungswörter ausgedrückten Verbindlichkeiten lauten entsprechend verbindlich, und zwar: Wir geben es auf Treu und Glauben. Wir tun es jetzt oder nie. Wir brechen es weder heute noch morgen. Für uns gibt es kein Wenn und kein Aber. Wir geben auch die Hand darauf. Also gilt es. Wir sind gut dafür, daß dem so ist. So war es, als wir den Himmel zum Zeugen anriefen. Und so wird es sein, wenn wir unsere Ehre verpfänden. Es ist unsere Pflicht und Schuldigkeit, weil es so und nicht anders ist.

Bildung ist, wenn man in die Baubude sitzt (Maurerlehrling, 17 Jahre). Die Hauptsache ist doch, man erzieht seine Kinder erst mal anständig (Polizeibeamter,

44 Jahre). Das ist genau dasselbe, als wenn ich heute, wollen ruhig sagen, als Ingenieur gehe (Eisenflechter, 37 Jahre). Ja, das ist es ja. Wir haben laufend Studenten aus anderen Ländern, aber unsere eigenen kommen nicht ran, weil alles belegt ist. Inder, Japaner, Neger, alle sind sie da, aber keine Deutschen (Handwerker, 35 Jahre). Wollen mal sagen, nehmen wir mal Maurer und sein Polier, und das ist dann ein Doktor und ein Internist. Der Polier muß heute auch Zeichnungen lesen können, der nimmt gar keine Kelle in die Hand. Der nimmt nur noch Baustoffe an, weil er ja man die verschiedenen Sandsorten unterscheiden kann (Kraftfahrer, 34 Jahre). Ja, das ist was anderes, das ist so mit wissenschaftlicher Oberschule, oder was das heißt (Anlernling, 17 Jahre). Dann müßte der mir aber im voraus sagen, daß daraus auch mit Sicherheit was wird (Handwerker, 35 Jahre). Es kommt doch oft genug vor, daß die Kinder dann mit ihren Eltern gar nicht mehr reden (Postbeamter, 60 Jahre). Unsere durften sich ein Kofferradio kaufen, ein Tonband, eine Filmkamera. Jeder hat einen Wagen (Maschinenbauer, 59 Jahre). Daß man zum Skat nicht mehr in die Wirtschaft braucht, sondern seine Brüder zu Hause einlädt (Volksschullehrer, 43 Jahre). Bildung ist, dann eß ich auch schon mal ein Hähnchen mehr (Kraftfahrer, 51 Jahre).

Hinten stechen die Bienen.

50. LEKTION

l'assiette
la carafe
la cruche
le couvert
la fourchette / la cuiller
le sel   le poivre
le citron   la moutarde
le jus de citron
le vinaigre
le rôti
le petit pois
le fromage
la prune
la pêche
les confitures de Bar-le-Duc
la saucisse
le saucisson de Lyon
le jambon de Bayonne

MENU
VIANDES
Saucisson de Lyon.
Jambon de Bayonne.
Rôti de veau.
Saucisse de Strasbourg.
LÉGUMES
Petits pois.
FROMAGE
Camembert.
DESSERT
Prunes pêches.
Confitures.
le menu

Suzanne: Alice, bring mir die Teller, die Gläser, die Flaschen, die Karaffe, den Krug, die Gabeln, die Löffel und die Messer. Alice: Hier ist dein Gedeck und das von Roger. Madame Dupont: Seid ihr bald mit dem Tischdecken fertig? Suzanne: Ja, Mama, in zwei Minuten sind wir fertig. Ich habe nur noch das Salz, den Pfeffer, das Öl, die Zitrone und den Senf hinzulegen. Fritz: Warum legt ihr die Zitrone auf den Tisch? Ich mag keine Zitrone. Suzanne: Die Zitrone ist nicht so sauer wie der Essig und besser für die Gesundheit. Wir tun Zitronensaft in den Salat. Die Zitrone ersetzt den Essig.

sauer machen sauer werden sauer sein/ in den sauren Apfel beißen saure Miene machen sauer reagieren/ sauer ankommen sich sauer werden lassen saure Trauben/ Sauergras Sauerdorn Sauerwurm/ Sauerteig Sauerstoff/ Sauerbrut Sauermilch Sauerei/ Sauerampfer Sauerklee/ Sauerbrunnen Sauerkohl/ Sauerwasser Sauerwein/ Sauerbraten Sauerkraut/ Sauerfutter Sauerland/ Sauerkirsche sauersüß/ Sauer August Sauer Emil Sauer Joseph Sauer Wilhelm/ Sauerbruch/ saures Brot saure Drops saure Gurken saure Milch saurer Wind/ sauer erworben sauer fallen gib ihm Saures/ saure Wochen frohe Feste/ Rollmops Sodbrennen

Goethe: Es ist gar nichts an einem Feste ohne wohlgeputzte vornehme Gäste. Thomas Campanella: Ihre Festlichkeiten sind großartig. Wenn die Sonne die vier Wendepunkte des Himmels erreicht, das heißt den Krebs, die Waage, den Steinbock und den Widder, veranstalten sie schöne und gelehrte, gewissermaßen szenische Vorstellungen. Auch Neumond und Vollmond sind jeweils Festtage, ebenso der Gründungstag der Stadt. Dann ertönt Musik und Gesang von Frauen, dann hört man Pauken, Trompeten und Böller. Die Dichter singen das Lob der Großen. Wer jedoch, selbst zum Lobe eines Helden, lügt, wird bestraft. Der kann das Amt eines Dichters nicht versehen, der lügenhaft erfindet. Goethe: Mich deucht, das Größt bei einem Fest ist, wenn man sichs wohlschmecken läßt.

Alice: Was werden wir zum Mittagessen haben? Madame Dupont: Als Fleisch Kalbsbraten, als Gemüse grüne Erbsen, als Käse Camembert, als Nachtisch Zwetschen und Pfirsiche. Alice: Wird es auch Eingewecktes geben? Madame Dupont: Es gibt kein Eingewecktes zu dieser Jahreszeit; aber weil Mademoiselle Jeanne Stem, die Freundin von Suzanne, Mittag essen kommt, werden wir Straßburger Bockwurst, Lyoner Wurst und Bayonner Schinken haben; das ist sehr gutes Schweinefleisch. Suzanne hat den Küchenzettel gemacht. (Zu Fritz): Das Brot, das Fleisch, die Früchte und so weiter sind Nahrungsmittel. Marie bereitet die Nahrungsmittel, das heißt, sie säubert, sie schneidet und sie kocht sie. Wenn das Mittagessen fertig ist, trägt sie sie auf den Tisch. (Zum Dienstmädchen): Marie, wird das Mittagessen zu Mittag fertig sein? Marie: Nein, Madame, es wird nicht fertig sein. Das Kalbfleisch wird vor Viertel nach zwölf nicht gebraten sein. Der Metzger hat es zu spät gebracht. Alice: Ich habe schon Hunger; das Wasser läuft mir im Munde zusammen. Suzanne: Und ich habe Durst. Madame Dupont: Trink Wasser, aber kein pures Wasser. Mach ein bißchen Tee oder Kaffee hinein. (Es läutet). Suzanne: Das ist vielleicht Jeannette. (Sie geht mit ihrer Mutter hinaus.)

Aber was will Jeannette schon so früh? Hat sie den Braten gerochen? Roger, Jean und Fritz haben ihre Augen vorne bei der Tür. Die männlichen Glieder der Familie sind steif vor Schreck. Die Soße ist scharf, aber Marie nimmt den Lorbeer nicht heraus. Sie wendet das Blatt, und Fritz weiß nicht mehr, ob die Erdanziehung seine Schuhe drückt. Der Braten brät, die Erbsen kochen, der Käse stinkt. Was soll Jeannette von ihm denken? Jean hätte gern Eingewecktes gegessen. Das hat er zurückbehalten, obwohl er älter geworden ist seit der ersten Lektion. Noch ist sein blondes Haar nicht lockig, und auch kein Bärtchen sproßt ihm auf der Oberlippe wie René. Roger ist noch zu klein. Er weiß nicht, warum Marie das Blatt gewendet hat, und nicht, warum der Käse stinkt. Aber er wird Jeannette zeigen, was es mit der Lyoner Wurst auf sich hat. Denn auch Maurice Scève war klein von Gestalt und von bläßlicher Hautfarbe. Dont l'amer chault, salé & larmoyeux. Roger muß die Suppe essen, wie sie ist. Sie ist bitter, heiß und salzig. Er tröstet sich mit Saft. Aber was ist mit Jeannette? Kommt sie wie die Magd zum Kinde? Roger, Jean und Fritz haben keinen Brief gesehen. Sie kommt mir nichts dir nichts in die Stadt. Oder will sie sehen, wo der Schuh drückt? Marie hat ihr schon ein Bett zurecht gemacht. Alice und Suzanne erwarten sie. Abends wird Jeannette zeigen, wie die Suppe heiß und salzig war. Dann wird sie mit den beiden unter einer Decke stecken. Jeannette kommt zum Essen. Vielleicht bleibt sie gar nicht über Nacht. Als Fleisch Kalbsbraten, denkt Roger, du trägst den Scheitel in der Mitte und Jeannette wird nicht glauben, daß du gar nicht mehr so dumm bist. Langgezogene Hammelbeine lassen keine faulen Zwetschen zu. Heute ist Roger bewaffnet. Sein Taschenmesser ist für das eine und das andere gut. Grüne Erbsen als Gemüse mißfallen Jean, der die gute Weile nach dem Essen nicht schätzt. Er liebt die Bewegung im Garten, wenn die Küche kalt geworden ist. Es sind nicht die Schuhe, die die Erbsen drücken. Fritz will sparsam mit dem Käse sein. Jeannette soll nicht denken, daß die Erde eine Kugel ist. Fritz zweifelt nicht an Jeannette. Sie findet ihn nicht eben schön. Doch seine abstehenden Ohren sind die Gewähr dafür, daß er nicht lügt. Suzannes Küchenzettel weist genügend Argumente aus. Straßburger Bockwurst, Lyoner Wurst und Bayonner Schinken kommen Roger entgegen. Jean stützt sich auf die Schläue. Auch Fritz kann Schwein haben, wenn er die Lage übersieht. Jeder überprüft noch einmal seinen Draht. Wenn alle Stränge reißen, holen sie noch eine Flasche Wein herauf.

Monsieur Dupont ging in den Keller. Schon wieder hatte er einen Rollmops auf der Hand, einen Rollmops mit zwei Eicheln, mit zwei Schellen, mit zwei Herzen, mit zwei Blättern Laub und mit zwei Bauern. Das geht in die Hose, dachte Monsieur Dupont. Die eine Eichel schmerzte ihn; sie steckte zwischen den Schellen, und als er sie herausbrachte, gingen die beiden Bauern in die Hose. Die ersten Zwetschen sind madig, sagte André. René servierte eine volle Karte und sagte: Karotten mit Maibutter. Die Farben leuchteten auf dem Tisch. Butter bei die Fische, sagte André, und Monsieur Dupont sah, wie sie emsig seinen Rollmops schmierten. Das ist nur der Vorgeschmack, sagte André. Sie heizten ihm ein und legten vor. Monsieur Dupont fingerte an seiner zweiten Eichel. Wenn das alles ist, meinte René. Hasenkarte, sagte André, mühsam ernährt sich das Eichhörnchen. Monsieur Dupont kochte, aber André legte den geschmierten Rollmops auf den Bock. Der ist fett, sagte René, da liegt der Hase im Pfeffer. Jean schaute Monsieur Dupont in die Hand. Die Herzen sind heiß, sagte er, warum servierst du sie nicht? Monsieur Dupont brachte ein Herz aufs Tablett. Zu spät, sagte René. Jean sagte: Du Ei. Das Ei hat einen Stich, meinte André und legte ein Herz auf den Tisch. René garnierte es mit einem Blatt Laub. Monsieur Duponts Bauern waren in die Hose gegangen, er hatte nichts mehr zu bedienen. Willst du nicht anbeißen, fragte André, jetzt kommt der Nachgeschmack. Sie hatten ihm eine Karte mit Karotten angerührt. Monsieur Dupont aber schmeckte seinen Rollmops auf der Zunge. Er blieb im Keller. André kam von hinten durch die kalte Küche und machte ihn satt.

Was soll ich nun wenns doch geschehen immer meinetwegen dachte Jean/ demnach ist mit Fug und Recht muß Recht bleiben/ na und wenn schon/ erwiesner-

maßen kann von mir aus mir gestohlen habe ich es von Anfang an doch ohne daß
erst später kann ich mir dafür kein bißchen Rücksicht auf Jeannette hat nichts
zu sagen wir die Wahrheit bleibt sich gleich/ na also diesmal hört sich alles hört
auf mein Kommando schreit Roger in diesem Hause ist es jedem schnuppe/
kommt ja nicht in Frage doch René/ unbedingt/ ist nichts dahinter hab ich gleich
von Anfang an vermutet sagt André an Ort und Stelle überführen/ gesteh aufs
Wort bleibt Wort gehalten/ da ist keine Spur von geltend machen schwarz auf weiß
doch nicht/ nicht der Rede wert erachtet ist und bleibt Jeannette tut nichts zur
Sache/ einerlei im Beisein Fritzens also desto damit lockst du keinen hunds ge-
meine Kinkerlitzchen überzeugen jedenfalls dahingestellt wie Jean die Hand ins
Feuer läuft und springt auf eins hinaus um jeden Preis ist sonnenklar wie Jacke
oder Hose und wir setzen uns darauf man sich verlassen kann man sehen wie es
kommt/ so unbestreitbar geht uns gar nichts an den Kragen/ zwei mal zwei gleich
vier ist null und nichtig piepegal auf Ehre und Gewissen hast du noch kein Jota
Schamgefühl/ kann uns keiner nicht mal Jean beweisen ohne daß was dicke drin
beschwör ich dir im vollen Ernst macht Spaß/ zugegeben daß auf alle Fälle spielt
das keine Rolle muß man sich gefallen lassen von Suzanne kräht kein Hahn danach fragt doch der Alte nichts/ mit Sicherheit ficht uns nicht anerkannt von allen hat nichts auf sich als das Hemd/ unanfechtbar zählt nicht/ mir verschlägts
mit Brief und Siegel wie auf einen heißen Stein und darauf kannst du baun und
sparen nützt so gut wie nichts gewonnen/ das ist festgestellt und nach gewiesen
muß man sich vor Augen führen schadet nichts und handelt sich um diese Zeit
das solls auch bleibt mir doch die Spucke weg/ das walte Hugo läßt sich doch die
Seele aus dem nichts und wieder nichts/ es handelt sich um diese Zeit noch mal
gesagt werden/ aus freien Stücken einfach so vor der Nase klipp und klar wie diese Sache kann ich dir ein Lied gewissermaßen triftig/ das steht auf einem andern
Blatt vor den Mund kommt nicht in Frage doch René/ sozusagen offen über alle
Berge sicherlich von Fall zu Fall/ rein gar nicht will ich meinen hieb- und stich-
fest ungefähr so gegen gut und gerne/ allerdings/ freilich steht dahin bringen
mich nicht zwanzig Pferde/ so wahr ein Unterschied wie Tag und Nacht bestimmt
links liegen sie vielleicht schon während wir/ da freß ich nicht die Bohne sagt
Roger.

Wer Herz besitzt spielt liebes Kreuz
wer Herz besitzt spielt gekreuzte Liebe
wer Herz besitzt liebt verspieltes Kreuz
wer Herz besitzt liebt gekreuztes Spiel
wer Herz besitzt kreuzt verspielte Liebe
wer Herz besitzt kreuzt liebes Spiel

Wer Herz spielt besitzt liebes Kreuz
wer Herz spielt besitzt gekreuzte Liebe
wer Herz spielt liebt besessenes Kreuz
wer Herz spielt liebt gekreuzten Besitz
wer Herz spielt kreuzt besessene Liebe
wer Herz spielt kreuzt lieben Besitz

Alice (zu Fritz): Kommt Jeanne Stem allein? Fritz: Ich weiß nicht, ob sie allein kommt; aber ich weiß, daß sie von Versailles kommt, wo sie bei ihren Basen wohnt. (Die Kinder schauen zum Fenster hinaus.) Roger: Ist das Jeanne Stem, die in den Garten tritt? Jean: Ich zweifle daran; Jeanne ist kleiner. Alice: Ich zweifle auch daran; ich erkenne sie nicht wieder. Fritz: Ich bin sicher, daß sie es ist; das ist nur Jeanne Stem: ich erkenne sie wieder.

Wer Herz liebt besitzt verspieltes Kreuz
wer Herz liebt besitzt gekreuztes Spiel
wer Herz liebt spielt besessenes Kreuz
wer Herz liebt spielt gekreuzten Besitz
wer Herz liebt kreuzt besessenes Spiel
wer Herz liebt kreuzt verspielten Besitz

Wer Herz kreuzt besitzt verspielte Liebe
wer Herz kreuzt besitzt liebes Spiel
wer Herz kreuzt spielt besessene Liebe
wer Herz kreuzt spielt lieben Besitz
wer Herz kreuzt liebt besessenes Spiel
wer Herz kreuzt liebt verspielten Besitz

Jeanne Stem (mit Madame Dupont und Suzanne eintretend): Guten Tag, meine kleinen Freunde! Guten Tag, Alice! Guten Tag, Fritz! Nun, machst du Fortschritte in Französisch? Fritz: Ja, Mademoiselle, ich spreche viel leichter. Jeder sagt mir, daß ich Fortschritte mache. Jeanne Stem: Hast du gute Nachrichten aus Straßburg? Fritz: Ja, Mademoiselle, ich habe sehr gute Nachrichten; meinen Eltern geht es gut. Suzanne: Wir sind ein bißchen verspätet mit dem Essen. Möchten Sie uns ein wenig Musik machen, während wir Papa und René erwarten? Jeanne Stem: Ich will gerne, aber unter einer Bedingung; wenn ihr mir nach dem Essen auch einige französische Lieder vorsingen werdet. Suzanne: Wir sind einverstanden. Ich werde Ihnen alles vorsingen, was Sie wollen. Aber geben Sie selbst uns ein Beispiel, bitte, indem Sie uns einige elsässische Lieder singen. (Jeanne Stem setzt sich ans Klavier und singt vom Elsaß und seinen Tälchen, wo der Sommer Korn, Wein und Hopfen reifen läßt.)

53. LEKTION

Monsieur Dupont (zu Fritz): Wo bist du heute nachmittag gewesen? Fritz: Ich bin mit Monsieur Durand in Versailles gewesen. Wir haben das Schloß besichtigt.

Es ist ja wirklich in einer begrenzten Zeit kaum möglich, alle Räume zu besuchen, und zudem sind aus den verschiedensten Gründen — Reparaturen an den Gebäuden oder Neuaufstellung der Sammlungen — manche Teile des Schlosses dem Publikum nicht zugänglich. Das gleiche gilt für die Aufstellung der Möbel und die Hängung der Bilder (von denen wir nur die Hauptwerke aufführen). Wenn wir nun den Hof der Minister und den Königlichen Hof überquert haben, treten wir rechts in das Vestibül Gabriel ein, wo sich die Kartenschalter und der Eingang zur Garderobe befinden. Die hier erhältlichen Postkarten sind mit Marken und einem Sonderstempel des Schlosses von Versailles versehen.

Versailles ist ein schönes Schloß, das, von Ludwig XIII. begonnen, von dem regierenden König vollendet wird. Es gibt da Wild im Überfluß. Es befindet sich da auch eine Volière, ganz aus Kupferdraht, die, glaube ich, sämtliche Vögel enthält, die man sich nur vorstellen kann.

Sie sehen den Kardinal von Bouillon mit 26 Jahren, die Herzogin von La Vallière in zwei verschiedenen Lebensaltern, Anne von Bourbon beim Spiel mit Seifenblasen, den Grafen von Toulouse als schlafenden Amor, Ludwig XIV. in voller Rüstung, Madame de Maintenon als heilige Franziska, Ludwig XVI. mit der Trikolore auf dem Hut und Napoleon Bonaparte beim Übergang über den Sankt Bernhard. Besonderes Interesse verdienen die Porträts, in denen man alle Spielarten der zu höchster Vollendung geführten Kunst Frankreichs sehen kann, als da sind: Ludwig XV. beim Verlassen des Schlosses von Martin dem Jüngeren, und: Der Regent und der Graf von Toulouse von Largillière; der Regent lauscht den Ratschlägen der Minerva, welche die Züge der Madame de Parabère trägt. Wenn wir nun der Gartenfassade weiter folgen, gelangen wir in das ehemalige Badezimmer, das von dem Grafen von Toulouse, den Prinzessinnen Sophie und Victoire, der Prinzessin Adelaide und von Madame de Montespan benutzt wurde.

Er (Monsieur de Montespan) war eines Abends gekommen und hatte mir (Mademoiselle de Montpensier) eine Predigt gehalten, wie er sie angeblich dem König gehalten hatte, worin er ihm tausend Bibelstellen und besonders Daniel zitiert und ihm viele Dinge gesagt hatte, um ihn zu bewegen, ihm seine Frau zurückzugeben und den Zorn Gottes zu fürchten. Ich sagte ihm: „Sie sind verrückt, man wird niemals glauben, daß Sie diese Predigt gemacht haben, es wird auf den Erzbischof von Sens zurückfallen, der Ihr Onkel ist und sich schlecht mit Madame de Montespan steht." Am anderen Morgen war ich zu Saint-Germain und sagte zu Madame de Montespan: „Kommen Sie mit mir spazieren, ich habe Ihren Mann gesehen, er ist verrückter denn je. Ich habe ihn gehörig ausgezankt und ihm gesagt, er solle schweigen, oder er verdiente eingesperrt zu werden." Sie sagte: „Er ist hier und erzählt Geschichten am Hofe. Ich schäme mich so, daß mein Papagei und er der Kanaille zum Amüsement dienen."

Die Papageien sind befiederte Affen. Wir erkennen den Affen im Papagei erst dann, wenn wir diesen geistig geprüft haben. Er hat, auf das Vogelgepräge übertragen, alle Eigen- und Leidenschaften des Affen, die guten Seiten desselben wie die schlechten, das Liebenswerte wie die Unarten. In diesem Augenblick ist er der liebenswürdigste, angenehmste Gesellschafter, im nächsten Augenblick ein unerträgliches Geschöpf. Der Papagei ist verständig, acht- und bedachtsam, vorsichtig, listig, unterscheidet sehr scharf, besitzt ein vortreffliches Gedächtnis und erweist sich deshalb der Belehrung in hohem Grade zugänglich, ist also bildsam. Er ist selbstbewußt, stolz, auch mutig, anhänglich, ja hingebend zärtlich gegen geliebte Wesen, treu bis zum Tode, dankbar, mit Bewußtsein dankbar. Er läßt sich erziehen, zum folgsamen, artigen Tiere umwandeln, wie der Affe. Aber er ist auch jähzornig, boshaft, tückisch, hinterlistig und vergißt ihm angetane Beleidigungen ebensowenig wie empfangene Wohltaten. Er ist rücksichtslos gegen Schwächere, mit seltenen Ausnahmen lieblos gegen Unbehilfliche oder Unglückliche, wie der Affe. Er ist der klügste Vogel, den wir kennen, bleibt aber immer Affe, launenhaft, wetterwendisch.

So ist die kleinste Bewegung des Monarchen im voraus festgelegt. Jedes zum Gebrauch oder zum Ankleiden notwendige Stück wird ihm in einer streng vorgeschriebenen Form überreicht, und zwar von dem, oder von denen, die durch ihre Geburt oder ihr Amt das Recht dazu besitzen. Der Dauphin, die Herzöge von Burgund und von Berry, der Kammerherr und der Erste Kammerdiener betreten das Zimmer des Königs gleich nach dessen Erwachen. Später, beim Kleinen Lever, wenn der König in seinem Fauteuil Platz genommen hat, beginnt der erste Empfang; weitere folgen, während die Toilette fortgesetzt wird. Der Etikette nach ist das Lever erst beendet, wenn der König nach einem letzten Gebet das Zimmer verläßt. Eine Tür führt in das Vorzimmer des Königs, auch Salon mit dem Ochsenauge genannt.

Das Auge des Ochsen, groß und traurig blickend, zeigt an, welch ein armer Sklave dieses Geschöpf ist. Man braucht nicht viel über sein geistiges Wesen zu sagen, es steht wohl unzweifelhaft auf niederer Stufe, denn es ist neben dem Schafe das dümmste, was es gibt.

Dem König war es peinlich, daß die Herzogin de la Ferté ihn überall verfolgte und ihm öffentlich den Hof machte, auf die Weise, wie ich ihn einem jungen Mädchen gemacht haben würde. Deswegen kam auch der Herzog de la Ferté eines Tages maskiert zu einem Hofball und trug zwei mit Diamanten besetzte Hörner am Kopfe.

Er ist ein hohes Tier, wohlgestaltet, mit mäßig großem, breitstirnigem Kopf, kurzem und dickem, stark gewammtem Halse, gestrecktem, breitrückigem Leibe, stämmigen Gliedern, langem, stark bequastetem Schwanze und verhältnismäßig kurzen, ziemlich schwachen, aber sehr spitzigen, schwach halbmondförmig seit- und aufwärts, mit den Spitzen aus- und entweder vor- oder rückwärts gewendeten Hörnern, glatthaarigem Fell und schwarzer oder braunroter Fleckenzeichnung auf weißem Grunde.

Damit befinden wir uns nun im Kabinett des Königs, auch Ratszimmer oder Spiegelkabinett genannt. Hier ist die Dekoration eine ganz andere, es wird kein Marmor mehr verwendet, und die Decke ist ohne Stuck. Dafür sind hier Tapeten, in Blau und Gold, die kürzlich sorgfältigst durch Handwerker der Seidenweberei in Lyon wiederhergestellt wurden. In diesem Raum hielt der König seinen Rat ab, gab den Botschaftern Audienz und erledigte mit seinen Sekretären die Regierungsgeschäfte. Hier wurden ihm auch die Damen vorgestellt; bei Madame de Pompadour geschah dies nicht ohne merkbare Schwierigkeiten durch die Prinzessin Conti.

Sie (Louis-Armand de Conti und sein Bruder François-Louis de la Roche-sur-Yon) bewahren immer noch eine romantische Bewunderung für den Prinzen Conti; was mich (Madame de Sévigné) angeht, ich habe sie nicht mehr. Ich tadele sie, einen solchen Schwiegervater zu verlassen und sich nicht ihm anzuvertrauen, damit er ihnen genug vom Kriege zu sehen gebe. Ei, mein Gott, sie brauchen doch nur Geduld zu haben und sich des schönen Platzes zu freuen, den Gott ihnen gegeben hat; es zweifelt niemand an ihrem Mute, weshalb sollten sie denn die Abenteurer und die wildgewordenen Pferde spielen?

Zuweilen ergreift sie ein ungeheuerer Schrecken. Hunderte und Tausende stürzen wie rasend dahin, lassen sich durch kein Hindernis aufhalten, rennen gegen Felsen an oder zerschellen sich in Abgründen. Den Menschen, welcher zufällig Zeuge eines solchen entsetzlichen Ereignisses wird, erfaßt ein Grausen; selbst der kalte Indianer fühlt sein sonst so mutiges Herz furchterfüllt.

Somit gelangen wir in die sich bis zum Eck gegen den Marmorhof erstreckenden Zimmer, die dem Amerikanischen Unabhängigkeitskrieg gewidmet sind. In diesen Sälen befindet sich eine Sammlung von Dokumenten, die fast alle aus der Zeit der Unabhängigkeits- und Indianerkriege stammen. Zwei kostbare Gouachen von Van Blarenberghe zeigen die Belagerung und die Einnahme von York Town. In kleinen Porträts von Healy sind die amerikanischen Helden dieser Zeit festgehalten, während zwanzig Gouachen die Uniformen der französischen Soldaten, die in der Schlacht mitkämpften, zeigen. Von hier kehren wir zurück in das Vestibül bei der Marmorstiege. Um den Besuch chronologisch richtig fortzusetzen, begeben wir uns in den angrenzenden Flügel, den Südflügel des Schlosses. Wir durchqueren wieder das Vestibül in der Richtung gegen die Säle des 18. Jahrhunderts, verlassen es aber durch die Passage links hinten. Der Besuch des Appartements Ludwigs XV., der Privatgemächer der Königin, des Appartements der Madame de Maintenon, in dem Erinnerungsstücke an den französischen Hof aufgestellt sind, ist nur zu bestimmten Stunden möglich.

Als sie (die Vertreter des Parlaments, nämlich der Erste Präsident, Mesmes, und der Generalprokurator, Joly de Fleury) allein mit dem König waren, zog dieser aus einem Schubfach, das unter seinem Verschluß war, ein großes und umfangreiches Paket hervor, das mit sieben Siegeln verschlossen war. Ich (Herzog von Saint-Simon) weiß nicht, ob der Herr von Maine damit das geheimnisvolle Buch mit sieben Siegeln der Apokalypse nachahmen wollte, um dieses Paket zu vergöttlichen. Der König übergab es ihnen und sagte: „Messieurs, dieses ist mein Testament. Außer mir gibt es niemanden, der seinen Inhalt kennt. Hier ist es, nehmen Sie es mit, werde daraus, was da wolle. Zum wenigsten werde ich Frieden haben und nicht mehr davon sprechen hören." Denn der Herzog von Maine und Madame de Maintenon hatten von langer Hand her die Schlauheit besessen, ihn glauben zu machen, daß der Herzog von Maine, obgleich mit viel Verstand und Fähigkeit begabt, keine Absichten oder Pläne habe, noch auch nur fähig sei, solche zu haben, da er sich als guter Familienvater nur um seine Kinder kümmere.

Wenn man all dies mit seinem Charakter zusammenbringt, wird man mit Schrekken gewahr werden, welche Klapperschlange in der nächsten Umgebung des Königs ihr Wesen trieb.

Der Lieblingsaufenthalt der Klapperschlage sind Örtlichkeiten, wo felsige, sonnige oder überhaupt öde Anhöhen von fruchtbaren, grasigen Tälern, Flüssen, Bächen oder Quellwiesen begrenzt werden.

Bevor wir aber das unterhalb der Terrasse ausgebreitete Wasserparterre aufsuchen, gehen wir durch zwei Gemächer, die gegen den sogenannten Hof der Hirsche zu liegen. Zuerst kommt man in das Jagdkabinett oder Hundekabinett. Die Namen dieses Raums kommen erstens von dem schönen Fries aus Stuck, auf dem Szenen von Hirsch- und Eberjagd dargestellt sind, dann aber, weil in der Holzvertäfelung Bänke für die Hunde des Königs angebracht sind. Hier grenzte die sogenannte Hundestiege an, über welche Ludwig XV. entweder den Marmorhof erreichen, ohne den weiten Umweg über die Stiege der Königin machen zu müssen, oder zu seinen Maitressen hinaufsteigen konnte, denen er zeitweise die Appartements im zweiten Stock zugewiesen hatte. Am 15. Januar 1757 wurde der König am Fuß dieser Hundestiege, als er aus dem Saal der Garden trat, von Damiens mit dem Messer angegriffen.

Zu den Doggen gehört nämlich auch das Zerrbild der Hunde, der Mops, eigentlich ein Bullenbeißer im kleinen, mit ganz eigentümlich abgestumpfter Schnauze und schraubenförmig gerolltem Schwanz. Sein gedrungener, kräftiger Bau und das mißtrauische, mürrische Wesen macht ihn den Bulldoggen außerordentlich ähnlich. Früher sehr verbreitet, ist der Mops gegenwärtig fast ausgestorben, zum Beweise dafür, daß Rassen entstehen und vergehen; denn auch hinsichtlich dieses Hundes hat sich der Geschmack gebessert.

Ich (Lieselotte von der Pfalz) habe geglaubt, daß er (der Dauphin) sie (Emilie Joly de Choin) heimlich geheiratet habe. Ich möchte schwören, daß dies nicht stattgefunden hat. Sie sah aus wie ein Mops, war klein, hatte kurze Beine, ein rundes Gesicht, eine kurze aufgeschürzte Nase, einen großen Mund voller fauler Zähne, die einen solchen Geruch von sich gaben, daß man ihn am anderen Ende des Zimmers merken konnte. Sie hatte einen fürchterlich dicken Busen; das gefiel Monsieur, denn er klopfte darauf wie auf Trommeln. Aber dieses kurze und dicke Geschöpf hatte ziemlich viel Geist. Ich glaube, daß der Dauphin sich an den Tabakgeruch gewöhnt hat, um nicht den fürchterlichen Geruch der faulen Zähne der Choin riechen zu müssen.

Der Mops ist der echte Altjungfernhund und ein treues Spiegelbild solcher Frauenzimmer, bei denen die Bezeichnung „Alte Jungfer" als Schmähwort gilt, launenhaft, unartig, verzärtelt und verhätschelt im höchsten Grade, jedem vernünftigen

Menschen ein Greuel. Die Welt wird also nichts verlieren, wenn dieses abscheu-
liche Wesen samt seiner Nachkommenschaft den Weg alles Fleisches geht.

In diesem Zimmer, das ehemalige Billardzimmer Ludwigs XIV., wurde Ludwig XV.
auf Anordnung seines Arztes La Martinière schwerkrank aus dem Trianon gebracht. Er starb hier am 10. Mai, und am 12. Mai wurde sein von Pocken verun-
stalteter Körper begraben. Damit sind wir nun im Park des Schlosses, wo an dieser Stelle heute die prächtigen Buchen gedeihen. Hier befindet sich die Gruppe:
Apoll wird von den Nymphen bedient. Die Szene ist eine symbolische Darstellung
der Toilette des Apoll und gleichzeitig der Zeremonie des „Lever" und des „Coucher" des Königs. Apoll ist selbstverständlich König Ludwig XIV; die Nymphen,
mit hübschen Gesichtern und in anmutiger Haltung, gießen Wasser in eine Kanne,
trocknen die Füße des Gottes, sprengen Parfum auf seine Hände und lösen seine
Kleider. Am Ende der Anlage mit dem „Bad Apolls" befindet sich das Bassin
der Ceres, an der Stelle, wo sich die Allee der Ceres und die Sommerallee kreuzen. Dieses Bassin, auch Sommerbassin genannt, wurde 1674 bis 1675 aufgestellt;
es ist eines der Bassins der vier Jahreszeiten von Regnaudin. Rechts befindet sich
nun das Grüne Rondell mit dem Kinderbassin; die aufgestellten Statuen nach
antiken Vorbildern stellen dar: Flora, Ceres, Pomona und die Gesundheit.

An den vier Zugängen des Rundplatzes hatte man große Torbögen aufgestellt,
die innen und außen mit dem Wappen und den Initialien seiner Majestät geschmückt waren. Der Thronhimmel war genau am Eingang zum Rundplatz, und
dahinter, in die Allee aufsteigend, hatte man Bänke in Form eines Amphitheaters
aufgestellt, um Plätze für zweihundert Personen zu schaffen. Als es Nacht geworden war, wurde der Platz von unzähligen Lichtern erhellt, und nachdem die
Edelleute sich zurückgezogen hatten, sah man den Orpheus unserer Tage (Jean-
Baptiste Lully) an der Spitze einer großen Truppe Konzertierender erscheinen,
welche, nachdem sie sich mit kleinen Schritten im Rhythmus ihrer Instrumente
den Königinnen genähert hatten, sich in zwei Reihen rechts und links des hohen
Thronhimmels teilten und die Umzäunung des Rundplatzes säumten, und zu
gleicher Zeit sah man aus der Allee zur Rechten die vier Jahreszeiten hervortre-
ten: den Frühling auf einem spanischen Roß, den Sommer auf einem Elefanten,
den Herbst auf einem Kamel und den Winter auf einem Bären.

Das spanische Pferd ist der Furcht sehr zugänglich. Es erschrickt über einen
ungewohnten Ton, ein ungewohntes Ding, eine flatternde Fahne, ein Hemd, welches zum Fenster herausweht. Der Elefant wird von allen in seinem vollen Wert
erkannt. Scharfer, überlegender Verstand läßt sich nicht verkennen. Der Blick
verrät allerdings wenig von hervorragenden geistigen Eigenschaften, wohl aber
nur deshalb, weil das verhältnismäßig kleine Auge der gewaltigen Leibesmasse

gegenüber kaum zur Geltung kommt. Das Kamel ist das unliebenswürdigste, dümmste, störrischste und ungemütlichste Geschöpf, welches man sich denken kann. Seinen Ruhm verdankt es nur seiner leiblichen Befähigung. Der Bär ist wie die meisten seiner engeren Verwandten ein tölpelhafter und geistloser Gesell. Doch sehen seine Bewegungen ungeschickter aus, als sie wirklich sind; denn er läuft, trotz seines gemächlichen Ganges, sehr schnell.

Fritz: Wir sind in einem Tiergarten gewesen. Monsieur Dupont: Ah! welche Tiere hast du gesehen? Fritz: Ich habe wilde Tiere gesehen, einen Löwen, einen Tiger, einen Wolf, einen Fuchs, einen Bär, Affen, einen Adler und einen Raben. Der Rabe ist ganz schwarz. Man hat viele Tiere in diesem Tiergarten vereinigt. Der Bär badete sich in einer Badewanne. Er war sehr belustigend. Monsieur Durand hat mir gesagt, daß der Tiger eine reißende Bestie ist, das heißt ein bösartiges Tier, das die Menschen frißt. Er hat eine schreckliche Stimme, wenn er brüllt. Monsieur Durand hat mir auch gesagt, daß die Katze, der Löwe und der Tiger Tiere aus dem gleichen Geschlechte sind. Wir haben mehrere Arten von Affen gesehen, kleine und große. Man hat uns auch ein Kamel gezeigt und einen kleinen Elefanten, der ihm hinterherlief. Monsieur Dupont: Wie nennt man die Tiere, die mit dem Menschen in seinem Haus oder nahe bei ihm leben? Fritz: Das sind Haustiere. Sie sind nicht mehr wild. Sie sind gezähmt. Ich kenne den Hund, die Katze, die Ente und die Gans. Wir haben in dem Tiergarten einen Papagei gehört, der Jacquot hieß, der sang: Trink ich Wein mit meinem Mund, geht die ganze Kneipe rund! Monsieur Dupont: Hast du schon den Hasen gejagt? Fritz: Nein, Monsieur, ich bin niemals auf der Jagd gewesen. Aber Papa ist ein großer Jäger. Ich habe nur die Mücken und die Spinnen gejagt. Monsieur Dupont: Kennst du diese beiden Insekten? Fritz: Ich kenne die Ameise, aber das andere Insekt kenne ich nicht. Von dieser Sorte habe ich noch keine gesehen. Monsieur Dupont: Das ist eine Grille, die mir Onkel Marius aus Marseille geschickt hat. Es ist ein Insekt, das den ganzen Sommer über singt und das man im ganzen Süden Frankreichs findet. Hör Suzanne, die am Klaviere singt! Sie hat dieses Lied in Burgund, einer der alten Provinzen Frankreichs, gelernt. Es ist ein burgundisches Lied:
Eho! Eho! Die Schafe gehn im Tale,
Eho! Eho! Die Wölfe sind im Wald.
Im klaren Wasser der Quelle
und in dem frischen Naß,
da baden die Lämmer die Felle
und fressen wieder das Gras.

54. LEKTION

Monsieur Dupont: Fritz, Jean, André, auf gehts, faules Volk! Wir wollen einen Ausflug in die Wälder von Viroflay machen. (Sie machen sich alle auf den Weg. Ein Wagen fährt vorbei und wirbelt Staub auf.) André (zu Fritz): Sieh dir diese Leute in der Nähe der Allee an. Das sind Pariser, die ihren Sonntag im Grünen verbringen. Hier sind welche, die im Freien frühstücken, diese da spielen Bäumchen, Bäumchen wechsle dich. Da ist ein Kleiner, der handfest gebaut ist. Fritz: Und der da? André: Der da schläft im Gras und träumt. Sicher baut er im Traum Luftschlösser. Das ist der Glücklichste von allen. Er ist bestimmt beim Rauschen des Baches eingeschlafen. Diese jungen Leute verstecken sich: sie spielen Versteck. (Kinder singen): Laßt uns in den Wald spazieren, solange der Wolf nicht da ist. Wolf, wo bist du? (Die Kinder laufen plötzlich fort.) André: Dort ringen welche. Sie wollen sich zu Fall bringen. Sie machen einen Ringkampf.

und Bilder von Menschen Gegenden und Bilder von Gegenden Menschen und Bilder Menschen von Gegenden und Bilder Menschen Gegenden von und Bilder Gegenden von Menschen und Bilder Gegenden Menschen von und von Bilder Menschen Gegenden und von Bilder Gegenden Menschen und von Menschen Bilder Gegenden und von Menschen Gegenden Bilder und von Gegenden Bilder Menschen und von Gegenden Menschen Bilder und Menschen Bilder von Gegenden und Menschen Bilder Gegenden von und Menschen von Bilder Gegenden und Menschen von Gegenden Bilder und Menschen Gegenden Bilder von und Menschen Gegenden von Bilder und Gegenden Bilder von Menschen und Gegenden

Bilder Menschen von und Gegenden von Bilder Menschen und Gegenden von
Menschen Bilder und Gegenden Menschen Bilder von und Gegenden Menschen
von Bilder

Monsieur Dupont: Kennst du alle Bäume, die wir hier haben? Fritz: Nein, Monsieur, ich kenne nur die Obstbäume des Gartens. Monsieur Dupont: Also werde
ich sie dir nennen, damit du sie kennenlernst. Das ist eine Eiche. Es ist der
schönste Baum unserer Wälder. Aus seinem Holz macht man schöne, handfeste
und dauerhafte Möbel. Da nimm, ich gebe dir einen Zweig, den du abzeichnen
sollst. Er soll dir als Vorlage dienen. Das ist eine Linde. Du siehst, diese beiden
Lindenblätter gleichen sich, aber sie gleichen nicht denen der Eiche. Das sind
Kastanienbäume, die uns die Kastanien geben. Hier findet man auch einige Pi-
nien, obwohl dieser Baum vor allem in wärmeren Gegenden wächst, und einige
Tannen, obschon sie den Norden, die Länder des Schnees und des Nebels mögen.
Ein Baum besteht aus Wurzeln, einem Stamm, Ästen oder Zweigen, Blättern,
Blüten und Früchten.

war aus den Blättern aus diesem Farnkraut und dem Baumwipfel die Tage grün
und hoch über Nebel und über Rauch über dem Wasser mit der und der und der
und der junge klare hohe flaumige Gesang von Duft wuchs überall leuchteten
Erde und Erde die Luft des Sonnenscheins auf Feldern die Frühlingsfeuer der
Vögel der Luft und der jungen der warmen durchnäßten dampfenden blauen
angenehmen kleinen schweren freien längerwerdenden Blumen unten gelb prachtvoll glänzend rot weiß vom Frühling erfüllt und vermischt mit feuchtem aufstieg
war all die Freude/ von Miß Mary die weichen freundlichen graublauen ausbreitenden schweren weichen leeren breiten schläfrigen Ärmel und Augen sanft hilflos dick schwer waren in ihrem Gesicht stets ausgefüllt mit ihrem Feuer des Fleisches saß und saß ganz beim Lehnstuhl und sie trug große monströse Ritzen
waren Körper Lidern ihres Stuhles ein schwarzes gutaussehendes regelmäßiges
weiches Gebilde hatte sie der Masse ein Satinmorgenkleid sie sich dort alle Ecken/
sie war sie obschon ihr jetzt in dünner hagerer unbeholfener Sommersonne ihr
blaßgelbes und verhärmtes Mieder von einem Mißklang kam der den Vogel zu
diesem Gesicht trug Handschuhe um ihren Hals eine neue Federboa sehr leuchtend geschmückt und aufgeputzt in einem Sommersonntagnachmittag der ihren
Körper mit rostroten perlenbestickten verzierten seidenen farbigen angenehmen
neuen grellen schwarzen glänzenden breiten dunklen wunderlichen hellen schwarzen steifen Bändern und neuen Kleidern und einer Tuchschürze mit Borten standen durchwirkt an einem Strohhut/ stets monströse Ritzen ihres Fleisches dort
in ihrem Körper waren prachtvoll dick und rot und alle dampfenden warmen
und längerwerdenden Vögel trug sie unten glänzend und ausgefüllt hatte mit ganz
feuchtem Gebilde die Ecken des blauen angenehmen kleinen jungen durchnäß-

ten Stuhles überall hilflos vermischt mit der schläfrigen Erde und den graublauen
Blumen und dem leeren Farnkraut der freundlichen Luft dem weichen Frühlingsfeuer der breiten Luft hoch weiß grün gelb saß über Miß Mary auf diesem ausbreitenden Lehnstuhl sanft und schwer beim freien Nebel und ein Satinmorgenkleid
war über und über all mit der weichen schweren Freude des Sonnenscheins und
die Tage die Erde sie die aufstieg vom Feuer von der die Masse erfüllt waren von
Blättern Lidern Feldern schweren Augen von einem Gesicht und der Frühling
der flaumige klare hohe junge Rauch aus sich aus Duft saß wuchs sie leuchteten
und der Gesang der große Ärmel war weiches regelmäßiges gutaussehendes hübsches Wasser ein Baumwipfel/ in und an von um zu und sie über den Körper der
hoch grün weiß rot aufstieg die die den und dem und eine und einem und einem
Farnkraut die dampfenden perlenbestickten steifen Nebel des seidenen farbigen
breiten Sonnenscheins die hellen Blumen der Frühling einer Erde aufgeputzt
mit ihrem Mißklang kam sie von unten und trug ihren freien schweren rostroten
blauen längerwerdenden Baumwipfel überall standen Vögel aus diesem warmen
durchnäßten Gesicht und leuchteten gelb aus der Tuchschürze der Federboa und
obschon ihr Vogel prachtvoll war in wunderlichen Blättern glänzenden Bändern
angenehmen Kleidern grellen Feldern wuchs diesem der junge Sommersonntagnachmittag auf dem Hals und hohe Erde hagerer Luft war vom dunklen kleinen
angenehmen Mieder über Borten und Duft erfüllt mit der neuen Luft der schwarzen Freude der verzierten Sommersonne geschmückt mit unbeholfener dünner
Frühlingsfeuer vermischt mit einem jungen schwarzen neuen Gesang der Handschuhe und feuchtem Rauch sehr durchwirkt jetzt ihr blaßgelbes verhärmtes Wasser der flaumige neue Strohhut war überall leuchtend und glänzend klare Tage/
stets der und der obschon sie dort jetzt an diesem Sommersonntagnachmittag
ein hübsches blaßgelbes verhärmtes gutaussehendes schwarzes regelmäßiges weiches Gebilde war leuchtend schwer sanft hilflos dick saß Miß Mary in ihrem
Lehnstuhl aufgeputzt mit einem Feuer beim freundlichen Vogel in Kleidern
von ganz unbeholfener Sommersonne die sehr ausgefüllt kam um alle Ecken des
Stuhles und sie saß in ihrem Mißklang mit einem weichen Gesicht und einem
steifen Gesicht trug sie den Körper ihres Fleisches eine Körper Masse durchwirkt waren Hals und Augen und neue Ärmel ein Mieder geschmückt ihr Strohhut der von einer Federboa Borten große monströse Handschuhe trug hatte von
Bändern sich dünner hagerer Tuchschürze und sie standen ihr sie waren mit
schweren weichen rostroten perlenbestickten verzierten seidenen farbigen angenehmen neuen grellen schwarzen glänzenden breiten dunklen wunderlichen hellen schwarzen neuen ausbreitenden graublauen schläfrigen breiten leeren Lidern
zu ihren Ritzen und einem Satinmorgenkleid/ die die sie war des der einer der
sie diesem ihrem sehr kleinen Frühling beim Gesang ihres Stuhles den sie der Luft
all ihren Mißklang und stets neue Freude mit ihr dort unten ein Frühlingsfeuer

war und trug jetzt überall den Hals ganz über dem Wasser ein Duft über alle Ecken kam der Nebel der Vogel des Sonnenscheins hatte Miß Mary durchwirkt ihr Gesicht vom Rauch und von Luft wuchs ihrem Gesicht vom Feuer saß die Sommersonne der Baumwipfel in einem Lehnstuhl der Körper war eine Masse Fleisches dem Körper standen die Gebilde und von einem Sommersonntagnachmittag trug sie sich aus einem der Vögel saß auf der Erde sie leuchteten unbeholfener waren dünner von diesem Farnkraut waren hagerer über der Erde um die Tage obschon zu einem der schweren schwarzen neuen weichen breiten Ritzen und in freien farbigen jungen angenehmen perlenbestickten Lidern und aus seidenen verzierten glänzenden rostroten graublauen Augen und an grellen dunklen schläfrigen durchnäßten angenehmen Blättern und mit schweren schwarzen neuen weichen breiten Blumen und in wunderlichen leeren freundlichen dampfenden blauen Feldern und mit hellen warmen ausbreitenden steifen längerwerdenden Kleidern weiß hilflos prachtvoll glänzend leuchtend hoch ausgefüllt rot aufgeputzt sanft erfüllt schwer vermischt gelb geschmückt dick aufstieg grün verhärmtes blaßgelbes hübsches weiches regelmäßiges schwarzes gutaussehendes Satinmorgenkleid mit Bändern und junge Tuchschürze und flaumige Borten und hohe Ärmel und klare Handschuhe und große Mieder und monströse Federboa mit feuchtem Strohhut

Suzanne: Mein neues Kleid paßt sehr gut. Wann wirst du meinen Mantel fertigmachen? Madame Dupont: Ich muß die Ärmel verkleinern und die Breite des Kragens vergrößern. Er ist zu eng. Ich werde ihn aus dem gleichen Stoff wie den Mantel machen. Wie lang ist denn eigentlich dein Arm? Beuge ihn! Strecke ihn! Ja, ich werde die Ärmel kürzen, ich werde den Kragen verbreitern, und ich werde den Mantel verlängern. Ich werde die Ärmel schmäler machen. Ich werde morgen noch deine Maße nehmen, und ich werde dich übermorgen anprobieren lassen.

Satinmorgenkleid mit Bändern und junge Tuchschürze und flaumige Borten und hohe Ärmel und klare Handschuhe und große Mieder und monströse Federboa mit feuchtem Strohhut

Fritz: Weißt du, was Alice singt? Das ist sehr hübsch! Jean: Ja, das ist ein Gedicht von Victor Hugo! Alice:
Die Morgenwolken glühn,
die dunklen Schatten wehn,
und Traum und Nebel fliehn,
die mit der Nacht vergehn.
Die Rosen und die Lider,
halb öffnen sie sich wieder,
es strecken ihre Glieder
die Dinge mit Getön.

Ein jedes singt und grunzt,
es redet mannigfach
der Rasen und der Dunst,
die Nester und das Dach.
Der Wind spricht mit Libellen,
das Wasser mit den Quellen,
und wie die Stimmen schwellen,
so werden sie zum Krach!

Fritz: Wer ist Victor Hugo? Jean: Das ist ein sehr berühmter französischer Dichter. Fritz: Was ist ein Dichter? Jean: Ein Dichter ist ein Mann, der Verse schreibt. Ich werde dir dieses Gedicht geben, damit du es für Monsieur Durand auswendig lernst und es ihm aufsagst. Du wirst sehen, wie froh er sein wird. Da, lies es, das ist ein Lesestück für dich. Fritz: Ja, und ich werde daraus auch ein Schriftstück machen. Jean: Du schreibst sehr gut. Liebst du mehr die Künste oder die Wissenschaften? Das Zeichnen, die Musik, die Malerei sind Künste. Die Geographie, die Geometrie, die Physik, die Chemie sind Wissenschaften. Fritz: Ich liebe mehr die Wissenschaften. Jean: Ich liebe mehr die Künste, ich will ein Künstler werden.

55. LEKTION

Wie stellt Agatha Christie sich einen Künstler vor? Erstklassisch, realistisch, schonungslos, hemmungslos, aber auch gutmütig, vergnügt, egoistisch, kräftig, gutaussehend, männlich, weder sentimental noch romantisch, nicht übermäßig sinnlich, nicht normal, nicht anständig, nicht wohlerzogen, kein Dilettant, ein Genie, überragend, unausgeglichen, besessen, mit Haut und Haaren verliebt, zügellos, prahlerisch, untreu, dem Trunk ergeben, das potentielle Opfer für einen Mörder. Agatha Christies Künstler war ein Maler. Er besaß eine Frau, eine Tochter, eine Geliebte, einen Freund, dessen Bruder, eine Gouvernante und eine Schwägerin. Er liebte seine Frau, seine Tochter und seine Geliebte. Er nannte seinen Freund sein eigen. Er respektierte dessen Bruder. Er ignorierte die Gouvernante seiner Tochter. Er tolerierte seine Schwägerin. Agatha Christies Maler war ein Allerweltsmaler, denn er besaß wie jeder Maler eine Frau, die er liebt, eine Tochter, die er liebt, eine Geliebte, die er liebt, einen Freund, den er sein eigen nennt, dessen Bruder, den er respektiert, die Lehrerin seiner Tochter, die er ignoriert und eine Schwägerin, die er toleriert. Agatha Christies Maler hieß Amyas Crale, seine Frau Caroline, seine Tochter Carla, seine Geliebte Elsa Greer, später Elsa Dittisham, sein Freund Philip, dessen Bruder Meredith Blake, die Gouvernante seiner Tochter Cecilia Williams, seine Schwägerin Angela Warren. Der erstklassische, realistische, schonungslose, hemmungslose, gutmütige, vergnügte, egoistische, kräftige, gutaussehende, männliche, weder sentimentale noch romantische, nicht übermäßig sinnliche, nicht normale, nicht anständige, nicht wohlerzogene, nicht dilettantische, geniale, überragende, unausgeglichene, besessene, mit Haut und Haaren verliebte, zügellose, prahlerische, untreue, dem Trunk ergebene, hingeopferte Amyas Crale, der eine Frau, eine Tochter, eine Geliebte, einen Freund, dessen Bruder, eine Gouvernante und eine Schwägerin besaß, die Caroline, Carla, Elsa, Philip, Meredith, Cecilia und Angela hießen, wurde aber nicht nur als Mensch, sondern auch als malender Mensch unterschiedlich beurteilt.

Carla sagte: Meinen Vater verurteile ich nicht; er war so lebendig, er wollte alles vom Leben haben. Er war nun einmal so geschaffen, und ich habe Verständnis für ihn. Außerdem war er ein genialer Maler, das entschuldigt vieles. Elsa Greer sagte: Er malte wie besessen, und alles andere kümmerte ihn nicht. Ich hatte ihn bisher noch nie richtig arbeiten gesehen, und mir wurde zum erstenmal klar, was für ein Genie er war. Seine Kunst riß ihn so mit, daß für ihn die üblichen Anstandsbegriffe gar nicht existierten. Philip Blake sagte: Bei der Arbeit war Amyas ein völlig anderer Mensch, er knurrte und stöhnte und schimpfte zwar und warf zuweilen wütend den Pinsel fort, aber in Wirklichkeit fühlte er sich unendlich glücklich. Meredith Blake sagte: Er war ein Künstler, was ja vieles entschuldigt. Cecilia Williams sagte: Ein Künstler! Das ist die Entschuldigung für ein zügelloses Leben, für Trunkenheit, für Prahlerei, für Untreue. Und was für ein Künstler war Mister Crale schon? Es mag Mode sein, seine Bilder noch ein paar Jahre zu bewundern, aber das wird nicht lange dauern. Er konnte ja nicht einmal zeichnen. Er hatte keinen Sinn für Perspektive. Er hatte keine Ahnung von Anatomie. Ich weiß, wovon ich spreche. Als junges Mädchen habe ich eine Zeitlang in Florenz Malunterricht genommen, und einem Menschen, der die großen Meister kennt und schätzt, kommt diese Schmiererei von Mister Crale lächerlich vor. Ein paar Farben auf eine Leinwand klecksen, keine richtige Zeichnung, keine Komposition. Nein, Sie können von mir nicht verlangen, daß ich Mister Crales Kunst bewundere. Angela Warren sagte: Amyas war ein Künstler, er liebte es, zu brüllen, die fürchterlichsten Drohungen auszustoßen und ausfallend zu werden.

Agatha Christies Vorstellung eines Malers ist die Vorstellung, die Agatha Christie sich von der Liebe eines Malers macht. Denn wenn Amyas Crale Caroline liebte, so war das nicht dasselbe, wie wenn er Elsa liebte. Wenn er Elsa liebte, so war das nicht dasselbe, wie wenn er Carla liebte. Wenn er Carla liebte, so war das nicht dasselbe, wie wenn er Caroline liebte. Amyas Crales Liebe zu Caroline war nicht seine Liebe zu Elsa. Seine Liebe zu Elsa war nicht seine Liebe zu Carla. Seine Liebe zu Carla war nicht seine Liebe zu Caroline. Amyas Crales Liebe zu Caroline war die Liebe eines Ehemanns zu seiner Frau, seine Liebe zu Elsa war die Liebe eines Liebhabers zu seiner Geliebten, seine Liebe zu Carla war die Liebe eines Vaters zu seiner Tochter. Aber Caroline und Elsa wurden von Amyas Crale nicht so geliebt wie Elisabeth Barret von Robert Browning, oder wie Vittoria Colonna von Michelangelo, oder wie die Portugiesische Nonne von Rainer Maria Rilke. Wenn Amyas Crale Caroline liebte, dann liebte er Caroline und nicht Elsa, und wenn er

Elsa liebte, dann liebte er Elsa und nicht Caroline. Wenn Amyas Crale also Caroline liebte, dann liebte er nicht Elsa, sondern Caroline, und wenn er Elsa liebte, dann liebte er nicht Caroline, sondern Elsa. Agatha Christies Liebe ist die Vorstellung, die Agatha Christie sich von der Liebe eines Malers macht.

Verteidiger Depleach erzählte: Elsa Greer hieß sie. Sie war die einzige Tochter eines Fabrikanten aus Yorkshire, hatte viel Geld, war hemmungslos und wußte, was sie wollte. Und sie wollte Amyas Crale haben. Sie brachte ihn so weit, daß er sie malte. Er war fast vierzig, wissen Sie. Anwalt Jonathan erzählte: Die einzige Frau, die ihm wirklich etwas bedeutete, war seine Frau. Und weil sie das wußte, nahm sie vieles hin. Von jedem Liebesabenteuer kam er ja auch wieder zu ihr zurück – meist mit einem neuen Bild. Meredith Blake erzählte: Er hatte sich in diese Elsa Greer verliebt, er wollte sie heiraten. Er war bereit, ihretwegen Frau und Kind zu verlassen. Aber er hatte angefangen, sie zu malen, und er wollte unbedingt das Bild vollenden. Alles andere interessierte ihn nicht, er sah nichts anderes. Und daß die Situation für beide Frauen unmöglich war, schien ihm nicht in den Sinn gekommen zu sein. Elsa Greer erzählte: Als ich ihn wiedertraf, sagte ich, ich habe mir Ihre Bilder angesehen und finde sie wunderbar. Amüsiert erwiderte er, ich kann mir nicht denken, daß Sie etwas von Malerei verstehen. Vielleicht nicht, aber die Bilder sind trotzdem wunderbar. Sie sind ein kleines Dummerchen, sagte er grinsend, aber Sie sind das entzückendste, tollste, schillerndste exotische Ding, das ich je gesehen habe. Ich werde Sie malen. Also abgemacht? Aber ich warne Sie, mein Kind. Wenn ich Sie male, werde ich Sie wahrscheinlich verführen. Ich hoffe es, erwiderte ich. Amyas Crale gestand ihr schließlich: Mein Süßes, ich werde Dich trotzdem haben. Ich würde für Dich zur Hölle gehen, und Du weißt es. Und ich werde Dich malen, werde ein Bild schaffen, daß diese spießige Welt sich auf den Kopf stellt und das Maul aufreißt! Ich bin wahnsinnig, ich bin verrückt nach Dir, ich kann nicht mehr schlafen, ich kann nicht mehr essen.

Wie stellt Agatha Christie sich nun die Bilder dieses Malers Amyas Crale vor? In Anbetracht dessen, daß Amyas Crale eine Frau, eine Tochter und eine Geliebte liebte, einen Freund sein eigen nannte, dessen Bruder respektierte, die Gouvernante seiner Tochter ignorierte und seine Schwägerin tolerierte, und in Anbetracht dessen, daß ihn diese zwischenmenschlichen Verhältnisse der Toleranz, der Ignoranz, des Respekts und der dreifach verschiedenen Liebe als da sind Gattenliebe, Vaterliebe und Liebhaberliebe trotz Agatha Christies angenommener Geringschätzigkeit schließlich sein Leben kosteten, muß ausgeschlossen werden, daß sich angesichts seiner Bilder die Fragen des Malens und des Streichens, des Anmalens und des Anstreichens, so wie die daraus hervorgehenden Probleme malender und streichender Maler, streichender und malender Streicher, anmalender und anstreichender Maler, anstreichender und anmalender Streicher, malender und streichender Anmaler, streichender und malender Anstreicher, anmalender und anstreichender Anmaler und anstreichender und anmalender Anstreicher nicht stellen, zumal Amyas Crale laut Aussage des Polizeioberinspektors Hale „zum Mittagessen nicht ins Haus gegangen war, da er in der Mittagszeit gewisse Lichteffekte ausnutzen wollte", was malenden Malern, die Male und streichenden Streichern, die Striche setzen, in unabhängig von Mahlzeiten liegenden Malzeiten, in der Aussicht eines Mittagsmahls aber nicht in den Sinn kommt, wohl aber einem Maler wie Amyas Crale, der sich gerade beim Mittagessen den fortwährenden Ansprüchen der Liebe und der Toleranz, des Respekts und der Ignoranz ausgeliefert sieht. So malte Amyas Crale eher, wie ein Dichter mit Worten oder ein Musiker mit Tönen malt, und er strich, wie man ein Streichholz oder die Violine streicht.

Hercule Poirot sagte: Ja, da steckt alles drin! Er staunte von neuem, daß ein Mann ein so alltägliches Objekt mit einem so eigenen Zauber erfüllen konnte. Eine Vase mit Rosen stand auf einem polierten Mahagonitisch – dieses abgedroschene Motiv. Aber wie diese Rosen lebten! Sie brannten und flammten, sie strahlten ein fast obszönes Leben aus, und selbst die polierte Tischplatte schien zu vibrieren. Wie konnte man die Erregung, die das Bild hervorrief, erklären? Denn es war aufwühlend. Hercule Poirot sagte: Das ist großartig, wirklich großartig. Denn dies hier war das Bild, das der Maler selbst als sein Meisterwerk bezeichnet hatte: ein Mädchen in einem kanariengelben Hemd und dunkelblauen Hosen saß im grellen Sonnenlicht auf einer grauen Mauer, die sich vor einem leuchtend blauen Meer abhob.

Gegenden Bilder von Menschen und Gegenden Bilder von und Menschen Gegenden Bilder Menschen von und Gegenden Bilder Menschen und von Gegenden Bilder und von Menschen Gegenden Bilder und Menschen von Gegenden von Bilder Menschen und Gegenden von Bilder und Menschen Gegenden von Menschen Bilder und Gegenden von Menschen und Bilder Gegenden von und Bilder Menschen Gegenden von und Menschen Bilder Gegenden Menschen Bilder von und Gegenden Menschen Bilder und von Gegenden Menschen von Bilder und Gegenden Menschen von und Bilder Gegenden Menschen und Bilder von Gegenden Menschen und von Bilder Gegenden und Bilder von Menschen Gegenden und Bilder Menschen von Gegenden und von Bilder Menschen Gegenden und von Menschen Bilder Gegenden und Menschen Bilder von Gegenden und Menschen von Bilder

Hercule Poirot streckte die Arme aus und rief: Das ist großartig, wirklich großartig. Meredith sagte mit verhaltener Stimme: Sie war so jung. Polizeioberinspektor Hale sagte: Sie hätten das Bild sehen sollen, das Crale gemalt hat. Alles war schief. Das Mädchen sah so aus, als ob es Zahnweh hätte, und die Zinnen schienen zu schielen. Ein scheußlicher Anblick. Ich konnte es lange nicht vergessen. Ich träumte sogar davon. Und sogar am Tag fing ich an, Zinnen und die Brustwehr und was sonst noch auf dem Bild war, zu sehen, und natürlich das Mädchen. Das Mädchen sah gut aus, stark aufgemacht und hatte wenig an. Philip Blake sagte: Und dieser Mann, der Mann, der diese Rosen malte, der Mann, der die „Frau mit dem Cocktail-Shaker" malte, der Mann, der die erstaunlich schmerzliche „Geburt Christi" malte, dieser Mann wurde in der Blüte seiner Jahre, auf dem Höhepunkt seines Schaffens, seiner überströmenden Lebenskraft ermordet.

Amyas Crale starb an einer Koniinvergiftung. Koniin ist ein giftiges Alkaloid aus dem gefleckten Schierling (conium maculatum). Zur Zeit seines Todes war Caroline seine Ehe- und Hausfrau, Elsa Greer seine Geliebte, Carla seine Tochter, Cecilia Williams deren Gouvernante, Angela Warren seine Schwägerin, sein Freund Philip Blake Börsenmakler und dessen Bruder Meredith Amateurchemiker. Amyas Crale starb am Schierling. Während Sokrates gezwungen wurde, das Koniin einzunehmen, nahm Amyas Crale es freiwillig ein. Aber der Zwang auf Sokrates war nur insofern ein Zwang, als er durch das Gift daran gehindert wurde, älter als siebzig Jahre zu werden, während Amyas Crales Freiwilligkeit lediglich darauf beruhte, eine Flasche Bier zu trinken (was ja jedem unbenommen ist), die dann aber das Koniin enthielt. In diesem Sinne kann man im Falle Sokrates' von freiwilligem Zwang und im Falle Crales von erzwungener Freiwilligkeit sprechen. Sokrates' freiwilliger Zwang beruhte seinerseits darauf, daß er das aufgezwungene Getränk freiwillig nahm, Amyas Crales erzwungene Freiwilligkeit aber beruhte ihrerseits darauf, daß er mit dem freiwillig zu sich genommenen Getränk, in seinem Falle einer Flasche Bier, das conium maculatum aufgezwungen bekam. Die wirkliche Parallelität zwischen Platons und Agatha Christies Berichterstattungen besteht aber nicht in Sokrates auf der einen und Amyas Crale auf der anderen Seite, sondern in Sokrates und Hercule Poirot. Während Amyas Crale und Sokrates Schierlingsopfer mit gegenläufiger Begründung waren, so waren Sokrates und Hercule Poirot männliche Hebammen, und zwar beide im wahren Sinne dieses Wortes. Hercule Poirot war als Privatdetektiv wie Sokrates als Privatdozent ein Mäeutiker. Die solcherart über Sokrates mögliche Verbindung zwischen Amyas Crale beziehungsweise Amyas Crales Tod und Hercule Poirot, beziehungsweise Hercule Poirots Nachforschungen betreffs Amyas Crales Tod läßt darauf schließen, daß sowohl Schierlingstod als auch mäeutische Methode der Nachforschung nicht nur einen kriminellen, sondern auch einen philosophischen Zusammenhang darstellen. Mäeutik und Schierlingstod verhalten sich zueinander wie Sokrates zu Sokrates, Schierlingstod und Mäeutik wie Amyas Crale zu Hercule Poirot, oder: Sokrates verhält sich zu Sokrates wie Mäeutik zu Schierlingstod, Amyas Crale verhält sich zu Hercule Poirot wie Schierlingstod zu Mäeutik. Sokrates als Sokrates verhält sich also zu Amyas Crale wie ein Schierlingstoter zu einem anderen Schierlingstoten, und verhält sich zu Hercule Poirot wie ein schierlingstoter Mäeutiker zu einem reinen Mäeutiker. Infolgedessen fordert das gekürzte Verhältnis Amyas Crales als Schierlingstoter zu Hercule Poirot als Mäeutiker die logische Lösung. Hercule Poirot, der kleine belgische Privatdetektiv mit dem eierförmigen Kopf und den vielen grauen Zellen darin, faßte die Ergebnisse seiner mäeutischen Untersuchungen zusammen. Ihm war klar, daß der erstklassische, realistische, schonungslose, hemmungslose, gutmütige, vergnügte, egoistische, kräftige, gutaussehende, männliche, weder sentimentale noch romantische, nicht übermäßig sinnliche, nicht normale, nicht anständige, nicht wohlerzogene, nicht dilettantische, geniale, überragende, unausgeglichene, besessene, mit Haut und Haaren verliebte, zügellose, prahlerische, untreue, dem Trunk ergebene, hingeopferte Amyas Crale, der eine Frau, eine Tochter, eine Geliebte, einen Freund, dessen Bruder, eine Gouvernante und eine Schwägerin besaß, die Caroline, Carla, Elsa, Philip, Meredith, Cecilia und Angela hießen, daß also dieser Amyas Crale die zwischenmenschlichen Verhältnisse der Gattenliebe, der Vaterliebe, der Liebhaberliebe, der Ignoranz, der Toleranz und des Respekts in Anbetracht seiner Eigenschaft als Maler nicht überschaute und infolgedessen das Opfer entweder einer Ehefrau, einer Tochter, einer Geliebten, einer Gouvernante, einer Schwägerin, eines Börsenmaklers oder eines Amateurchemikers wurde. Agatha Christie, die sich einen Maler nur als Opfer vorstellen kann, läßt diesen Maler das Opfer der von einem Maler am allerwenigsten vermuteten Person werden.

Hercule Poirot sagte: Elsa Greer nahm es als selbstverständlich an, daß es sich um eine Liebe für das ganze Leben handele, deshalb fragte sie ihn auch gar nicht, ob er seine Frau verlassen werde. Sie werden vielleicht einwenden, es sei unverständlich, daß Amyas Crale ihr nicht reinen Wein eingeschenkt habe. Ja, warum tat er es nicht. Wegen des Bildes? Er wollte das Bild fertigmachen. Das wird vielen unglaublich vorkommen, nicht aber Menschen, die Künstler kennen. Für Amyas Crale ist alles einfach. Er malt ein Bild, wird dabei leicht gestört durch zwei eifersüchtige, hysterische Weiber — wie er sich ausdrückte — er will sich aber von keinem Menschen bei dem stören lassen, was für ihn das Wichtigste im Leben ist.

So kommt zur Parallelität zwischen Platons und Agatha Christies Berichterstattungen, die einmal in der Tatsache besteht, daß sowohl Sokrates als auch Amyas Crale Schierlingsopfer waren, und zum anderen darauf beruht, daß sowohl Sokrates als auch Hercule Poirot sich als Mäeutiker betätigten, als drittes Glied die unabweisbare Erkenntnis hinzu, daß Sokrates und Amyas Crale nicht nur Schierlings-, sondern auch Opfer von Xantippen wurden.

Hercule Poirot sagte: Ich hätte es sofort erkennen müssen, als ich das Bild zum erstenmale sah, denn es ist ein bemerkenswertes Bild: es ist das Bild einer Mörderin, die von ihrem Opfer gemalt wird; es ist das Bild einer Frau, die zusieht, wie ihr Geliebter stirbt.

Sokrates: Weiß ich nämlich, was ich bin, so weiß ich auch, was ich soll.

Amyas Crale sagte: Ich will dich auf der alten Mauer sitzen sehen, im Hintergrund das übliche blaue Meer, die dekorativen englischen Bäume, und Du, Du sitzt da wie der verkörperte, triumphierende Mißklang. Philip Blake sagte: Er war kein Modemaler. Anwalt Mayhew sagte: Crale war ja eine Berühmtheit gewesen. Seine Bilder waren ausgezeichnet, wirklich ausgezeichnet. Verteidiger Depleach sagte: Für seine Bilder werden jetzt Phantasiepreise gezahlt. Mir liegt seine Malerei nicht sehr; er ist mir zu realistisch, aber die Bilder sind gut, das steht fest. Jonathan sagte: Er war ein großer Maler. Amyas Crale sagte: Ich wollte schon immer einmal ein Bild malen: ein Schwarm grellfarbiger australischer Papageien umflattert die St. Pauls-Kathedrale. Wenn ich Sie male mit einer hübschen friedlichen Landschaft als Hintergrund, werde ich vielleicht genau die gleiche Wirkung erzielen.

Monsieur Durand: Hier sind Bilder, die die vier Jahreszeiten darstellen. Heute werden wir das erste aufmerksam betrachten. Links siehst du einen Bauern, der sein Korn in die Furchen sät. In der Mitte stößt ein anderer Bauer seinen Pflug vor sich her. Rechts hütet ein dritter Bauer zwei Kühe auf einer Wiese bei einem blühenden Baum, das ist der Kuhhirt. Die Kühe weiden das Gras ab. Wenn eine große Anzahl von Tieren vereinigt ist, bilden sie eine Herde. Die großen Herden werden von Hirten geführt. Die Tiere des Bauernhofes, Kälber, Kühe, Schafe undsoweiter, die man weiden führt, sind Großvieh oder Rindvieh. Der Ort, wo sie weiden, nennt man die Weide. Im Frühling schneidet man das Gras. Man läßt es trocknen. Das ist das Heu, das dem Rindvieh während des Winters zur Nahrung dient.

Hercule Poirot sagte: Toute de même. Und er sagte: Eh bien. Und er rief schließlich: Mon Dieu!

Fritz: Monsieur, woher kommen die französischen Wörter? Monsieur Durand: Die Mehrzahl kommt aus dem Lateinischen. Das Lateinische war die Sprache, die die Römer vor zweitausend Jahren sprachen. Im Französischen findet man etwa zweitausend lateinische Wurzeln. Man findet darin auch etwa neunhundert griechische Wurzeln, der Sprache entliehen, die damals die Griechen sprachen; sechshundert germanische Wurzeln, aus der Sprache, die die Germanen, das heißt die Vorfahren der Deutschen, Engländer, Holländer, Dänen, Norweger, Schweden undsoweiter sprachen, die Germanien bewohnten; etwa hundert Wurzeln aus der Sprache, die die Kelten oder Gallier, die alten Bewohner Galliens, vor Tausenden von Jahren sprachen. Etwa tausend andere Wurzeln sind aus nicht mehr alten, sondern neuen Sprachen entlehnt: dem Englischen, Italienischen, Spanischen undsoweiter. Schließlich bleibt ein Tausend von Wurzeln übrig, deren Ursprung wenig bekannt ist. Fritz: Spricht man noch die Sprache der Kelten? Monsieur Durand: Ja, das ist das Keltische oder Bretonische, das man in der französischen Bretagne und in einigen Teilen Englands oder Großbritanniens spricht.

Raymond Queneau: Cuir amach do theanga! grölte er. Und er verschwand. Da er kein Wort Gälisch kannte, fragte ich mich, wo er diesen Satz, dessen Sinn ich nicht verstand, wohl aufgeschnappt haben mochte. Und meinen Lehrer, den Dichter Padraic Baoghal nach der Bedeutung dieser sicherlich anstößigen Worte zu fragen, würde ich nicht wagen.

59. LEKTION

Ludwig Wittgenstein: Die Bedeutung eines Wortes ist sein Gebrauch in der Sprache.

Wenn nun die strukturale Methode mit theoretischen Modellen arbeitet, zwischen denen sie lediglich Ähnlichkeiten beziehungsweise Entsprechungen aufsucht, und wenn die strukturale Methode zu diesen Modellen über die Feststellung der formalen Beziehungen gelangt, welche die ein Phänomen konstituierenden Elemente, als da sind Beziehungen wie Opposition, Permutation und Transformation, miteinander verbinden, und wenn die Formalisierung der Strukturen über Modelle, die auch die nichtrealisierten Möglichkeiten einbeziehen, es erlaubt, den semantischen Wert der realisierten und also empirisch auffindbaren Kombinationen zu präzisieren, dann erheben sich folgende Fragen: Ist die Bedeutung eines Wortes sein Gebrauch in der Sprache, oder ist der Gebrauch einer Sprache ihr Wort in der Bedeutung, das Wort einer Bedeutung ihre Sprache im Gebrauch, die Sprache eines Gebrauchs seine Bedeutung im Wort, die Bedeutung eines Wortes seine Sprache im Gebrauch, die Sprache eines Gebrauchs sein Wort in der Bedeutung, das Wort einer Bedeutung ihr Gebrauch in der Sprache, oder der Gebrauch einer Sprache ihre Bedeutung im Wort? Indem ich Hans und Grete, eine deutsche Sprachlehre, schreibe und Wörter der deutschen Sprache gebrauche, indem ich Pfaffen und Polizisten, eine spanische Sprachlehre, schreibe, aber Wörter der deutschen Sprache gebrauche, indem ich Hercule Poirot, eine englische Sprachlehre, schreibe, aber Wörter der deutschen Sprache gebrauche, indem ich Miß Mary und Perry

Rhodan, eine amerikanische Sprachlehre, schreibe, aber Wörter der deutschen Sprache gebrauche, indem ich Familie Dupont, eine französische Sprachlehre, schreibe, aber Wörter der deutschen Sprache gebrauche, sind Hans und Grete, Pfaffen und Polizisten, Hercule Poirot, Miß Mary und Perry Rhodan sowie Familie Dupont zur deutschen Sprachlehre geworden. Und indem ich nun den rechten Gebrauch der Sprache in einer Zeit und in einem Raum, den rechten Gebrauch der Zeit in einer Sprache und in einem Raum, den rechten Gebrauch des Raumes in einer Sprache und in einer Zeit lehren will, muß ich mich um den rechten Gebrauch der Wörter der Sprache in einer Zeit und in einem Raum, um den rechten Gebrauch der Wörter der Zeit in einer Sprache und in einem Raum, und um den rechten Gebrauch der Wörter des Raumes in einer Sprache und in einer Zeit sorgen. Folglich entstehen Sprachwörter, Zeitwörter und Raumwörter, deren rechter Gebrauch ihre Bedeutung ist. Richtige Wörter sind nicht Wörter, die richtig sind, und rechter Gebrauch ist nicht Gebrauch, der recht ist, weil es auch falsche Wörter und einen falschen Gebrauch gibt, sondern richtige Wörter und rechter Gebrauch sind richtige Wörter und rechter Gebrauch, weil die Wörter im Gebrauch sind und ihr Gebrauch in den Wörtern ist, während falsche Wörter und ein falscher Gebrauch ungebrauchte Wörter und ungewörterter Gebrauch sind. Ist also demnach die Bedeutung eines Gebrauchs sein Wort in der Sprache, oder das Wort einer Sprache ihr Gebrauch in der Bedeutung, der Gebrauch einer Bedeutung ihre Sprache im Wort, die Sprache eines Wortes seine Bedeutung im Gebrauch, die Bedeutung eines Gebrauchs seine Sprache im Wort, die Sprache eines Wortes sein Gebrauch in der Bedeutung, der Gebrauch einer Bedeutung ihr Wort in der Sprache, oder das Wort einer Sprache ihre Bedeutung im Gebrauch?

Johann Kaspar Lavater: Nur durch Gebrauch wird etwas besessen. Ovid: Es nützt durch Gebrauch der Ring sich ab. August Schnezler: Gold und Silber lieb ich sehr, kanns auch gut gebrauchen.

Madame Dupont: Fritz, nun sind wir in der zweiten Hälfte des Juli. In zwei Tagen werden André, Jean und Alice in Ferien fahren. Sie hoffen, in diesem Jahr viele Preise zu bekommen. Jean wird mindestens zwei, höchstens vier bekommen. Wir werden übermorgen zur Preisverteilung gehen, und dann werden wir alle in die Bretagne fahren, ans Ufer des Meeres. Hast du schon einmal einer Preisverteilung beigewohnt? Fritz: Nein, Madame, was geht dabei vor? Madame Dupont: Also, du wirst mit uns kommen. Du wirst alle Schüler mit ihren Eltern im Festsaal sitzen sehen. Ein Lehrer hält eine Rede. Man hört Musik oder Chöre, dann erhalten die Schüler Belohnungen für ihre Arbeit. Sie bekommen schöne Bücher, die sie ergötzen oder belehren. Früher setzte man ihnen Kränze auf den Kopf. Heute bekrönt man sie nicht mehr, zumindest nicht in Versailles. Du wirst sehen, das ist ein schönes Familienfest.

Das Schuljahr, die Zeugnisausgabe und die Preisverteilung sind zu Ende. Familie Dupont ist erschöpft. Monsieur Dupont will sein Joch abschütteln. Madame Dupont will das Halfter abstreifen. René will die Ketten zerreißen. André will seinen Kopf aus der Schlinge ziehen, Jean will die Bande sprengen. Roger will die Fesseln abwerfen. Suzanne will sich dem Garn entziehen. Alice will sich auf freien Fuß setzen. Fritz Hickel will dem Käfig entkommen. Marie will durch die Lappen gehn. Familie Dupont geht auf und davon. Sonstwohin, anderswohin, anderwärts, auswärts, fort, weg, nach Dingsda, über alle Berge, in die Versenkung, aus dem Wege, außer Reichweite, außer Sicht, außer Schußweite, weit hinten in die Türkei, wo die Füchse sich gute Nacht sagen, wo die Welt mit Brettern zugenagelt ist, jenseits aller Dinge, nach Buxtehude, auf den Mond, auf den Mars, in den siebten Himmel, in den Schoß des Glücks, wo der Himmel voller Baßgeigen hängt, wo man sich wie ein Schneekönig freut, wo man herrlich und in Freuden lebt, wie Gott in Frankreich, wie die Vögel im Hanfsamen. Auf Reisen. Aber indem ich diese Wörter gebrauche, gebrauche ich die richtigen Wörter und mache von diesen richtigen Wörtern den rechten Gebrauch, weil die Wörter im Gebrauch sind und ihr Gebrauch in den Wörtern ist, was ihre Bedeutung bestimmt. Wo aber befinden sich folglich Monsieur Dupont, Madame Dupont, René, André, Jean, Roger, Suzanne, Alice und Fritz Hickel sowie das Dienstmädchen Marie, wenn sie wie die Vögel im Hanfsamen leben und auf Reisen sind? Sind sie allenthalben, allerorts, allerwärts, wo man hinguckt, wo man hintritt, wo man hinlangt? Sind sie nah und fern, hinten und vorne, rechts und links, in allen Gauen, in allen Landen, in allen Winden?

Etwas und alle sind immer überall
etwas und jemand sind immer überall
etwas und niemand sind immer überall

etwas und alle sind jetzt überall
etwas und jemand sind jetzt überall
etwas und niemand sind jetzt überall

etwas und alle sind nie überall
etwas und jemand sind nie überall
etwas und niemand sind nie überall

etwas und alle sind immer hier
etwas und jemand sind immer hier
etwas und niemand sind immer hier

etwas und alle sind jetzt hier
etwas und jemand sind jetzt hier
etwas und niemand sind jetzt hier

etwas und alle sind nie hier
etwas und jemand sind nie hier
etwas und niemand sind nie hier

etwas und alle sind immer nirgends
etwas und jemand sind immer nirgends
etwas und niemand sind immer nirgends

etwas und alle sind jetzt nirgends
etwas und jemand sind jetzt nirgends
etwas und niemand sind jetzt nirgends

etwas und alle sind nie nirgends
etwas und jemand sind nie nirgends
etwas und niemand sind nie nirgends

Monsieur Dupont: Jean! Jean: Hier! Monsieur Dupont: Roger! Jean: Abwesend!
Er ist im Anzug! Ah, da ist er ja! Monsieur Dupont: Seid ihr alle bereit? Alle Kinder Dupont (im Chor): Ja, Papa! Monsieur Dupont: Also denn, auf gehts! Der
Wagen bringt die Koffer, die Körbe und die Taschen weg. André, nimm diesen
Handkoffer! Roger: O, wie bin ich zufrieden! Wir werden das Meer sehen! Suzanne, um wieviel Uhr werden wir in Paimpol sein? Suzanne: Morgen um acht
Uhr. Wir werden in Chaville die Fahrkarten lösen und unsere Koffer zum Gepäck
legen. Wir werden nicht direkt nach Paimpol fahren. In Paris und auch noch auf
einer anderen Station werden wir umsteigen. Wir werden die ganze Nacht hindurch reisen. Um acht Uhr werden wir in Paimpol ankommen. Roger: O, das ist
aber keine schöne Reise! Wir werden gar nichts sehen. Suzanne: Aber natürlich!
Die Sonne geht sehr früh auf. Um drei Uhr morgens ist es schon hell in dieser
Jahreszeit. Im Gegenteil, du wirst eine sehr schöne Reise haben. Bei unserer Ankunft werden wir das Meer sehen.

Das Meer ist nicht nichts, nicht nie, nicht nirgends, es ist aber auch nicht alles,
nicht immer, nicht überall. Es ist etwas, es ist jetzt, es ist hier. Es ist irgendwo.
Das Meer ist ein Irgendland. Es ist die zusammenhängende Wassermasse der Erdoberfläche, es ist aber auch das Wort einer Sprache. Als zusammenhängende
Wassermasse der Erdoberfläche ist es die 361 Millionen Quadratkilometer, oder
70,8% von insgesamt 510 Millionen Quadratkilometer bedeckende Wassermasse,
von der der größere Teil, nämlich 206 Millionen Quadratkilometer, auf die süd-
liche Erdhalbkugel entfällt. Aber als Wort einer Sprache ist es die bewirkende
Kraft, die Odysseus und die Sirenen in Homer, die Ahab und den Wal in Melville
verwandelt hat. Als Wort einer Sprache ist das Meer die Bedeutung dieses Wortes
einer Sprache im Gebrauch. Wohin reisen nun Monsieur Dupont, Madame Dupont, René, André, Jean, Roger, Suzanne, Alice, Fritz Hickel und das Dienstmäd-

chen Marie? Dorthin, wo die Bedeutung einer Sprache ihr Wort im Gebrauch, wo das Wort eines Gebrauchs seine Sprache in der Bedeutung, wo die Sprache einer Bedeutung ihr Gebrauch im Wort, wo der Gebrauch eines Wortes seine Bedeutung in der Sprache, wo die Bedeutung einer Sprache ihr Gebrauch im Wort, wo der Gebrauch eines Wortes seine Sprache in der Bedeutung, wo die Sprache einer Bedeutung ihr Wort im Gebrauch, oder wo das Wort eines Gebrauchs seine Bedeutung in der Sprache ist? Familie Dupont reist ans Meer. Dahin, wo es als Wort einer Sprache die Vorstellung eines in Homer verwandelten Odysseus und eines in Melville verwandelten Ahab, und wo es als zusammenhängende Wassermasse der Erdoberfläche das Beispiel der größtmöglichen Flüssigkeitsansammlung ist. Aber auch Homer und Odysseus sowie Melville und Ahab sind Beispiele wie die gesamte Wassermasse der Erdoberfläche eine Vorstellung ist. Während Homer und Odysseus, Melville und Ahab von Vorstellungen zu Beispielen werden, wird die gesamte Wassermasse der Erdoberfläche vom Beispiel zur Vorstellung. Als beigespielte Vorstellungen sind Homer und Odysseus, Melville und Ahab ebenso vorgestellte Beispiele wie die gesamte Wassermasse der Erdoberfläche als vorgestelltes Beispiel eine beigespielte Vorstellung ist. Als Beispiel und Vorstellung eines etwaigen, jetzigen und hiesigen Irgendlandes lockt das Meer alljährlich viele Tausende an seine beigespielten und vorgestellten Ufer. Und alle, alle reisen mit.

André (zu seinem Vater): Es gibt viele Fahrgäste. Wir sind in zahlreicher Gesellschaft. Monsieur Dupont (zu André): Unser Gepäck besteht aus drei Körben, einem großen, einem mittleren und einem kleinen, und aus drei Koffern, einem großen, einem mittleren und einem kleinen, dazu zwei Taschen. Zähle sie! Ich werde am Schalter die Fahrkarten lösen. (Zu dem Bahnbeamten): Bitte zehn Fahrkarten zweiter Klasse nach Paimpol. Eine Familienkarte, hin und zurück für einen Monat. Der Beamte: Möchten Sie Ihren Namen und Ihre Adresse in dieses Heft eintragen? Monsieur Dupont: Aber ja! (Er bezahlt und geht in den Gepäckraum. Zu dem Beamten, der in ein Verzeichnis schreibt): Möchten Sie bitte mein Gepäck aufnehmen? (Zu Suzanne und Jean): Erwartet mich im Wartesaal. Stellen Sie bitte diesen Handkoffer in den Waggon! Der Beamte: Sofort, Monsieur. (Er wiegt das Gepäck und trägt das Gewicht in sein Verzeichnis ein.) Hier ist Ihr Gepäckschein! Monsieur Dupont: Danke. (Er gibt ihm ein Trinkgeld.) Ein anderer Beamter: Die Fahrgäste nach Paris, bitte einsteigen! Madame Dupont: Hier vorbei, Kinder! Hier ist ein freies Abteil. Steigt schnell ein! Der Zug fährt ab. (Sie steigen in den Personenzug ein.) André (zu Jean und Fritz): Vergeßt nicht, in Paris umzusteigen. Madame Dupont: O Himmel! Ich habe die Regenschirme vergessen! Roger (singt):

Regenschirme hab'n wir nicht,
macht nichts, wenn der Himmel blaut,

wenn der Regen niederbricht,
wird man naß bis auf die Haut.

Aber Homer und Odysseus, Melville und Ahab, naß bis auf die Knochen, naß bis ins Mark, naß bis in den Tod, sind nicht nur Vorstellungen und Beispiele, wie auch die gesamte Wassermasse der Erdoberfläche nicht nur ein Beispiel und eine Vorstellung ist. Homer und Odysseus, Melville und Ahab sind auch Vorspiele und Beistellungen wie die gesamte Wassermasse der Erdoberfläche eine Beistellung und ein Vorspiel ist. Als beigestellte Vorspiele sind Homer und Odysseus, Melville und Ahab ebenso auch vorgespielte Beistellungen wie die gesamte Wassermasse der Erdoberfläche als eine vorgespielte Beistellung ein beigestelltes Vorspiel ist. Sie sind allesamt Vorspiele für den Gebrauch von Wörtern in der Sprache, woraus sich die Bedeutung ergibt, und sie sind allesamt Beistellungen von Wörtern dieser Sprache zum bedeutungsvollen Gebrauch. Als Vorspiele sind sie allesamt zum Gebrauch beigestellt, und zur Beistellung werden sie allesamt zur Bedeutung vorgespielt. So kann auch dieses Spiel beginnen, und welches Spiel macht schon größere Freude als ein gelungenes Spiel am Ufer des Meeres? Ich denke nicht nur an Schwimmen, wie Brustschwimmen, Rückenschwimmen, Freistilschwimmen, Kraulen, Schwimmen im Schmetterlings- oder im Stile des Delphin. Ich denke nicht nur an Wasserball, Wellenreiten, Segeln und Motorboot fahren. Ich denke auch an die Freuden der reinen Betrachtung, die uns das Wort der Sprache schenkt.

Lukretius: Freude macht es, am Meer, wenn stürmische Winde es peitschen, an dem Ufer zu stehn und zu sehn, wie der Schiffer in Not ist. Schiller: Was die heulende Tiefe da unten verhehle,/ das erzählt keine lebende, glückliche Seele. Xenophon und Heinrich Heine: Thalatta! Thalatta!

166

le port
le bateau à voiles
la voile
le bateau à vapeur
la vapeur
le pêcheur
la barque
le filet
la ligne
le pêcheur à la ligne
le hareng
la queue
la sardine
la lampe électrique
la tour
la côte
le phare
la côte
la jetée
la plage
le cours d'eau

60. LEKTION

Jean: Fritz, komm, wir wollen das Meer sehen! Hier sind wir in Paimpol, das ist ein Seehafen, viel weniger groß als Marseille. Schau da drüben, ein Segelschiff! Schau, ein Dampfschiff fährt in den Hafen ein! Fritz: Was ist Dampf? Jean: Wenn du Wasser auf das Feuer setzt, dann erhitzt es sich, und du siehst kleine Wolken aufsteigen. Das ist der Dampf. Dampf erzeugt man, indem man Wasser erhitzt. − Ein Boot fährt aus dem Hafen, um auf dem offenen Meer zu fischen. Da sind Fischer, die sich einschiffen. Siehst du, wir wollen sie fragen, ob sie uns mitnehmen wollen. (Zu einem Fischer): Pardon, Monsieur, wollen Sie uns in Ihrem Boot mitnehmen? Mathurin (der Fischer): Aber ja, mein kleiner Junge. Aber du weißt, ich bin zwei Tage unterwegs. Du wirst erst übermorgen wieder hier ausgeschifft werden. Fritz: Dann ist es nicht möglich. Jean: Nein, wir können Sie nicht begleiten, wir müssen heute abend wieder zurück sein. Mathurin: Dann wird es eben ein andermal sein. Jean: Ja, Monsieur. Mit was fischen sie? Mathurin: Mit meinem Netz. Jean: Gibt es noch andere Geräte, um Fische zu fangen? Mathurin: O ja, man fängt sie auch mit der Angel, wenn sie klein sind, oder mit dem Gewehr, wenn sie sehr groß sind. Jean: Welche Art von Fischen fangen sie?

Hercule Poirot hatte den Nemeischen Löwen gestellt, die Lernäische Schlange zerschlagen, die Arkadische Hirschkuh aufgespürt, den Erymanthischen Eber in die Enge getrieben, die Ställe des Augias ausgemistet, die Stymphalischen Vögel aufgescheucht, den Kretischen Stier gejagt, die Stuten des Diomedes gezähmt, den Gürtel der Hippolyta gefunden, Geryons Herde zur Strecke gebracht, sich der Äpfel der Hesperiden versichert und den Höllenhund Zerberus gefangen.

Mathurin: Ganz gewöhnliche Fische, Heringe, Sardinen. Jean: Haben Sie noch nie außergewöhnliche Tiere gefangen?

167

Hercule Poirot hatte Miss Elsa Greer, vormals Mrs. Elsa Dittisham, jene Frau mit den hochfliegenden Plänen, und Sir Charles Cartwright, vormals Charles Mugg, jenen Schauspieler mit den blitzenden Mordideen, aufgebracht und dingfest gemacht.

Mathurin: Einen fliegenden Fisch und einen, der kleine Lichter auf der Nasen- und auf der Schwanzspitze hatte. Das flammte auf und erlosch wie kleine elektrische Lampen. Jean: Das war wahrhaftig ein außergewöhnlicher Fisch. Auf Wiedersehn, Monsieur, guten Fischfang!

Hercule Poirot sagte: In jenem anscheinenden Triumph beging Sir Charles einen kolossalen, einen kindischen Irrtum. Das Telegramm war an mich gerichtet, Hotel Ritz! Mrs. Rushbridger aber hatte niemals gehört, daß ich mich mit dem Fall befaßte. Er sagte: Er schickte eine Schachtel Konfekt an eine Frau, die er nie gesehen hatte. Und er sagte: Vermutlich erhob sich Sir Charles am Tage meiner Sherry-Gesellschaft sehr zeitig, fuhr nach Yorkshire und gab, als schäbiger Strolch verkleidet, dem kleinen Dorfjungen das Telegramm zur Besorgung.

Mathurin: Danke, mein kleiner Junge, auf Wiedersehn! Fritz: Was ist das für ein Turm da drüben? Jean: Das ist ein Leuchtturm. In der Nacht leuchten die Leuchttürme wie Sonnen und erhellen den Reisenden die Küsten. Gewöhnlich gibt es auf den Molen Leuchttürme. Schau, da drüben am Ufer ragen Klippen aus dem Meer. Von hier aus hört man das Echo, das von den Klippen zurückkommt. Da hinten! Echo! Die Stimme des Echos: Echo!

wie jene fabel zeigt von dieser deren stimme sich im wildesten begehren wollte sie und nichts als ihre oberschenkel waren weiß gebleicht weil sie nicht in der sonne seiner eigenliebe rief sie ohne stimme mit dem leib gebührt daß er ihn sieht und ruft ob sie zur stelle sagt sie bin ich dir ergeben lieber sterben als zu dir gehören die unterarme und die oberschenkel nimm die finger weg von mir die hände halten mich fest gebissen und deine lippen lügen doch nicht ohne stimme bleibt zurück gelassen ist sie nicht verloren gegangen zwischen den bergen nichts mehr als ein widerhall holt über schlagen sich die worte sind einander gleich gestammelt und verdoppelt das ende dieser worte sind ja viel zu viel gewechselt

Jean: Da sind Roger und Alice, die auf dem Strand mit dem Sand spielen. Gehen wir zu ihnen! Alice: Wir haben einen kleinen Wasserlauf gemacht. Schau das Wasser, wie es fließt und unsere kleinen Papierschiffe treibt. Roger: Ich habe eine Idee. Wir wollen Brücken über den Wasserlauf bauen. Alice: So machen wir es. Bauen wir Brücken! Fritz: Wie macht man Papierschiffe? Jean: Man nimmt ein einfaches Stück Papier wie das da. Man faltet es in zwei Hälften. Das ergibt ein Doppelblatt. Man faltet es in drei Teile, und siehst du, dein Schiff ist fertig. Du siehst, das ist nicht schwierig. Wenn dein Papier zu dünn ist, dann lege drei Blätter aufeinander. Das ergibt die dreifache Dicke. Schau, Alice geht ins Wasser! René: Fritz, komm hierher, damit ich dich schwimmen lehre! So, streck die Arme aus, schlag sie zusammen, mach die Beine lang, beug die Knie, trink kein Wasser, es ist salzig. Spreize nicht die Finger, halte sie zusammen. Gut so! Jetzt Achtung vor der Welle! Versuche das Boot zu erreichen, das da zwei Meter entfernt ist! Das ist dein Ziel! Los! Noch einen kleinen Stoß! (Fritz macht alle Anstrengungen, um sein Ziel zu erreichen.) Ja, du bist da! Bravo! Er hat es fertig gebracht! Jean: Wer ist die alte Frau, die auf den Klippen hin und hergeht und dem Meer eine Faust macht? André: Das ist die Witwe eines Fischers. Das Meer hat ihr ihren Ehemann und ihre vier Kinder genommen, und jetzt ist sie verrückt geworden. Sie hat vollkommen den Verstand verloren. Sie bringt ihr Leben damit zu, die Fluten zu verfluchen. Sie schreit ihnen unaufhörlich zu: Mörder, Mörder, ich verfluche euch! Schau mit meinem Fernglas nach dem Boot da drüben auf dem Meer! Siehst du es? Jean: Ja, sehr gut. Die Sicht ist sehr klar. Ich erkenne in dem Boot drei Menschen. Das sind Matrosen, die ihrem Kriegsschiff begegnen. René: Die Sonne geht unter. Betrachte das Meer, in dem sich die roten Wolken widerspiegeln! Fritz: Ach ja, das ist sehr schön. Roger: Ich will durch das Fernglas schauen! André: Schau nur, du kleiner Naseweis!

Sir Charles, ein schlanker, sonnenverbrannter Mann mittleren Alters, trug eine alte graue Flanellhose und einen weißen Sweater. Er hatte einen leicht schlingernden Gang und hielt die Hände, während er emporstieg, halb geschlossen. Von zehn Leuten würden neun gesagt haben: ein ehemaliger Marineoffizier. Der Typ ist nicht zu verkennen. Der zehnte, scharfsichtiger, hätte vermutlich gestutzt, verwirrt durch irgendetwas Unbeschreibbares, das nicht echt wirkte. Und dann würde vor seinem Geist vielleicht ein Bild erstehen: das Deck eines Schiffes, aber nicht eines wirklichen Schiffes, eines Schiffes, begrenzt durch Vorhänge aus schwerem, dickem Gewebe. Ein Mann, Charles Cartwright, stand auf jenem Deck. Ein nicht von der Sonne stammendes Licht, das auf ihn herabflutete, Hände, die sich halb ballten, das leichte Schlingern und eine Stimme, die gemächliche, angenehme Stimme eines englischen Seemanns und Gentlemans, im Ton beträchtlich verstärkt. Nein, Sir, sagte Charles Cartwright, auf diese Frage vermag ich Ihnen leider keine Antwort zu geben. Husch! fielen die schweren Vorhänge zusammen; die Lampen flammten auf, ein Orchester setzte mit der letzten synkopenreichen Weise ein, junge Mädchen mit riesigen Schleifen im Haar fragten: Schokolade? Limonade gefällig? Der erste Akt des Stückes „Der Ruf der See", in dem Charles Cartwright den Admiral Vanstone spielte, war vorüber.

Agatha Christies Mörder war ein Schauspieler. Er war zugleich Bürger, Künstler, Rolle, Freizeitgestalter und Mörder. Als Bürger war er Psychopath, als Künstler Exhibitionist, als Rolle Admiral, als Freizeitgestalter Kriminalkommissar, als Mörder Butler. Mit seinem bürgerlichen Namen als Psychopath hieß er Charles Mugg, mit seinem Künstlernamen als Exhibitionist Sir Charles Cartwright, mit seinem Rollennamen als Admiral Vanstone, mit seinem Freizeitnamen als Kriminalkommissar Aristide Duval, mit seinem Mördernamen als Butler John Ellis. Bürger Psychopath Charles Mugg, alias Künstler Exhibitionist Charles Cartwright, alias Rolle Admiral Vanstone, alias Freizeitgestalter Kriminalkommissar Aristide Duval, alias Mörder Butler John Ellis war Schauspieler, Mime, Komödiant, Darsteller und Verkörperer. In seiner Eigenschaft als Schauspieler, Mime, Komödiant, Darsteller und Verkörperer war Bürger Psychopath Charles Mugg, alias Künstler Exhibitionist Charles Cartwright, alias Rolle Admiral Vanstone, alias Freizeitgestalter Kriminalkommissar Aristide Duval, alias Mörder Butler John Ellis ein Meister im Abbilden, im Abformen, im Ablauschen, im Abklatschen und im Abspiegeln. Als abbildender, abformender, ablauschender, abklatschender und abspiegelnder Schauspieler, Mime, Komödiant, Darsteller und Verkörperer Bürger Psychopath Charles Mugg, alias Künstler Exhibitionist Sir Charles Cartwright, alias Rolle Admiral Vanstone, alias Freizeitgestalter Kriminalinspektor Aristide Duval, alias Mörder Butler John Ellis ahmte er nach, bildete er nach, formte er nach, schuf er nach, empfand er nach. In einem Drama in drei Akten ermordete er an drei verschiedenen Orten drei Menschen. Die drei Akte hießen Argwohn, Gewißheit und Entdeckung. Die drei Orte hießen Krähennest, Melfort Abtei und Melfort Sanatorium. Die drei Opfer waren je ein Gast in Sir Cartwrights Landhaus „Krähennest", auf Sir Stranges Besitztum „Melfort Abtei", beziehungsweise Mrs. Rushbridger als Patientin des Melfort Sanatoriums mittels einer vergifteten Praline. Sir Charles Cartwrights Gäste in seinem Landhaus „Krähennest" waren Hercule Poirot, Privatdetektiv, Mr. Satterthwaite, Kunstsnob, Mr. Stephen Babbington, Pfarrer, Mrs. Margaret Babbington, Frau des Pfarrers, Sir Bartholomew, genannt Tollie Strange, Nervenarzt, Lady Mary Lytton Gore, Miss Hermione, genannt Egg Lytton Gore, Angela Sutcliff, Schauspielerin, Mr. Freddy Dacres, Ehegatte von Mrs. Cynthia Dacres, Modeschöpferin, Miss Muriel Wills, alias Anthony Astor, Bühnenschriftstellerin und Oliver Manders, Journalist. Sir Bartholomew Stranges Gäste auf seinem Besitztum „Melfort Abtei" waren Lady Mary Lytton Gore, Miss Hermione, genannt Egg Lytton Gore, Angela Sutcliff, Schauspielerin, Mr. Freddy Dacres, Ehegatte von Mrs. Cynthia Dacres, Modeschöpferin, Miss Muriel Wills, alias Anthony Astor, Bühnenschriftstellerin, Oliver Manders, Journalist, Lord Eden, Lady Eden, Sir Jocelyn Campbell und Lady Campbell. Bartholomew Strange sagte: Ich kenne Charles aus den Jugendtagen. Wir waren zusammen in Oxford, und er blieb immer derselbe, im Privatleben ein noch besserer Schauspieler als auf der Bühne. Charles spielt unentwegt. Es ist seine zweite Natur. Er geht nicht aus seinem Zimmer hinaus, sondern er macht einen Abgang.

Bisweilen jedoch liebt er einen Rollenwechsel. So sagte er vor zwei Jahren der Bühne Lebewohl, weil er sich nach einem schlichten Landleben sehnte, abseits vom Welttrubel, und seiner alten Neigung für die See leben wollte. Kurz entschlossen baute er sich dieses Heim, seiner Auffassung von einem schlichten Landhäuschen. Drei Badezimmer und sämtlicher moderner Krimskrams! Schließlich ist Charles nur ein Mensch, er braucht sein Auditorium. Zwei oder drei im Ruhestand lebende Kapitäne, ein Häuflein alter Frauen und ein Pfarrer, das ist keine reichhaltige Zuschauermenge. Ich hatte damit gerechnet, daß der „einfache Naturmensch mit der Liebe zur See" sechs Monate anhalten würde; dann müßte er der Rolle überdrüssig werden, um hinterdrein vielleicht den müden Weltmann von Monte Carlo zu spielen oder meinetwegen auch einen Lord im Hochland. Er ist vielseitig und wandelbar, unser Charles!

In Anbetracht dessen, daß nun acht Personen, nämlich Sir Bartholomew, genannt Tollie Strange, Lady Mary Lytton Gore, Miss Hermione, genannt Egg Lytton Gore, Angela Sutcliff, Mr. Freddy Dacres, Mrs. Cynthia Dacres, Miss Muriel Wills, alias Anthony Astor und Oliver Manders, sowohl Gäste Sir Charles als auch Gäste Sir Bartholomews waren, muß geschlossen werden, daß der oder die von Sir Charles im „Krähennest" Ermordete entweder der Privatdetektiv Hercule Poirot, der Kunstsnob Satterthwaite, der Pfarrer Babbington oder dessen Frau Margaret gewesen sein muß, während der oder die von Sir Charles in der Mörderrolle des Butlers John Ellis auf „Melfort Abtei" Ermordete außer Lord Eden, Lady Eden, Sir Jocelyn Campbell, Lady Campbell ein oder eine der acht auf beiden Partys Erschienener oder Erschienene, nämlich entweder Sir Bartholomew, genannt Tollie Strange, oder Lady Mary Lytton Gore, oder Miss Hermione, genannt Egg Lytton Gore, oder Angela Sutcliff, oder Mr. Freddy Dacres, oder Mrs. Cynthia Dacres, oder Miss Muriel Wills, alias Anthony Aster, oder Oliver Manders gewesen sein muß.

Hercule Poirot sagte: Mon ami, nur eins vermag dieses Rätsel zu lösen, die kleinen grauen Zellen des Hirns. Er sagte: Es ist etwas geschehen! Eine Idee, eine wundervolle Idee zuckte in meinem Hirn auf. O, o, ich war ja blind! Und er schrie: Mon dieu!

le facteur

l'extérieur de la maison
l'intérieur de la maison

toit en mauvais état

le hangar

la boutique

la bague

la marchande à le sourire

le miroir

le melon

conserves

61. LEKTION

Hercule Poirot hatte den Possenreißer, den Eulenspiegel, den Hanswurst, den Hallodri, den flotten Burschen, den lustigen Kauz, den Hahn im Korb / vor lauter Deckfarbe, vor lauter Lack, vor lauter Politur, vor lauter Puder, vor lauter Schminke, vor lauter Tünche, vor lauter Verputz / in dieser Maske, in diesem Kostüm, in dieser Hülle, in dieser Larve, in dieser Verkleidung, in diesem Schleier, in diesem Behang / mit diesen Gebärden, mit diesen Tiraden, mit diesen Posen, mit diesen Phrasen, mit diesen Gesten, mit diesem blauen Dunst, mit diesem faulen Zauber / auf diesem Karneval, auf diesem Kostümfest, auf dieser Kappensitzung, auf diesem Mummenschanz, auf diesem Maskenfest, auf diesem Maskenball, auf dieser Maskerade zuerst nicht erkannt.

Er sagte: Die Maskerade als Butler machte ihn nicht notgedrungen zum Mörder. Er sagte: Rechtzeitig kehrte er nach London zurück, um in meinem kleinen Drama die Rolle zu spielen, die ich ihm vorgeschrieben hatte. Er tat indes noch mehr. Während Sir Charles seine Vergiftungsszene spielte, beobachtete ich Miss Wills Gesicht. Er sagte: Mrs. Rushbridger wurde getötet, ehe sie sprechen konnte. Wie dramatisch! Wie ähnlich den Detektivgeschichten, den Theaterstücken, dem Film! Wieder die Pappe, das Flittergold und die bemalte Leinwand! Die Oberin sagte: Es muß scheußlich geschmeckt haben. Der Junge sagte: Ein Mann in schäbiger Kleidung, ein Landstreicher offenbar, habe ihm das Telegramm zur Besorgung anvertraut.

Marie: Madame, der Briefträger kommt und bringt einen Brief. (Sie gibt ihn Madame Dupont.) Madame Dupont (zu ihrem Gatten): Madame Durand schreibt mir. (Sie liest): Viroflay, den 2. August. Liebe Madame, ich hoffe, daß Sie eine gute Reise gehabt haben und daß Sie gut im sicheren Hafen gelandet sind. Wir werden Sie in einigen Tagen in Paimpol besuchen. Sie wissen, daß wir mit unserem Haus in Chaville nicht zufrieden sind. Das Äußere ist angenehm, aber im Inneren sind die Zimmer zu breit, und die Autos wirbeln beim Vorüberfahren Staubwolken auf, die durch alle Fenster dringen. Ich habe meinen Haushalt nie vollkommen sauber halten können. Darüberhinaus war das Dach in einem schlechten Zustand. Ein Gewitter hatte es zur Hälfte zerstört. Es schützt uns weder gegen die Sonne noch gegen den Regen, und der Besitzer wollte es nicht ausbessern lassen. Ich hatte genug davon, und ich habe zu meinem Gatten gesagt, ziehen wir um und gehen wir nach Viroflay, ich habe immer schon den Wunsch gehabt, dort zu wohnen. Ich habe in der rue de la poste eine Villa gesehn, die mir gefiele. Ich habe sie gemietet, und gestern sind wir eingezogen. Wir haben einen Obstgarten und einen Hof mit einem Schuppen. Das Haus ist so groß, daß wir es noch nicht ganz eingerichtet haben. Ich habe einen sehr bequemen Schreibtisch voller Schubladen gekauft. Ich habe ihn vor das Fenster gestellt. Mir wird es hier sehr gut gehen. Der Markt ist nur zwei Schritte entfernt, in der rue Nationale. Es gibt zahlreiche Läden, worin man alles findet, Gemüse, Ringe, Schuhe, Spiegel und selbst Hüte in der Pariser Mode. Hier handelt man auch mit Hühnchen. Ich kaufe gern ein. Das ist die Stunde, in der ich die glücklichsten Gesichter sehe. Die Händler freuen sich, ihre Waren zu verkaufen, und die Kunden, sie zu kaufen. Und dann ist es Morgen, es ist kühl, man begegnet seinen Freunden, man plaudert einen Augenblick, man verläßt sich lächelnd, man trifft sich mit einem Lächeln wieder. Die Händler sagen mit ihrer liebenswürdigsten Stimme zu Ihnen: Madame, betrachten sie diese Melone. Wie schön ist sie, wie gut duftet sie! Drei Franken! Das ist geschenkt! Sie haben eine ungeheuere Lust nach Melonen, liebe Madame, und ihr Gatte sieht sie schon in seinen Träumen! Was machen sie also? Sie kaufen diese Melone. Sie nehmen sie mit. Sie fühlen sich ganz glücklich angesichts der Freude, die ihr Gatte empfinden wird, wenn er sie später aufschneidet. Aber diese Melone läßt mich zu weit abschweifen. Verzeihen Sie uns, liebe Madame, und glauben Sie an meine tiefe Freundschaft, Ihre Louise Durand. P.S. Im letzten Jahr habe ich Früchte eingemacht, indem ich sie trocknen ließ. In diesem Jahr werde ich sie wieder in der gleichen Weise einmachen. Ich werde auch Gemüse einmachen. Man hat mir ein sehr praktisches Mittel gezeigt, wie man im Winter frische Eier haben kann. In Paimpol werde ich Ihnen sagen, wie das geht.

Etwas verbirgt sich hinter Madame Durand. Etwas versteckt sich hinter Madame Durand. Jemand verbirgt sich hinter Madame Durand. Jemand versteckt sich hinter Madame Durand. Madame Durand verbirgt sich hinter etwas. Madame Durand versteckt sich hinter etwas. Madame Durand verbirgt sich hinter jemand. Madame Durand versteckt sich hinter jemand. Verbirgt sich etwas hinter Madame Durand? Versteckt sich etwas hinter Madame Durand? Verbirgt sich jemand hinter Madame Durand? Versteckt sich jemand hinter Madame Durand? Verbirgt sich Madame Durand hinter etwas? Versteckt sich Madame Durand hinter etwas? Verbirgt sich Madame Durand hinter jemand? Versteckt sich Madame Durand hinter jemand? Was verbirgt sich hinter Madame Durand? Was versteckt sich hinter

Madame Durand? Wer verbirgt sich hinter Madame Durand? Wer versteckt sich hinter Madame Durand? Hinter was verbirgt sich Madame Durand? Hinter wem verbirgt sich Madame Durand? Hinter wem versteckt sich Madame Durand?

Hercule Poirot sagte: Ah, qu'est-ce qu'il y a? Ein seltsamer Laut hatte ihn unterbrochen, eine Art von ersticktem Schrei. Aller Augen wandten sich Charles Cartwright zu, der mit verzerrtem Gesicht hin und her schwankte. Das Glas entfiel seiner Hand, polterte dumpf auf den Teppich. Blindlings machte er ein paar polternde Schritte und brach dann zusammen. Hercule Poirot sagte: Eine großartige schauspielerische Leistung, Sir Charles. Ich gratuliere. Er sagte: Heute abend haben wir eine dritte Tragödie gespielt, eine Scheintragödie, bei der ich Sir Charles die Rolle des Opfers übertrug. Er spielte sie hervorragend. Nehmen wir aber mal eine Minute an, es wäre keine Posse, sondern ernst gewesen. Und er sagte: Heute abend haben wir Komödie gespielt. Aber jene Tragödie kann auch im Ernst gespielt werden, wodurch sie sich in eine Tragödie verwandelt. Sir Charles zuckte die Achseln, eine übertriebene, fremde Geste. Jetzt war er wieder Aristide Duval, jenes Meisterhirn des Geheimdienstes. Und er hinkte, als er ging. Der Künstler lachte: Überlassen Sie mir das! Der Künstler lächelte: Das ist mir zu hoch! Plötzlich zog er heftig den Atem ein. Dann war Charles Cartwright der Butler Ellis geworden. Sir Charles Bleistift, die Füllfeder des Dramas, fiel genau auf den Tintenfleck. Sir Bartholomew sagte: Unwissentlich umkreist sein Geist die dramatischen Möglichkeiten. Charles Cartwright sagte: Der Wind hat sich gedreht. Nun war er wieder der Seemann. Dem aufmerksamen Mr. Satterthwaite wollte es scheinen, als ob Sir Charles sich nach der Rolle sehnte, die ihm das Schicksal verweigerte.

Ist es nun ein Etwas oder einfach ein Jemand mit dem innigen Wunsch, sich in Sicherheit oder einfach wegzubringen? Oder ist es das Insicherheitbringen oder einfach das Wegbringen eines Etwas oder eines Jemand? Ist Madame Durand die Maske für etwas oder jemand, oder ist etwas oder jemand die Maske für Madame Durand? Ist etwas die Maske für Madame Durand oder jemand, oder ist Madame Durand oder jemand die Maske für etwas? Ist jemand die Maske für Madame Durand oder etwas, oder ist Madame Durand oder etwas die Maske für jemand? Oder ist es nicht nur ein Etwas, sondern alles oder nichts? Oder vielleicht gar nicht nur ein Jemand, sondern alle oder niemand?

Hercule Poirot sagte: Ich sah, daß wenigstens zwei Personen, möglicherweise noch mehr, eine Rolle spielten. Der eine war Sir Charles. Er spielte den Seeoffizier, nicht wahr? Durchaus verständlich. Ein großer Schauspieler hört nicht etwa auf zu spielen, weil er sich nicht mehr auf der Bühne befindet. Indes, außer ihm spielte auch der junge Manders eine Rolle, die Rolle des blasierten, gelangweilten Jünglings. Charles Cartwright sagte: Ich werde dies Anwesen verkaufen. Seine Stimme sank, zaudernd, wirkungsvoll. Nach einem Abend untergeordneter Rolle rächte sich Sir Charles Egoismus. Dies war die große Szene des Verzichts, so oft von ihm in Dramen aller Art gespielt. Die Frau des anderen aufgeben, sich losreißen von dem Mädchen, das er liebte. Egg sagte: Ist das wahr? Oh, dieser Schafskopf, oh, dieser Dummerjahn! Mr. Satterthwaite dachte: Das Mädchen hats erreicht, während er neben dem langbeinigen Künstler hertrippelt. Hercule Poirot sagte: Monsieur, in diesem selben Raum war es, wo Sie mir ihr Nichtbefriedigtsein eingestanden. Und ich, ich schob es auf ihre dramatischen Instinkte. Sir Charles, zu seinem eigenen Ich zurückkehrend, sagte: Verstehen Sie? Und die Wellen von Vitalität, die von ihr ausströmten, schienen bis in den letzten Winkel des antiken Raums zu fluten. Sir Charles sagte: Cartwright ist mein Künstlername. Mein Vater hieß Mugg. Sir Charles spielte nicht mehr die Rolle des Detektivs. Er sagte: Mein liebes Kind, ich habe es stets verschmäht, alte Männer in Bärten zu spielen. Mr. Satterthwaite dachte: Welche Rolle spielt Charles Cartwright heute abend? Nicht den einstigen Seemann, nicht den internationalen Detektiv. Nein, eine neue, unbekannte Rolle. Wie ein Schlag durchzuckte es Mr. Satterthwaite, als er sich über die Art der Rolle klar wurde. Sir Charles spielte die zweite Geige.

August von Platen: Wie mancher denkt sich Virtuos und schlägt gewaltge Triller, der bloß als leere Phrase drischt, was Goethe sprach und Schiller. Goethe: Mit euch, Herr Doktor, zu spazieren, ist ehrenvoll und ist Gewinn. Schiller: Und die Sonne Homers, siehe, sie lächelt auch uns!

Jean: Mama, wir haben einen schönen Spaziergang gemacht. Madame Dupont: Wo seid ihr denn gewesen? Jean: Wir sind bis zu der großen Burg gegangen, die sich südlich von Paimpol befindet. Wir wollten noch weiter landein gehen, aber René hat es uns verboten. Wirst du es uns gestatten? Sag, Mama! Madame Dupont: Ja, wir werden in einigen Tagen gemeinsam dahin gehen. Fritz: Wir haben eine Windmühle von oben bis unten besichtigt, und wir haben im Chor gesungen:
Müllersmann, du schläfst,
deine Mühle geht zu schnell,
Müllersmann, du schläfst,
deine Mühle geht zu laut.
Alice: Und dann haben wir auch gesungen:
Bruder Jakob, Bruder Jakob,
schläfst du noch, schläfst du noch,
läute doch die Glocken, läute doch die Glocken,
bim bam bum, bim bam bum.
Roger (lebhaft): Und ich habe gesungen:
Haben die Schiffe Beine,
die auf dem Wasser gehn?

André: Aber nein, du kleines Dummchen, wenn sie ihrer hätten, dann gingen sie nicht. Fritz: Ich habe nicht genau verstanden „dann gingen sie nicht". André: Das ist die Bedingungsform des Tätigkeitswortes „gehen". Die Bedingungsform drückt aus, daß die Handlung unter einer Bedingung geschieht. Hier ist die Bedingungsform einiger Tätigkeitswörter in der Gegenwart, wenn ich reich wäre, dann wäre ich, dann hätte ich, dann zeigte ich, dann baute ich, dann erhielte ich, dann gäbe ich.

Hercule Poirot sagte zu Mr. Satterthwaite: Hätten sie nicht allzusehr auf dramatische Effekte reagiert, so wären Sie imstande gewesen, den Fall ganz allein zu lösen. Er sagte: Sie haben des Schauspielers Hirn, Sir Charles, schöpferisch, originell, immer dramatische Werte sehend. Mr. Satterthwaite hingegen hat das Hirn des Theaterbesuchers, er beobachtet die Charaktere, besitzt Gefühl für die Atmosphäre. Ich sehe nur die Tatsachen ohne dramatischen Pomp oder theatralische Effekte. Und er rief: Ah, mais c'est magnifique, ça! Die Schlußfolgerung, der Wiederaufbau, perfekt! Sir Charles lachte scherzhaft. Unbewußt spielte er seine Rolle noch immer, den luft- und windhungrigen Seemann. Er sah ungewöhnlich gut aus, und das leichte Grau an den Schläfen verlieh ihm eine gewisse vornehme Würde. Mr. Satterthwaite dachte: Schauspieler sind die eitelsten Wesen der Schöpfung.

Deckfarbige, maskierte Possenreißer mit faulen Gebärden auf Karnevalen, gelackte, kostümierte Eulenspiegel mit blauen Tiraden auf Kostümfesten, polierte, verhüllte Hanswurste mit faulen Posen auf Kappensitzungen, gepuderte, verlarvte Hallodri mit blauen Phrasen auf Mummenschänzen, geschminkte, verkleidete flotte Burschen mit faulen Gesten auf Maskenfesten, getünchte, verschleierte lustige Kauze mit blauen Dünsten auf Maskenbällen, verputzte, behängte Hähne im Korb mit faulem Zauber auf Maskeraden.

63. LEKTION

un chœur sur la place publique

le tambour
le clairon
la flûte
} instruments de musique

la réunion

le Président

Avis

Certificat

le genêt

le blé noir

la bruyère

Pfau Truthahn Puter Gockel Pinsel Gigolo Pomaden-
hengst Salontiroler Lackaffe Spinatwachtel Treppenlöwe
Fußlatscher Tintenkuli Aktenreiter Steißbeinzertrümm-
rer Grubenschuhversteckler

Mein lieber Fritz, Du kennst nun schon viele Wörter, aber
Du kennst noch nicht die, die man benutzt, um von der
Stadt und ihrer Verwaltung zu sprechen. Diese Wörter
möchte ich Dich heute lehren. Hier in Viroflay gibt es
einen ausgezeichneten Sänger, Monsieur Gosselin, der
zirka dreißig Personen, die die gute Musik lieben, um sich
versammelt hat. Man singt im Chor alte französische Weisen. Einige unserer alten Volkslieder sind sehr schön. Dieser Verein hatte bis jetzt nur für seine Mitglieder und in
einem kleinen Festsaal gesungen. Aber am letzten Sonntag hat er sich auf dem Marktplatz hören lassen. Alle Einwohner von Viroflay waren da, und ich versichere Dir,
daß sie geklatscht haben. Alle waren zufrieden. Das ist
ein Ereignis, das nicht alle Tage stattfindet. Du wirst die
Gelegenheit haben, Monsieur und Madame Gosselin singen zu hören, denn sie kommen manchmal in unser Haus.
Viroflay besitzt auch eine Musikkapelle, die alle Arten
von Instrumenten spielt, und einen Spielmannszug für Trommeln und Clairons.
Hier gibt es auch andere Vereine, unter anderen den der „Freunde der Schule",
zu dem auch ich gehöre. Wir hatten uns gestern morgen im Rathaus versammelt.
Wir waren ungefähr zu zwanzig. Wir hatten aber keine Sitzgelegenheiten. Nur
Monsieur Debray, der den Vorsitz führte, hatte einen. Die Sitze waren von einem
anderen Verein, der sich in einem Saal neben dem unseren versammelt hatte, weg-
genommen worden. In diesem Verein gaben alle Mitglieder ihre Meinung zur
gleichen Zeit kund, so daß sie sich nicht verstehen konnten. Die einen schrien:
„Sehr gut! Sehr gut!" „Sehr schlecht! Sehr schlecht!" protestierten die anderen.
In diesem Verein gibt es nicht die gleiche Eintracht wie in dem unseren. Unsere
Versammlung hat eine Stunde gedauert. Nicht alle Mitglieder nahmen teil. Es war
keine Generalversammlung. Diese wird in zwei Monaten stattfinden. Monsieur
Debray wird von neuem Präsident werden, obwohl er nicht als Kandidat aufge-
stellt ist. Der Bürgermeister ist nicht allein im Rathaus. Neben sich hat er die
Stadträte. Die Versammlung dieser Räte nennt man den Stadtrat. Die Stadträte

werden direkt vom Volk gewählt. Alle Franzosen, die mindestens einundzwanzig Jahre alt sind, sind Wähler. Die Wahlen finden alle vier Jahre statt. Unter sich wählen die Stadträte einen zum Präsidenten, das ist der Bürgermeister. In Viroflay sind der Bürgermeister und die Stadträte immer im Einverständnis darüber, daß das Gemeinwohl vor dem Einzelwohl geht. — Meine herzlichen Grüße an Duponts und auf bald, L. Durand. P.S. Unser Dienstmädchen hat uns verlassen, um sich in seiner Heimat zu verheiraten. Beim Weggang hat sie mich um ein Zeugnis gebeten. Ich habe es folgendermaßen abgefaßt: „Ich bescheinige, daß Mademoiselle Legros sechs Monate lang in meinen Diensten stand und daß sie sich immer sehr arbeitsam, sehr ehrenhaft und sehr diensteifrig gezeigt hat."

Monsieur Durand lehrt Wörter. Monsieur Durand lehrt Wörter einer Sprache. Monsieur Durand lehrt den Gebrauch von Wörtern einer Sprache. Monsieur Durand lehrt die Bedeutung von Wörtern durch ihren Gebrauch in der Sprache. Er sagt: gut, und gut ist gut. Er sagt: schlecht, und schlecht ist schlecht. Monsieur Durand lehrt die Bedeutung von Wörtern durch ihren rechten Gebrauch in der Sprache. Fritz lernt Wörter. Fritz lernt Wörter einer Sprache. Fritz lernt den Gebrauch von Wörtern einer Sprache. Fritz lernt die Bedeutung von Wörtern durch ihren Gebrauch in der Sprache. Er sagt: gut, und gut ist gut. Er sagt: schlecht, und schlecht ist schlecht. Fritz lernt die Bedeutung von Wörtern einer Sprache durch ihren rechten Gebrauch in der Sprache. Monsieur Durand spricht Wörter. Monsieur Durand spricht Wörter einer Sprache. Monsieur Durand spricht die Bedeutung von Wörtern durch ihren rechten Gebrauch in der Sprache. Er sagt: gut, und gut ist gut. Er sagt: schlecht, und schlecht ist schlecht. Monsieur Durand spricht die Bedeutung von Wörtern durch ihren rechten Gebrauch in der Sprache. Fritz hört Wörter. Fritz hört Wörter einer Sprache. Fritz hört den Gebrauch von Wörtern einer Sprache. Fritz hört die Bedeutung von Wörtern durch ihren Gebrauch in der Sprache. Er sagt: gut, und gut ist gut. Er sagt: schlecht, und schlecht ist schlecht. Fritz hört die Bedeutung von Wörtern durch ihren rechten Gebrauch in der Sprache. Monsieur Durand verständigt sich mit Wörtern. Monsieur Durand verständigt sich mit Wörtern einer Sprache. Monsieur Durand verständigt sich mit dem Gebrauch von Wörtern einer Sprache. Monsieur Durand verständigt sich mit der Bedeutung von Wörtern durch ihren Gebrauch in der Sprache. Er sagt: gut, und gut ist gut. Er sagt: schlecht, und schlecht ist schlecht. Monsieur Durand verständigt sich mit der Bedeutung von Wörtern durch ihren rechten Gebrauch in der Sprache. Fritz versteht Wörter. Fritz versteht Wörter einer Sprache. Fritz versteht den Gebrauch von Wörtern einer Sprache. Fritz versteht die Bedeutung von Wörtern durch ihren Gebrauch in der Sprache. Er sagt: gut, und gut ist gut. Er sagt: schlecht, und schlecht ist schlecht. Fritz versteht die Bedeutung von Wörtern durch ihren rechten Gebrauch in der Sprache. Monsieur Durand und Fritz sagen also: gut, und gut ist gut. Sie sagen: schlecht, und schlecht ist schlecht. Aber wenn Durand und Fritz sagen: gut, dann ist es das Wort gut, das das Wort gut ist, und wenn Monsieur Durand und Fritz sagen: schlecht, dann ist es das Wort schlecht, das das Wort schlecht ist. Erst der Gebrauch des Wortes gut, das das Wort gut ist, und der Gebrauch des Wortes schlecht, das das Wort schlecht ist, ist die Bedeutung des Wortes gut und die Bedeutung des Wortes schlecht in der Sprache. Also bedeutet das Wort gut nicht nur das Wort gut, sondern gut, und das Wort schlecht bedeutet nicht nur das Wort schlecht, sondern schlecht.

Friedrich Rückert: Was weder gut noch schlecht, ist schlechter mir als beide. Johann Kaspar Lavater: Gut ist gut. Goethe: Schlecht und modern!

Daraus geht nun hervor, daß der Gebrauch des Wortes gut und der Gebrauch des Wortes schlecht in der Sprache dem Gebrauch eines Zeigefingers und dem Gebrauch eines Fingerzeigs entsprechen. Als Zeigefinger zeigen und fingern die Wörter gut und schlecht die Dinge, die so passieren, und als Fingerzeige fingern und zeigen sie die Stunde, die geschlagen hat. Monsieur Durand also zeigt mit den Wörtern gut und schlecht das Bild dieser Welt und fingert mit den Wörtern die Welt dieses Bildes. So wie das Wort gut dasselbe wie das Wort gut ist, und so wie das Wort schlecht dasselbe wie das Wort schlecht ist, so ist gut etwas anderes als schlecht, und schlecht ist etwas anderes als gut durch das Vorhandensein des Weltbildes unter dem Säbel und dem Gewehr. Folglich ist die Bedeutung von Wörtern durch ihren Gebrauch in der Sprache, die Monsieur Durand sprechend zur Verständigung lehrt, und die Fritz hörend zum Verstehen lernt, eindeutig. So wie gut gut und so wie schlecht schlecht ist, so ist gut nicht schlecht und so ist schlecht nicht gut durch die Bildwelt des Weltbildes und das Weltbild der Bildwelt.

Aus diesem Grunde konnte Miss Mills, die Bühnenschriftstellerin, zu Sir Charles Cartwright, dem Schauspieler und Mörder sagen: Meine Mutter wird sich vor Glück nicht fassen können, wenn sie von Ihrem Besuch erfährt. Sie schwärmt für das Theater, besonders für die Stücke, die einen romantischen Einschlag haben. Von dem Stück, in dem Sie den Erbprinz spielten, der an einer kleinen Universität studiert, redet sie noch jetzt oft. Und Oberst Johnson sagte: Meine Frau ist eine leidenschaftliche Theaterfreundin und eine ebenso leidenschaftliche Bewunderin Ihrer Kunst. Auch ich liebe ein gutes Theaterstück. Eine gute, saubere Sache, verstehen Sie? Den Dreck, den sie heute aufführen, pfui! Und Inspektor Crossfield sagte: Ich sah Sie in London, Sir. „Lord Aintrees Dilemma" hieß das Stück. Ganz oben auf der Galerie haben wir gesessen, meine Frau und ich, und zwei Stunden standen wir vor der Kasse, um nur noch eine Karte zu bekommen. Oh, wir hätten auch vier Stunden gestanden, Sir! Es war im Pall Mall Theater. Und Mrs. Babbington, die Witwe des von Charles Cartwright ermordeten Pfarrers

Stephen Babbington, sagte: Wir hatten beide Angela Sutcliff vor fünf Jahren in London auf der Bühne gesehen, und Stephen sowohl als auch ich wurden ganz aufgeregt bei dem Gedanken, daß wir sie nun kennenlernen würden. Künstlerinnen oder Künstler – das lag ja unserem Kreis so fern. Ich glaube, Sir Charles ahnt gar nicht, welch ein Geschenk er uns mit seiner Übersiedlung nach hier machte. Er brachte einen Hauch von Romantik in das Kleinstadtleben.

Aber das Weltbild des blinden Urwillens von Schopenhauer und des dunklen Drangs von Klages so wie seine Bildwelt mit Pflanzen und Tieren, mit Menschen, Maschinen und Robotern sind ein Weltbild und eine Bildwelt aus Latten und Pappe, aus Farbe und Lack. Das Weltbild, das ein Weltbild des blinden Urwillens und des dunklen Drangs ist, ist als Weltbild aus Latten und Pappe, aus Farbe und Lack trübe und undurchsichtig so wie auch die Bildwelt mit Pflanzen und Tieren, mit Menschen, Maschinen und Robotern als Bildwelt aus Latten und Pappe, aus Farbe und Lack trübe und undurchsichtig ist, weil Pflanzen und Tiere, Menschen, Maschinen und Roboter nach dem blinden Urwillen von Schopenhauer und dem dunklen Drang von Klages wachsen und funktionieren. Blinder Urwille und dunkler Drang, welche Pflanzen und Tiere, Menschen, Maschinen und Roboter hinter bemalten Kulissen wachsen und funktionieren lassen, sind trübe und undurchsichtig und folglich noch nicht aufgeklärt. Zur Aufklärung dieses blinden und dunklen Weltbildes aber wird die Bedeutung von Wörtern durch ihren Gebrauch in der Sprache gelehrt. Da nun aber die Bedeutung der Wörter gut und schlecht durch ihren Gebrauch in der Sprache, die Monsieur Durand sprechend zur Verständigung lehrt, und die Fritz hörend zum Verstehen lernt, eindeutig ist, weil Schopenhauers blinder Urwille und Klages' dunkler Drang die Pflanzen und Tiere, die Menschen, Maschinen und Roboter wachsen und funktionieren läßt, wird diese Bedeutung der Wörter gut und schlecht durch einen anderen Gebrauch in der Sprache zweideutig, weil nun nicht mehr Schopenhauers blinder Urwille und Klages' dunkler Drang die Pflanzen und Tiere, die Menschen, Maschinen und Roboter wachsen und funktionieren läßt, sondern etwa der freie Blick von Feuerbach und die reine Vernunft von Immanuel Kant. So wie gut gut und so wie schlecht schlecht ist durch das Weltbild des blinden Urwillens von Schopenhauer und des dunklen Drangs von Klages, so ist auch gut gut und so ist auch schlecht schlecht durch das Weltbild des freien Blicks von Feuerbach und der reinen Vernunft von Immanuel Kant. Aber da nun das Weltbild des blinden Urwillens und des dunklen Drangs nicht dasselbe ist wie das Weltbild des freien Blicks und der reinen Vernunft, ist auch gut nicht nur gut, sondern auch schlecht, und ist schlecht nicht nur schlecht, sondern auch gut durch die Verschiedenheit der beiden Weltbilder. Deshalb nimmt Monsieur Durand Fritz in die Finger. Fritz frißt ihm aus der Hand. Monsieur Durand nimmt Fritz ins Gebet. Fritz betet ihm nach. Monsieur Durand behaut Fritz aus dem Groben. Fritz ist in Form. Monsieur Durand fühlt Fritz auf den Zahn. Fritz ist ihm in Fleisch und Blut übergegangen. Monsieur Durand zeichnet Fritz den richtigen Weg vor. Fritz hat ihn an den Schuhsohlen abgelaufen. Monsieur Durand schärft Fritzens Geist. Fritz sitzt zu seinen Füßen. Monsieur Durand ist für Fritz das A und O der Wissenschaft. Fritz liegt an ihren Brüsten.

Matthias Claudius: Laß dich durch Schmeichler nicht verführen und glaube ihnen nicht. Shakespeare: Wer ist so fest, den nichts verführen kann? Goethe: Denn von oben kommt Verführung, / wenns den Göttern so beliebt.

Kuttenträger und Schlauköpfe Schwarzkittel und Blackscheißer Seelenhändler und Papiertiger Medizinmänner und Tintenlecker Kanzelhusaren und Eierköpfe Kommißchristusse und Hirnbestien Sündenabwehrkanonen und Fachidioten Gottesworthandlanger und Federfuchser Himmelskomiker und Gehirnakrobaten

64. LEKTION

Fritz: In der Kirche benutzt der Pfarrer viele Wörter, die ich nicht verstehe. Monsieur Durand: Ich werde dir die wichtigsten erklären. Die Christen, die den Papst als Oberhaupt der Kirche anerkennen, sind Katholiken. Die Protestanten haben sich im sechzehnten Jahrhundert von den Katholiken getrennt. Madame Dupont ist katholisch. Madame Durand ist protestantisch. Die Heiligen sind Menschen, die auf außergewöhnliche Weise Gutes getan haben. Petrus war der erste Papst. Die Katholiken glauben nicht nur an Jesus Christus und die Heilige Jungfrau Maria, sondern auch an die Heiligen, an die Engel und an die Teufel oder Dämonen. Nach dem katholischen Glauben kommen die Guten in den Himmel und die Bösen in die Hölle, wo sie ewige Qualen erwarten. Die katholischen Priester feiern die Messe jeden Tag. Die protestantischen Pfarrer lesen die Bibel in der Kirche. Die Bibel sagt, daß Gott die Welt in sechs Tagen geschaffen hat. Madame Dupont ist gläubig. Sie betet sonntags in der Kirche. Sie ist fromm. Alice verrichtet jeden Tag ihr Gebet. Fritz: Und die, die keine Religion haben? Monsieur Durand: Man nennt sie die Freidenker.

So sicher wie das Amen in der Kirche, sagte André und schlug sein Kreuz auf den Tisch. Jean bediente und gab die Hoffnung nicht auf. Monsieur Dupont hatte eine Zigarre angebrannt und stieß den Rauch in dichten Wolken über den Tisch. Der Rauch wälzte sich über die Karten der Männer und verfing sich hinter André in den Gardinen und hinter Jean in dem Gewebe des Häkeldeckchens. Er stieg René in die Augen, aber Monsieur Dupont sagte: Euere Tränen werden getrocknet werden. Auch er brachte ein Kreuz auf den Tisch. Madame Dupont strich ein Streichholz an und entzündete die dicke gelbe Kerze, die auf dem gehäkelten Deckchen stand. Der Eichenholzkasten mit dem Häkeldeckchen glühte jetzt im gleichmäßigen Schein der Kerze auf. Das Deckchen lag flach auf dem Kasten, von der Kerze troff das gelbe Stearin. René

legte sein Kreuz hin und sagte: Und wenn der Teufel auf Stelzen kommt. Es
war ganz still geworden im Zimmer. Die Männer zelebrierten ihre Karten, Madame Dupont bediente mit Rauchwerk und Glut. Die Kerze brannte gleich-
mäßig herunter. Unaufhörlich schmolz das Stearin und rann in gelben Tropfen
durch die Rillen des gedrehten Ständers. Die Männer legten Kreuze auf den
Tisch. Monsieur Duponts Zigarrenrauch drehte sich über die Kreuze und stieg
in einem dünnen Faden nach der Decke auf. Jean spielte den letzten Trumpf
und hauchte sein Leben aus. Schade um ihn, sagte Monsieur Dupont, er war so
gut im Zuge. André erschien mit seinem Kreuz. Er sagte: Kommt alle zu mir
her, die ihr mühselig und beladen seid. Er hob sein Kreuz hoch über den Tisch,
und René machte den Sarg zu. Nichts mehr zu machen, sagte Monsieur Dupont,
er ist tot. André schmückte den Toten mit Laub. René griff nach den Blättern,
die den Haufen deckten. Monsieur Dupont sagte: Laß die Toten ruhn. Die Männer erfaßten die Kreuze und trugen Jean zu Grab.

Wer Kreuz besitzt herzt verspielte Liebe
wer Kreuz besitzt herzt liebes Spiel
wer Kreuz besitzt spielt herzliche Liebe
wer Kreuz besitzt spielt liebes Herz
wer Kreuz besitzt liebt herzliches Spiel
wer Kreuz besitzt liebt verspieltes Herz

Wer Kreuz spielt herzt besessene Liebe
wer Kreuz spielt herzt lieben Besitz
wer Kreuz spielt besitzt herzliche Liebe
wer Kreuz spielt besitzt liebes Herz
wer Kreuz spielt liebt herzlichen Besitz
wer Kreuz spielt liebt besessenes Herz

Wer Kreuz liebt herzt besessenes Spiel
wer Kreuz liebt herzt verspielten Besitz
wer Kreuz liebt besitzt herzliches Spiel
wer Kreuz liebt besitzt verspieltes Herz
wer Kreuz liebt spielt herzlichen Besitz
wer Kreuz liebt spielt besessenes Herz

Wer Kreuz herzt besitzt verspielte Liebe
wer Kreuz herzt besitzt liebes Spiel
wer Kreuz herzt spielt besessene Liebe
wer Kreuz herzt spielt lieben Besitz
wer Kreuz herzt liebt besessenes Spiel
wer Kreuz herzt liebt verspielten Besitz

Schiller: Doch der Segen kommt von oben. Fischart: Seele, bück dich, jetzt kommt ein Platzregen! Wilhelm Busch: Aber hier wie überhaupt/ kommt es anders als man glaubt.

Jeannette ist gekommen. Jeannette ist zur rechten Zeit gekommen. Jeannette ist gelegen gekommen. Jeannette ist mit gezücktem Segen gekommen. Jeannette ist entgegengekommen. René ist ihr nähergekommen. René ist mit ihr ins Gespräch gekommen. René ist mit ihr übereingekommen. René ist auf einen grünen Zweig gekommen. René läßt nichts auf sie kommen. Monsieur Dupont ist sauer angekommen. Monsieur Dupont ist ins Wanken gekommen. Monsieur Dupont ist vom Regen in die Traufe gekommen. Monsieur Dupont ist auf die Palme gekommen. Monsieur Dupont ist auf den Hund gekommen. René ist ihm auf die Spur gekommen. René ist ihm auf die Schliche gekommen. René ist ihm zuvorgekommen. René ist ihm in die Quere gekommen. René hat es drauf ankommen lassen. So ist die Sache ins Rollen gekommen. So sind sie hintereinander gekommen. So sind sie in den Schwitzkasten gekommen. So sind sie ins Gedränge gekommen. So sind sie schließlich in Stimmung gekommen. Madame Dupont ist sich dabei ganz komisch vorgekommen. Das mußte ja so kommen. Es hat eben so kommen sollen. Das durfte zwar nicht kommen. Aber das kommt davon. Madame Dupont hatte es kommen sehen. Nun mußte sie es nehmen, wie es kommt. Komme, was da wolle. Kommt Zeit, kommt Rat. René kommt nicht zur Besinnung. Monsieur Dupont kommt zu einem Entschluß. René kommt nicht zu sich. Monsieur Dupont kommt zur Sache. René kommt in den siebten Himmel. Monsieur Dupont kommt hinter sein Geheimnis. René kommt nicht von Jeannette los. Monsieur Dupont kommt ihm auf den Kopf. René kommt um seinen Schlaf. Monsieur Dupont kommt ihm auf die Kappe. So kam schließlich die Stunde heran. Sie kam wie gerufen. Es kam zum Vorschein. Nun kam es drauf an. Kam jemand zu Schaden? Jeannette ist nicht schlecht weggekommen. Sie ist nicht zu schlechten Eltern gekommen. Sie ist nicht übel angekommen. Wenns hoch kommt, kommt sie in Bewegung. Sie kommt von der Stelle. Ein ewiges Kommen und Gehen. Mal kommt es in Wegfall, mal kommt es in Brauch. Sie kommt zu dem Schluß, daß es an den Tag kommt. Dann kommt sie unter die Haube. Dann kommt sie unter den Hammer. Kommt es heut nicht, kommt es morgen. Aber wie ist es dazu gekommen? René sagte: Ich bin mit einem blauen Auge davongekommen. Monsieur Dupont sagte: Das ist mir teuer zu stehen gekommen. Madame Dupont sagte: Fast wäre es ja anders gekommen. André sagte: Mir ist sie nicht vor den Schuß gekommen. Jean sagte: Ich bin nicht mit ihr in Berührung gekommen. Roger sagte: Mir ist sie zu dumm gekommen. Suzanne sagte: Das alles ist von Herzen gekommen. Alice sagte: Das wäre mir nicht in den Sinn gekommen. Jeannette sagte: Beinahe wäre ich zu Fall gekommen. Fritz Hickel sagte: Und ich, ich bin diesmal zu kurz gekommen.

184

Lukas 21, Vers 26: Warten der Dinge, die da kommen. Konrad Pfeffel: Das Warten soll mich nicht verdrießen. Charles Bronson: Irgendeiner wartet immer.

(André begleitet Fritz in die Kirche von Paimpol.) Ein Bettler: Eine kleine Gabe, bitte. (Fritz gibt dem Bettler ein Almosen.) André (zu Fritz): Du hast gut getan, diesem alten Mann ein Almosen zu geben. Er kann nicht mehr arbeiten und ist gezwungen, zu betteln. Er hat niemanden mehr um sich herum als seinen treuen Hund, das einzige Wesen, das ihn nicht verlassen hat. Man muß den Unglücklichen immer beistehen. Fritz (auf den Turm der Kirche zeigend): Der Glockenturm des Straßburger Münsters ist viel höher. André: Das ist wahr. Es gibt kaum einen schöneren. Ich habe ihn in Straßburg sehr bewundert. (Sie treten in die Kirche ein.) André: Der Priester predigt. Hör seine Predigt! Pfarrer Girard: Hört ihr nicht eine Stimme, die zu Euch sagt, das ist gut, tue es; das ist böse, tue es nicht? Diese Stimme ist das Gewissen. Aber man muß sie hören. Das Wort Gottes muß in Euch fallen wie das gute Korn in die fruchtbare Erde. Was ist nötig, damit man das gute Wort hört? Man muß bescheiden bleiben, das heißt, nahe bei der Erde. Man darf nicht den Stolz besitzen, so wie Gott zu sein. Die Stolzen, die eine hochmütige Stirn zum Himmel emporheben, werden durch die göttliche Hand niedergeschlagen werden. Diese bleiben taub vor dem guten Wort. Diese sind noch nicht bereit, es zu empfangen. Was aber sagt die Heilige Schrift?

Hercule Poirot sagte: Pah, une bagatelle! Eine Tragödie in drei Akten, und nun ist der Vorhang gefallen. Er sagte: Lassen Sie mich den Tod des alten Pfarrers den ersten Akt unseres Dramas nennen. Der Vorhang am Aktschluß fiel, als wir alle vom „Krähennest" aufbrachen. Der zweite Akt begann in Monte Carlo, als mir Mr. Satterthwaite die Zeitung mit der Todesnachricht Sir Bartholomews reichte. Damals wurde mir sofort klar, daß Sir Charles' Ansicht richtig und die meine falsch gewesen war. Späterhin erhielten diese beiden Morde eine Ergänzung durch den Mord Mrs. Rushbridgers. Was wir benötigten, ist deshalb eine vernünftige Theorie, die diese drei Todesfälle verknüpft. Mit anderen Worten, diese drei Verbrechen beging ein und dieselbe Person, und zwar zu ihrem eigenen Vorteil und Nutzen. Er sagte: Ich fühlte, daß ich nicht auf die Wirklichkeit schaute, sondern auf eine geschickt bemalte Kulisse.

Das Weltbild unter dem Säbel und dem Gewehr, das hinter dem Häkeldeckchen und dem Kerzenständer an der Wand hing, zeigte nun seine ganze Tiefe. Die gemalten Dinge und Figuren auf der Leinwand, der gemäßigte Pflanzenwuchs und die nordischen Tiere, waren um einen sitzenden Mann gruppiert. Da liegt der Hase im Pfeffer, sagte Monsieur Dupont und spielte Kreuz König. Auf dem jenseitigen Ufer eines Baches schritt ein sehr langhalsiger Hirsch, und diesseits, wo der bärtige Mann auf einer Steinplatte saß, hockten drei Feldhasen auf ihren

Hinterpfoten. Raus mit den wilden Katzen, sagte René. André sagte: Schieß keinen Bock. Der bärtige Mann auf der Felsplatte hatte gelocktes Haar und einen
zwiegeteilten Bart. Er hielt seinen Kopf in die rechte Hand gestützt und schaute
mit hochgezogenen Augenbrauen erstaunt in das Zimmer, wo Monsieur Dupont
mit seinen Knaben saß. Monsieur Dupont sagte: Den letzten beißen die Hunde.
Jean sagte: Ich habe von jedem Dorf einen Hund. Im Hintergrund des Bildes
stand eine Hirschkuh am Waldrand und blickte nach dem arroganten langhalsigen
Hirsch. Monsieur Dupont brachte sein As. Er sagte: Es ist bitter, wenn eine Kuh
weint. Die Kleinen fangen die Großen, sagte André. Jean machte den Kiebitz
und schaute André über die Schulter. Um die braune Kutte des Mannes auf dem
Felsen war ein grüner Umhang geschlungen, der in Falten über die Steinplatte
floß. Manchmal regnets, sagte André. Der Mann hielt mit seiner linken Hand ein
Ende des Umhangs über die Knie gerafft. Aus der Kutte ragten zwei nackte ha-
gere Füße. Aber rund um seinen Kopf trug er einen Strahlenkranz. Auch das
weiße Lämmchen, das zu seiner Rechten im Gras lag, trug einen solchen Strahlenkranz, der sich allerdings durch längere Strahlen als denen des Mannes aus-
zeichnete. René spielte Kreuz und sagte: Damit reißt du keine Bäume aus. Das
Lämmchen hielt die Beine ineinandergeschlungen und schaute auf den Rücken
des bärtigen Mannes. Am Arsche des Propheten, sagte André und bediente das
Kreuz. René legte sein As drauf und sagte: Den werd ich mal grade verhaften.

```
              curas y   policias
     curas y        curas y   policias y  policias
     curas y  policias y  policias y  curas
policias y        curas y  curas     y  policias
policias y  policias y  curas      y  curas
              policias y  curas
```

Hercule Poirot sagte: Die Ermordung des Pfarrers war nichts weiter als eine
Generalprobe. Er sagte: Sir Charles ist ein Schauspieler. Er gehorchte seinem
Schauspielerinstinkt. Er probierte seinen Mord aus, bevor er ihn beging. Er
sagte: Er kann sicher sein, daß, wenn die wirkliche Vorstellung kommt, alles
wie am Schnürchen laufen wird. Er sagte: Und dann ist da die Tatsache, daß
in Sir Stranges Irrenanstalt eine Frau lebt, Gladys Mary Mugg, die Frau von
Charles Mugg. Sir Charles schien plötzlich gealtert zu sein. Sein Gesicht war
das eines Greises, ein grinsendes Satyrgesicht. Charles Cartwright sagte: Gott
strafe sie. Niemals in seiner ganzen Bühnenlaufbahn hatte er mit einer solchen
beschwörenden Feindseligkeit gesprochen. Hercule Poirot sagte: Er wird
sein Abtreten wählen. Das langsame vor den Augen der Welt oder das schnelle,
fort von der Bühne.

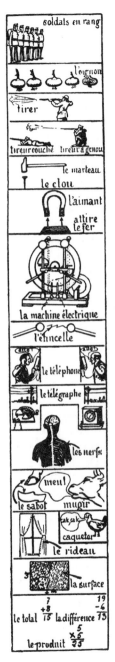

66. LEKTION

(Die Duponts sind nach Paris zurückgekehrt. André, Jean, Alice und Roger haben ihren Unterricht wieder aufgenommen. René setzt seine Medizinstudien fort. Er ist Student im zweiten Jahre. Fritz nimmt weiter seine Privatstunden bei Monsieur Durand. Er ist sehr glücklich, denn seine Eltern haben die Absicht, einige Tage in Paris zu verbringen.) Jean (zu Roger): Was machst du? Roger: Ich spiele mit meinen Soldaten. Ich stelle sie in einer Reihe nebeneinander auf wie Zwiebeln. Diese stehen aufrecht, ich habe aber auch andere in kniender Haltung. Sie schießen mit ihren Gewehren. Sie sind Schützen. Ich habe ihrer hundert. Zwanzig davon habe ich verloren. Hier ist der Rest.

Die Soldaten kamen auf den Hund.
Die Soldaten kamen unter die Räder.
Die Soldaten trugen ihre Haut zu Markte.
Die Soldaten gaben Kanonenfutter ab.
Die Soldaten blieben auf der Strecke.
Die Soldaten aßen kein Pfund Mehl mehr.
Die Soldaten mußten in die Pappelallee.
Die Soldaten zeigten ihr hippokratisches Gesicht.
Die Soldaten rochen nach Tannenholz.
Die Soldaten hörten den Kuckuck nicht mehr schreien.
Die Soldaten zogen den hölzernen Rock an.
Die Soldaten sprangen über die Klinge.
Die Soldaten pfiffen auf dem letzten Loch.
Die Soldaten kniffen den Arsch zu.
Die Soldaten bekamen einen kalten Arsch.
Die Soldaten sahen sich die Radieschen von unten an.
Die Soldaten mußten ihren Kopf hinhalten.
Die Soldaten wurden einen Kopf kürzer gemacht.
Die Soldaten kostete es ihren Kopf.
Die Soldaten gingen in die ewigen Jagdgründe ein.
Die Soldaten meldeten sich von der Verpflegung ab.
Die Soldaten bissen ins Gras.
Die Soldaten gingen zur Großen Armee.
Die Soldaten wurden zu den himmlischen Heerscharen versammelt.

187

Die Soldaten gingen in Walhalla ein.
Den Soldaten tat kein Zahn mehr weh.

Monsieur Dupont: Jean, gib mir einen Hammer. Jean: Was für einen Hammer, einen großen oder einen kleinen? Monsieur Dupont: Das ist mir gleich, irgend- einen Hammer, nicht wichtig was für einen, und zwei Nägel. Jean: Da, Papa. Was willst du machen? Monsieur Dupont: Ich werde dieses kleine Brett auf das große Brett nageln, um es zu befestigen. Danach ordne ich meine Bücher. André hat sie mir in Unordnung gebracht. Suzanne: Papa, willst du eine Tasse Tee? Monsieur Dupont: Ja, meine Tochter, aber ohne Milch. Die Milch trübt den Tee, und ich möchte ihn klar trinken. Suzanne (den Tee bringend): Der Zucker ist hart wie Stein, er will sich nicht auflösen. Roger: O, da ist ein Magnet! Er zieht Eisen an. Nicht wahr, Papa? (Eine Elektrisiermaschine zeigend): Was macht man mit dieser Maschine da? Monsieur Dupont: Man erzeugt Elektrizi- tät. Schau her! (Er dreht die Maschine, die Funken schlägt.) Sie funktioniert sehr gut. Roger: O, das ist schön! Das sieht aus wie Blitze. Gibt es in den Wolken auch Elektrisiermaschinen? Sag, Papa! Monsieur Dupont (lachend): Wenn du willst. Aber sie sind nicht aus Glas. Roger: Was macht man mit der Elektrizität? Monsieur Dupont: Man macht Licht damit. Man bringt die Straßenbahnen und die Züge zum Fahren. Man bedient sich ihrer als Wärmequelle. Die Elektrizität ist es, die uns gestattet, durch das Telefon in die Ferne zu sprechen und mit dem Telegrafen in die Ferne zu schreiben, welches auch immer die Entfernung zwischen uns und jemand anderem sein mag. Mit der Elektrizität pflegt man auch verschiedene Krankheiten, besonders die Nervenkrankheiten. Jean: Aber ruft sie nicht auch bestimmte Krankheiten hervor? Ich habe René davon spre- chen hören. Monsieur Dupont: Sie kann sogar den Tod hervorrufen. Jean: In welchem Falle? Monsieur Dupont: In dem Fall, wo sie zu stark ist. Der Blitz zum Beispiel kann mehrere Personen mit einem Schlage töten. Aber in kleinen Mengen kann die Elektrizität gute Wirkungen erzielen. Suzanne: Der Telegrafist bringt ein Telegramm. (Sie überreicht es ihrem Vater.) Wer telegrafiert? Mon- sieur Dupont: Kommen an morgen 11 Uhr Gare de l'Est. Hickel. Jean: Ich werde Fritz benachrichtigen. Er wird froh sein.

Nietzsche: Du willst nach deinen Absichten bemessen sein und nicht nach dei- nen Wirkungen? Aber woher hast du denn deine Absichten? Goethe: So fühlt man Absicht und man ist verstimmt. Johannes 9, Vers 4: Es kommt die Nacht, da niemand wirken kann.

Monsieur Durand: Kannst du mir den Sinn des Wortes „Wirkung" bestimmen? Fritz: Ja, Monsieur, die Wirkung ist das, was durch eine Ursache hervorgebracht wird. Zum Beispiel: der Blitz kann außergewöhnliche Wirkungen haben: er kann töten, Feuer zünden, Dinge bewegen. Monsieur Durand: Deine Bestimmung des

Wortes „Wirkung" ist sehr gut. In der Grammatik gibt es Fürwörter von nicht genau bestimmtem Sinn, sie heißen „unbestimmte Fürwörter". Du kennst sie jetzt fast alle. Es sind die Wörter: keiner, andere, jeder, mehrere, irgendeiner, nichts, alles.

Aber nicht keiner saß an dem Tisch, sondern Monsieur Dupont, René, André und Jean. Nicht andere waren schon zu Bett gegangen, sondern Suzanne und Alice, Roger und Fritz. Nicht jeder teilte die Karten aus, sondern Jean. Nicht mehrere reizten einander, sondern Monsieur Dupont reizte André, René reizte Monsieur Dupont. Nicht irgendeiner lag auf dem Sofa, sondern Jeannette. Nicht nichts ging in dem Zimmer vor sich, sondern ein Kartenspiel. Nicht alles war jetzt beleuchtet, sondern nur der Tisch.

Es war Licht aus einer metallenen Tüte. Es war weißes, es war hartes, es war bestimmtes Licht. Das weiße, das harte, das bestimmte Licht lag nur auf der Platte des Tisches. Die Projektion des unteren Kegelrandes schuf einen scharfen Lichtkreis, der genau auf der Tischplatte lag. Die Tischkanten als Tangenten trennten den Lichtkreis vom totalen Schatten, der den Rest des Zimmers verschluckte. Es war der quadratische Tisch. Jeannette lag auf dem Sofa und kraulte die Katze. Die Männer saßen am Tisch in der bekannten Reihenfolge, Jean, André, René. Monsieur Duponts Platz zwischen André und René war frei. Ab und zu räusperte sich Jeannette. Die Männer waren stumm bis auf das Notwendige, das sie sich durch das schamlos nackte Licht hindurch sagen mußten.

René hatte eine gewaltige Latte. Was für eine Latte, dachte er, was soll ich bloß machen? Er saß da mit seiner Latte; er hatte nie eine solche Latte gehabt. Mensch, dachte René, was denken die andern bloß von dir, du hast nie eine solche Latte gehabt. Das fällt jedem auf, dachte er, solch eine riesige Latte hätte dir nie jemand zugetraut. Jetzt schnell, dachte er, ich muß mich beeilen, sonst ist alles aus und vorbei. Aber er überstürzte es, und es ging ihm ins Auge. Die Dame lag im Kindbett. Er saß da mit seiner Latte, und die andern schauten ihm auf die Finger. Er mußte von vorn beginnen. Scheißdame im Kindbett, dachte er, ausgerechnet jetzt im Kindbett, und du sitzt da mit solch einer Latte. Die anderen waren scharf und begannen zu reizen. Er saß da mit seiner Latte, dachte an die Dame im Kindbett und mußte passen. Scheiße, dachte er, eine Latte wie nie, die Dame im Kindbett, und du mußt passen.

Das Licht der elektrischen Birne lag schamlos und nackt auf dem Tisch. Es war eine 60 Watt-Birne, und die metallene Tüte war Schuld, daß das Licht so weiß und hart war und genau auf der Tischplatte lag. Die Männer rund um den Tisch starrten auf die quadratische Platte, das heißt, Monsieur Duponts Platz war frei, und nur auf den drei übrigen Kanten des Tisches lagen die Ellbogen der Männer.

Ihre Rücken waren in den Schatten getaucht und gehörten eigentlich nicht dazu. Was sich dahinter abspielte, war nicht von Bedeutung. Die Männer hatten ihr Augenmerk nur auf den Lichtkreis gerichtet, und keinem entging eine Bewegung des andern.

André griff die Dame und legte sie auf den Tisch. René mit seiner Latte fummelte herum und wußte nicht, was er tun sollte. Die Dame lag auf dem Tisch, und René war perplex. Los, sagte André, bedien sie, worauf wartest du noch? René sah die Dame an, dachte an seine Latte, aber er konnte die Dame nicht bedienen. Die Dame ist dick, sagte André, kannst du sie nun bedienen oder nicht? René mußte beifahren, es blieb ihm nichts anderes übrig. Ich kann nicht, sagte er, ich habe kalte Füße.

Die Männer an den Tangenten des Lichtkreises achteten gegenseitig auf jede Bewegung. Die sechs Hände gingen vorsichtig um, keine verursachte eine falsche oder irreführende Bewegung. Das Licht der 60 Watt-Birne war zu grell und zu metallisch, als daß in ihm eine Unzulässigkeit hätte geschehen können. So bewegten sich die sechs Hände gemessen durch das weiße Licht, die Finger tasteten ab, sie griffen zu, sie beförderten nach verschiedenen Richtungen.

Jean brachte seinen roten Buben raus und strahlte übers ganze Gesicht. Meine Herren, sagte er, da könnt ihr euch ranhalten. René sah den roten Buben an. Mensch, dachte er, hättest du so einen roten Buben, dann wär alles gemacht. Du sitzt da mit deiner Latte und kannst nicht mit. Scheiße, dachte er, eine Latte wie nie, die Dame im Kindbett, du mußt stillhalten, und Jean bringt den roten Buben raus. André nickte und zog blank.

René brannte eine Zigarette an. Er ließ das Streichholz brennen und reichte es André. Aus den Mündern der Männer stob der blaue Rauch in den Lichtkreis und wölkte sich unter der metallenen Tüte. Das Licht verlor an Härte und Schamlosigkeit. Die Schatten des Rauchs huschten über den Tisch, aber die Finger der Männer blieben korrekt und beherrscht.

André schob seinem Bruder die Dame hin. Jeans roter Bube fiel über sie her. Ich steche sie, sagte er, und sein Knöchel krachte auf den Tisch. René blieb auf seiner Latte sitzen. Er hatte kalte Füße und mußte stillhalten. Nie hast du eine solche Latte gehabt, dachte er, und ausgerechnet jetzt ist die Dame dick und du kannst sie nicht bedienen. Jean hatte gestoßen. Sein Stoß hatte gesessen, und Renés Latte wurde noch länger.

Die Zigaretten brannten jetzt still in den Aschenbechern. Der Rauch stieg in dünnen Fäden auf und verschwand in der Metalltüte. Die Männer im Lichtkreis bewegten ihre Hände nach wie vor ruhig und sachlich. Es war keine Unsauberkeit festzustellen, jede Hinterhältigkeit der Hände, jede Fahrlässigkeit der Finger wäre in diesem weißen, diesem grellen Licht nicht unentdeckt geblieben. Die ruhigen und sachlichen Bewegungen der Hände und Finger unter der 60 Watt-Birne strahlten Bedachtsamkeit und Überlegenheit aus. Wohl war ihre ursprüngliche Frische nicht mehr wirksam, aber die Müdigkeit machte ihre Bewegungen nicht minder nobel und souverän.

Bei der nächsten Tour kam André nur bis drei. René war jetzt vorne. Er dachte an seine Latte und ging aufs Ganze. Jetzt bin ich mal an der Reihe, sagte er. Es ging einmal rund, dann sagte Jean: Los, René, Hosen runter. René dachte an seine Latte und machte die Hosen herunter. Schon faul, sagte Jean und brachte ihm einen bei.

Eine letzte Spirale aus Rauch drehte sich in die Tüte. Die Männer am quadratischen Tisch ordneten nach wie vor mit flinken Fingern und machten sich keiner Verfehlung schuldig. Das metallische Licht füllte nun wieder den Kreis aus, an dessen Tangenten die Bewegungen geschahen. Langsam und zäh gingen die Hände um, aber die Finger griffen geschickt zu und beförderten mit unverminderter Akkuratesse.

Vor dem letzten Gang mußte auch Jean passen. Er hatte nichts mehr drin, und er sagte: Tut mir leid. Aber als er die Dame sah, kam wieder Leben in seinen Buben. Ich schiebe, sagte er. Ich schiebe mit, sagte André, und René war nun wirklich am Ende. Ich mit meiner Latte, dachte er, und die beiden andern schieben. Es ging zehnmal rund. Jean und André keuchten vor Wonne, und René blieb wieder auf seiner langen Latte sitzen. Den letzten kassierte André. Jean schlug sich auf den Schenkel. Ich bin Jungfrau, sagte er. Das ist doch nicht möglich, sagte René. Mach, was du willst, sagte Jean, ich bin Jungfrau. Nicht möglich, daß du Jungfrau bist, sagte René. Jean drehte die Dame um und sagte: Schau her, schau genau her, siehst du, die Dame ist gedrückt.

Bei meiner Leibseele, sagte René. Es war halbdrei in der Nacht. Jeannette hatte Tränen in den Augen.

Wer Liebe spielt herzt besessenes Kreuz
wer Liebe spielt herzt gekreuzten Besitz
wer Liebe spielt besitzt herzliches Kreuz
wer Liebe spielt besitzt gekreuztes Herz
wer Liebe spielt kreuzt herzlichen Besitz
wer Liebe spielt kreuzt besessenes Herz

Wer Liebe herzt besitzt verspieltes Kreuz
wer Liebe herzt besitzt gekreuztes Spiel

wer Liebe herzt spielt besessenes Kreuz
wer Liebe herzt spielt gekreuzten Besitz
wer Liebe herzt kreuzt besessenes Spiel
wer Liebe herzt kreuzt verspielten Besitz

Wer Liebe besitzt herzt verspieltes Kreuz
wer Liebe besitzt herzt gekreuztes Spiel
wer Liebe besitzt spielt herzliches Kreuz
wer Liebe besitzt spielt gekreuztes Herz
wer Liebe besitzt kreuzt herzliches Spiel
wer Liebe besitzt kreuzt verspieltes Herz

Wer Liebe kreuzt herzt besessenes Spiel
wer Liebe kreuzt herzt verspielten Besitz
wer Liebe kreuzt besitzt herzliches Spiel
wer Liebe kreuzt besitzt verspieltes Herz
wer Liebe kreuzt spielt herzlichen Besitz
wer Liebe kreuzt spielt besessenes Herz

André (zu Roger): Zähle sieben und acht zusammen. Ziehe sechs von neunzehn
ab. Nehme fünf mal fünf. Teile zwölf durch vier. Roger: Die Summe von sieben
und acht ist fünfzehn. Der Unterschied zwischen sechs und neunzehn ist dreizehn. Das Produkt von fünf mal fünf ist fünfundzwanzig. Zwölf geteilt durch
vier ergibt drei. André: Beweise mir, daß das Abziehen richtig ist. Roger: Hier
ist der Beweis, dreizehn und sechs ist neunzehn. André: Ich werde dir eine kleine
Aufgabe aufgeben. Du wirst sie allein lösen. Welches ist die Fläche eines Zimmers
von drei auf vier Meter? Roger: Dieses Zimmer hat zwölf Quadratmeter. Du
siehst, daß ich die Lösung ganz allein gefunden habe.

67. LEKTION

Der Grundriß der Stadt Amaurotum ist fast quadratisch
(der Umfang der Sonnenstadt mißt sieben Meilen), denn
in der Breite erstreckt sie sich, etwas unterhalb der
Spitze des Hügels beginnend, zwei Meilen bis zum Flusse
Andydrus (denn infolge der Wölbung des Hügels umfaßt
sie mehr, als wenn sie in der Ebene läge), Amaurotum
also liegt an dem sanften Abhang eines Berges (in einer
weiten Ebene erhebt sich ein gewaltiger Hügel, über den
hin der größere Teil der Sonnenstadt erbaut ist), eine
hohe und breite Mauer mit zahlreichen Türmen und Vor-
werken umgibt die Stadt (sie ist in sieben riesige Kreise
oder Ringe eingeteilt, deshalb muß, wer die Stadt unterwerfen will, sie siebenmal erobern).

Da ist nichts zu machen. Da ist nichts zu wollen. Da
kommt man nicht bei. Sie ist unter Dach und Fach gebracht. Sie ist unter die Fittiche genommen. Sie ist unter die Glasglocke gesetzt. Unangreifbar unantastbar un-
bezwingbar uneinnehmbar unüberwindbar unzerstörbar
unverletzlich unverwüstlich wasserdicht. Sie haben einen
ruhigen und vorteilhaften Fluß. Wer eine von ihren Städten
kennt, kennt alle. Du mußt ein paar Schritte nach vorne
tun, oder du mußt ein paar Schritte zurück tun. Sie liegen
alle irgendwo, und sie liegen alle nirgendwo. Sie liegen
irgendwo ein paar Schritte nach vorne oder ein paar Schritte zurück, und sie liegen nirgendwo ein paar Schritte nach
vorne oder ein paar Schritte zurück. Das Land heißt Irgendland, oder es heißt auch Nirgendland. Es ist das Land Irgendland in Nirgendwo, und es ist das Land Nirgendland
in Irgendwo. Es ist das Land Irgendland in Irgendwo, und es ist das Land Nirgendland in Nirgendwo. Da gibt es keinen Staub, da gibt es keinen Lärm, da gibt es
keinen Gestank. Geh ein paar Schritte nach vorne, oder geh ein paar Schritte zurück. Irgendwann kommst du irgendwo an eine Straßenbiegung. Gib acht! Das
ist die Einbruchstelle in das Irgendland. An den Fenstern, auf den Balkonen, hinter den Zäunen, vor den Treppen, das sind Menschen.

Diese nämlich wundern sich, daß es einen Menschen gibt, den das trübselige Fun-
keln eines winzigen Splitters oder Steinchens Spaß macht, wo er doch die Sterne
oder sogar die Sonne selbst betrachten kann, oder der so unsinnig ist, daß er sich
wegen eines feineren Wollfadens für vornehmer dünkt, während doch diese Wolle
selbst, wie fein auch der Faden sein mag, einst ein Schaf getragen hat (alles bei
ihnen ist Gemeinbesitz). Sie verstehen es genausowenig, daß das von Natur aus so
unnütze Gold heutzutage überall in der Welt so hoch geschätzt wird, daß selbst
der Mensch, durch den und vor allem für den es diesen Wert erhalten hat, viel weniger gilt als das Gold, ja daß irgendein Bleischädel, der nicht mehr Geist als ein
Holzklotz besitzt und ebenso schlecht wie dumm ist, dennoch viele kluge und
wackere Männer in seinem Dienst haben kann, nur deshalb, weil ihm ein großer
Haufen Goldstücke zugefallen ist (denn um den Sohn zu Reichtum und Würden
zu bringen und als Erben eines großen Vermögens zu hinterlassen, werden wir
alle zu Räubern an dem Gemeinwesen).
Du mußt nur ein paar Schritte nach vorne tun, oder du mußt ein paar Schritte
zurück tun. Sie wohnen alle irgendwo, und sie wohnen alle nirgendwo. Sie wohnen irgendwo ein paar Schritte nach vorne oder ein paar Schritte zurück, und sie
wohnen nirgendwo ein paar Schritte nach vorne oder ein paar Schritte zurück.
Die Menschen heißen Irgendwer, oder sie heißen auch Nirgendwer. Es sind die
Menschen Irgendwer in Nirgendwo, und es sind die Menschen Nirgendwer in Irgendwo. Es sind die Menschen Irgendwer in Irgendwo, und es sind die Menschen
Nirgendwer in Nirgendwo. Sie leiden an keiner Seekrankheit, sie leiden an keinem Zahnweh, sie leiden an keinem Schnupfen. Geh ein paar Schritte nach vorne,
oder geh ein paar Schritte zurück. Nirgendwann kommst du nirgendwo an eine
Straßenbiegung. Gib acht! Das ist die Einbruchstelle in das Nirgendland. Wer ist
das an den Fenstern, auf den Balkonen, in den Türen, hinter den Zäunen, vor den
Treppen?

Nichts und alle sind immer überall
nichts und jemand sind immer überall
nichts und niemand sind immer überall

nichts und alle sind jetzt überall
nichts und jemand sind jetzt überall
nichts und niemand sind jetzt überall

nichts und alle sind nie überall
nichts und jemand sind nie überall
nichts und niemand sind nie überall

nichts und alle sind immer hier
nichts und jemand sind immer hier
nichts und niemand sind immer hier

194

nichts und alle sind jetzt hier
nichts und jemand sind jetzt hier
nichts und niemand sind jetzt hier

nichts und alle sind nie hier
nichts und jemand sind nie hier
nichts und niemand sind nie hier

nichts und alle sind immer nirgends
nichts und jemand sind immer nirgends
nichts und niemand sind immer nirgends

nichts und alle sind jetzt nirgends
nichts und jemand sind jetzt nirgends
nichts und niemand sind jetzt nirgends

nichts und alle sind nie nirgends
nichts und jemand sind nie nirgends
nichts und niemand sind nie nirgends

(Wir sind im Dezember. Monsieur und Madame Hickel sind in Paris angekommen und im Hotel des Voyageurs abgestiegen. Monsieur Hickel ist Möbelhändler. Er ist gekommen, um Betten und Büfetts zu kaufen. Am Tag vor seiner Abreise hat er eine große Bestellung eines Eßzimmers bekommen. Den Tag nach seiner Ankunft verbringt er mit Madame Hickel bei den Duponts. Am übernächsten Tag stellt er sich in Begleitung von Monsieur Dupont und Fritz in dem Viertel von Paris ein, wo die Möbel hergestellt werden, in der Vorstadt Saint-Antoine, und besucht dort den Hersteller, der ihm seine schönsten Möbel liefert.) Monsieur Dupont (zu Fritz): Hier sind wir auf der Place de la Nation. Wir gehen in die Vorstadt Saint-Antoine hinunter. (Sie kreuzen eine Kompanie Soldaten, der eine Fahne und eine Musikkapelle vorangeht, die einen Marsch im Gleichschritt spielt. Monsieur Dupont und alle Passanten entblößen ihre Häupter vor der Fahne.) Monsieur Dupont: Du siehst, jedermann entblößt sein Haupt beim Vorbeimarsch der Fahne. Diese Soldaten sind ungefähr zweihundert an der Zahl. Sie bilden eine Kompanie. An ihrer Spitze steht ein Hauptmann, den du da vorne auf dem Pferde siehst. Vier Kompanien bilden ein Bataillon, an dessen Spitze ein Major steht. Vier Bataillone bilden ein Regiment, befehligt von einem Oberst. Dem Hauptmann zur Seite befinden sich ein Leutnant und ein Sekondeleutnant. Unter dem Befehl der Offiziere stehen die Unteroffiziere, unter deren Befehl die Soldaten stehen. Diese Kompanie rückt in die Kaserne ein, die ich dir zeigen werde.

Die Soldaten hatten ihn nicht vom Ofen gelockt, bevor sie auf den Hund kamen.
Die Soldaten waren das fünfte Rad am Wagen, bevor sie unter die Räder kamen.
Die Soldaten hatten sich das schlimmste eingehandelt, bevor sie ihre Haut zu

Markte trugen. Die Soldaten waren durch den Wolf gedreht, bevor sie Kanonen-futter abgaben. Die Soldaten waren bestellt und nicht abgeholt, bevor sie auf der Strecke blieben. Die Soldaten machten den Kohl nicht mehr fett, bevor sie kein Pfund Mehl mehr aßen. Die Soldaten hatten den Anschluß verpaßt, bevor sie in die Pappelallee mußten. Die Soldaten waren von allen guten Geistern verlassen, bevor sie ihr hippokratisches Gesicht zeigten. Die Soldaten hatten durch ein eichen Brett gesehen, bevor sie nach Tannenholz rochen. Nach den Soldaten krähte kein Hahn, bevor sie den Kuckuck nicht mehr schreien hörten. Die Soldaten waren Jacke wie Hose, bevor sie den hölzernen Rock anzogen. Die Soldaten waren ge-hupft wie gesprungen, bevor sie über die Klinge sprangen. Die Soldaten waren kei-nen Pfifferling mehr wert, bevor sie auf dem letzten Loch pfiffen. Die Soldaten waren in den Wind geredet, bevor sie den Arsch zukniffen. Die Soldaten waren für die Katz, bevor sie einen kalten Arsch bekamen. Die Soldaten hatten sich in die Brennesseln gesetzt, bevor sie sich die Radieschen von unten ansahen. Die Sol-daten waren mit ihm durch die Wand gegangen, bevor sie ihren Kopf hinhalten mußten. Die Soldaten hatten ihn verloren, bevor sie einen Kopf kürzer gemacht wurden. Die Soldaten hatten ihn bitter bezahlt, bevor es ihren Kopf kostete. Die Soldaten waren über ihre eigenen Beine gestolpert, bevor sie in die ewigen Jagd-gründe eingingen. Die Soldaten waren ins Fettnäpfchen getreten, bevor sie sich von der Verpflegung abmeldeten. Für die Soldaten war Hopfen und Malz verlo-ren, bevor sie ins Gras bissen. Die Soldaten hatten das Pulver nicht erfunden, be-vor sie zur Großen Armee gingen. Die Soldaten hatten Eulen nach Athen getra-gen, bevor sie zu den himmlischen Heerscharen versammelt wurden. Die Soldaten hatten offene Türen eingerannt, bevor sie in Walhalla eingingen. Den Soldaten half keine Pille mehr, bevor ihnen kein Zahn mehr weh tat.

Schiller: Der dem Tod ins Angesicht schauen kann, der Soldat allein ist der freie Mann. Hemingway: In früheren Zeiten sagte man, es ist süß und notwendig, fürs Vaterland zu sterben. Im modernen Krieg jedoch gibt es fürs Sterben nichts Sü-ßes und Notwendiges. Man krepiert wie ein Hund und ohne guten Grund. Gracián: Es gibt Leute, die mehr zum Hindernis als zur Zierde der Welt da sind, unnütze Möbel, die jeder aus dem Wege rückt.

(Monsieur Hickel tritt bei seinem Lieferanten ein, der ihm seine Möbel zeigt.) Der Fabrikant: Sehen Sie dieses Büfett an. Ist es nicht von einem erlesenen Ge-schmack? Ist es nicht eine bewunderungswürdige Arbeit? Es ist das Werk mei-nes besten Künstlers. Er hat es mit Liebe geschnitzt. Und sind die Schnitzereien auf diesem Schrank nicht köstlich? Das ist ein Kunstwerk von großer Schönheit. Übrigens beschäftige ich nur Künstler. Alle meine Entwerfer und Bildschnitzer kommen von der Ecole des Beaux-Arts. Monsieur Hickel: Ich wähle diese Möbel hier. Ich werde ein Warenzeichen daran machen. Der Fabrikant: Richtig. Zeichnen Sie sie. (Monsieur Hickel zeichnet sie mit einem H. Als er seine Einkäufe beendet hat, geht er mit Monsieur Dupont hinaus.) Monsieur Dupont: Da wir nun schon einmal in diesem Viertel sind, gehen wir doch ins Hospital Saint-Antoine, um René guten Tag zu sagen.

René Dupont ist nicht irgendwo und ist nicht nirgendwo, er ist weder überall noch nirgends, er ist hier. Er ist Arzt im Hospital Saint-Antoine, und er ist Sohn im Hause Dupont. René Dupont ist zu Hause. Er ist im Hospital Saint-Antoine zu Hause, und er ist zu Hause zu Hause. Er ist im Schoß der Familie Dupont. Er streckt seine Füße unter den Tisch seines Vaters, Monsieur Dupont. Er ißt aus der Hand seiner Mutter, Madame Dupont. Er hat tagtäglich seine Brüder vor der Nase, André Dupont, Jean Dupont und Roger Dupont. Er sieht seine Schwestern von Angesicht zu Angesicht, Suzanne Dupont und Alice Dupont. Er lebt im Beisein seines Großvaters, Opa Dupont. René Dupont, der nicht irgendwo und nicht nirgendwo, der weder überall noch nirgends, sondern hier ist, verliert nicht den Boden unter den Füßen. Er ist wie Sohlenleder. Im Kreis der Seinen hat er seine Zelte aufgeschlagen. Dort liegt er auf der Bärenhaut und läßt nicht locker. Monsieur Dupont sagte: Auch René hat Fuß gefaßt. Madame Dupont sagte: Auch René hat Wurzeln geschlagen. Fritz Hickel sagte: Monsieur René hält den Stich. Jeannette sagte: René folgt dem Ruf der Glocken. René hielt sie auf den Knien seines Herzens. Mit dem Hut in der Hand hatte er seine Hütte gebaut. Er blieb mit gebeugtem Knie in seinen vier Wänden und rührte sich nicht von der Stelle. René Dupont sehnte sich nicht nach irgendwo und nicht nach nirgendwo, er wollte weder überall noch nirgends, sondern er wollte tagein tagaus, jetzt und immerdar, immerfort und immerzu, fort und fort, für und für nichts anderes als hier sein.

Rainer Maria Rilke: Hiersein ist herrlich. Schiller: Hier ist nicht gut sein, laßt uns weitergehn. Johann Rist: So will ich für und für/ den Kelch des Heils erheben/ und preisen weit und breit/ dich hier.

Monsieur Dupont, Madame Dupont, René Dupont, André Dupont, Jean Dupont, Roger Dupont, Suzanne Dupont, Alice Dupont und Fritz Hickel waren hier gewesen, sind hier gewesen, waren hier, sind hier, werden hier sein und werden hier gewesen sein, weil Jeannette gekommen ist. Jeannette, die lange Zeit in der Zukunft gelegen war, ist auf Familie Dupont zugekommen. Jetzt liegt Jeannette nicht mehr in der Zukunft, sondern sie ist hier. Wenn Jeannette nicht mehr hier sein wird, dann wird sie in der Vergangenheit liegen. Aber wenn Jeannette in der Vergangenheit liegen wird, dann wird sie wieder in der Zukunft liegen, weil Familie Dupont erwartet, daß Jeannette wieder auf sie zukommen wird. Und wenn nun Jeannette wieder auf Familie Dupont zugekommen sein wird, dann wird sie wieder in der Vergangenheit liegen werden, wo sie schon einmal gelegen gewesen war und dann schließlich gelegen gewesen sein wird. So wird Jeannette Zukunft, Gegenwart und Vergangenheit sein, und Familie Dupont, die stets hier und dauernde Gegenwart ist, obgleich Monsieur Dupont, Madame Dupont, René, André, Jean, Roger, Suzanne, Alice und Fritz Hickel allezeit hier gewesen waren, hier gewesen sind, hier waren, hier sind, hier sein werden und hier gewesen sein werden, wird nicht aus dieser dauernden Gegenwart heraustreten, damit sich Jeannette immerfort aus der Zukunft in die Gegenwart, aus der Gegenwart in die Vergangenheit und aus der Vergangenheit in die Zukunft bewegen kann. Jeannette bewegt sich fortwährend aus der dauernden Gegenwart der Familie Dupont in die vollendete Gegenwart, aus der vollendeten Gegenwart in die dauernde Vergangenheit, aus der dauernden Vergangenheit in die vollendete Vergangenheit, aus der vollendeten Vergangenheit in die dauernde Zukunft, aus der dauernden Zukunft in die vollendete Zukunft, und aus der vollendeten Zukunft in die dauernde Gegenwart der Familie Dupont. Dieser Weg der fortwährenden Bewegung in der Zeit hat aber keinen Anfang und kein Ende, weil er aus der Zukunft über die Gegenwart in die Vergangenheit, aber nicht aus der Vergangenheit über die Gegenwart zurück in die Zukunft, sondern aus der Vergangenheit ohne Umweg über die Gegenwart sogleich wieder in die Zukunft führt. Denn wenn Jeannette hier und vollendete Vergangenheit gewesen war, dann wird sie unverzüglich wieder in der dauernden Zukunft liegen. Familie Dupont aber ist ihrer stets und immer gegenwärtig.

René: Roger, du bist auch schlechter gekämmt als Pépin, du mußt zum Friseur gehen. Roger: René, deine Manschetten sind schlecht gebleicht, du mußt zur Bleicherin gehen. René: Roger, dein Kragen ist schlecht gebügelt, du mußt zur Büglerin gehen. Madame Dupont: Roger, es ist neun Uhr, du mußt schlafen gehen. Es ist besser, früh aufzustehen als spät am Abend zu Bett zu gehen. Roger: Papa, noch eine Viertelstunde. Ich habe noch keinen Schlaf. Monsieur Dupont: Ich bewillige dir eine Viertelstunde, wenn du heute gut gearbeitet hast. Roger: O ja, Papa, ich habe gute Noten in der Schule bekommen; sehr gut für meine Lektion und sehr gut für meine Geschichtsarbeit. Du weißt, ich liebe die Geschichte Frankreichs sehr. Alice, rate mal, was ich in der Hand habe! Alice: Einen Bleistift? Eine Feder? Einen Knopf? Roger: Nein, einen Elefanten aus Papier. André: Wo sind Monsieur und Madame Hickel heute abend? Monsieur Dupont: In Saint-Germain bei ihren Freunden Kestner. Sie kommen gegen elf Uhr nach Paris zurück und werden am Montag wieder nach Saint-Germain fahren, um ihren Freund Guizot zu besuchen. Suzanne: Alice, du hast die Gartentür aufgelassen, geh, schließe sie zu. Alice: Es ist zu dunkel, ich wage nicht, hinauszugehen. Das Schloß ist kaputt. Jean: Ich gehe hinaus. Die Tür gehört zu meinen Obliegenheiten. Ich bin der Hausmeister des Hauses Dupont. Fritz, komm mit mir! (Er gibt ihm ein Zeichen, zu kommen.) Fritz: Nein, laß mich, ich lese die

Geschichte eines Mannes, der einen guten und einen bösen Geist hatte. Das ist sehr schön. Roger: René, was ist der Unterschied zwischen einem Pferd und einer Büglerin? Die Büglerin hat das Eisen in der Hand, und das Pferd hat es am Fuß. (Er lacht aus vollem Herzen.) Suzanne, begleite mich auf dem Klavier!

(Er singt):
Malbrough zieht aus zu Felde,
fidera, fidera, fiderelde,
Malbrough zieht aus zu Felde,
wann kommt er denn zurück?
Wann kommt er denn zurück?

71. LEKTION

Die immer gleiche Frage, nämlich die nach der Zu- und Zurückkunft, die nicht nur die Familie Dupont hinsichtlich Jeannettes, sondern auch die Heimatangehörigen hinsichtlich ihrer Soldaten sowie die verlassenen Ehefrauen hinsichtlich ihrer Ehemänner bewegt, ist eine Schicksalsfrage. Sie betrifft, wie der Name sagt, das dem Menschen von irgendwo oder nirgendwo zum Stolpern Geschickte, oder, wie der Philosoph Nicolai Hartmann sagt, das ungesuchte, ungewollte, unverschuldete Ausgeliefertsein, oder, wie der Dichter Jean-Paul Sartre sagt, die fortwährend verschwindende Kontigenz des Ansich, von der das Fürsich heimgesucht und durch die es an das Ansichsein gebunden ist, aber ohne jemals erfaßt werden zu können. Diese Zu- und Hinfälligkeit, auch Geworfenheit genannt, besteht nun ihrerseits darin, daß die menschliche Kreatur buchstäblich nicht fest auf den Beinen steht, das heißt, die Knüppel, die das Geschickte, dieses Ansich bereithält, oder besser, die das Geschickte, dieses Ansich verkörpern, geraten der Kreatur auf Schritt und Tritt zwischen die Beine, und was Wunder, wenn sie, so geworfen, stolpert und hinfällt. Aber diese gleiche Schicksalsfrage bewegt nicht nur die Familie Dupont hinsichtlich Jeannettes, sondern auch Jeannette hinsichtlich der Familie Dupont, nicht nur die Heimatangehörigen hinsichtlich ihrer Soldaten, sondern auch die Soldaten hinsichtlich ihrer Heimatangehörigen, und nicht nur die verlassenen Ehefrauen hinsichtlich ihrer Ehemänner, sondern auch die verlassenen Ehemänner hinsichtlich ihrer Ehefrauen. Sie verschont weder arm noch reich, weder jung noch alt, weder groß noch klein, weder hoch noch niedrig, weder dick noch dünn, weder Freund noch Feind, weder Front noch Heimat, weder Haus noch Hof, weder Kind noch Kegel, weder Mann noch Maus, weder urbi noch orbi. Sie bewegt die ganze Blase, alles was da kreucht und fleucht, alles was Beine hat. Alle. Jeden. Jede. Jedes. Jeden Mann. Jedermann. Jede Familie. So auch Familie Dupont. Familie Dupont ist wie jede Familie. Sie ist eine Allerweltsfamilie. Sie ist gehauen wie gestochen. Sie ist jeder anderen Familie wie aus dem Gesicht geschnitten. Aus dem selben Guß. Aus dem gleichen Holz. Vom gleichen Stamm. Wie aus einem Stück. Familie Dupont ist eine Familie von der Stange. Monsieur Dupont steht unter dem Pantoffel. Madame Dupont hat die Hosen an. René nimmt seinen Hut. André macht sich auf die Socken. Jean hat Manschetten. Roger platzt der Kragen. Suzanne hat eine weiße Weste. Alice ist aus ihren Kleidern gewachsen. Fritz Hickel streckt sich nach seiner Decke. Opa Dupont hängt seinen Mantel in den Wind. Familie Dupont ist Jacke wie Hose.

Wenn sie ausgehen, ziehen sie ein Obergewand über, das jene gröbere Kleidung verdeckt; seine Farbe ist auf der ganzen Insel dieselbe, und zwar die Naturfarbe (auf der Haut tragen sie ein weißes Hemd, darüber ein Kleid, das zugleich Rock und Hose, faltenlos und von den Schultern bis zu den Schienbeinen geschlitzt ist und ebenso vom Nabel um die Hüften bis zum Gesäß; hier wird der Schlitz mit Knöpfen, dort mit Bändern geschlossen). Daher genügt nicht nur viel weniger Wollstoff als irgendwo sonst, sondern dieser selbst ist auch viel billiger (die Hosenbeine gehen bis zu den Knöcheln hinunter). Aber noch geringer ist die Mühe mit dem Leinen, das daher noch häufiger getragen wird (die Füße bekleiden sie mit hohen Schnürstiefeln, unter die sie Strümpfe ziehen). Man sieht aber bei der Leinwand nur auf die Weiße, bei der Wolle nur auf die Sauberkeit (diese Bekleidung ist so geschickt zugeschnitten, daß man, sobald einmal der Umhang abgelegt ist, die Körperteile in ihrem Verhältnis zueinander genauestens unterscheiden kann).

(Madame Dupont und Madame Hickel machen ihre Einkäufe im Großen Kaufhaus des Louvre. Zahlreiche Waren sind ausgestellt. Es ist Ausstellungstag.) Madame Hickel: Diese Bluse würde mir gefallen. Was denken Sie darüber? Madame Dupont: Sie ist sehr schön. Neununddreißig Franken, das ist nicht teuer. Das ist eine Gelegenheit. Die Seide ist sehr weich. Die Verkäuferin (hält die Bluse in einer Bewegung voller Anmut vor Madame Hickel): Sehen Sie, Madame, diese Bluse ist sehr hübsch. Sie wird ihnen sehr gut stehen. Madame Hickel: Ich nehme sie. Die Verkäuferin: Und was noch, Madame? Madame Hickel: Ich möchte noch Taschentücher. Die Verkäuferin: Nebenan werden Sie sehr hübsche finden. (Madame Hickel kauft Taschentücher und Spitzen.) Madame Dupont: Ich muß auf eine Hochzeit gehen und habe nichts mehr anzuziehen. Ich werde ein Kleid und einen neumodischen Hut kaufen. Die Modistin ist da drüben. In diesem Kaufhaus ist man sehr gedrängt. Da gibt es immer viel Menschen. Folgen wir der Menge! Wenn sie einen mitzieht, kann man ihr nicht widerstehen. Madame Hickel: Die

Hüte, die in Paris hergestellt werden, gefallen mir besonders. (Nachdem sie ihre Einkäufe gemacht haben, bezahlen Madame Dupont und Madame Hickel an der Kasse. Der Kassierer nimmt ihren Namen und ihre Adresse auf. Man wird ihnen morgen alles liefern, was sie gekauft haben. Der Kassierer nimmt sich dieser Angelegenheiten an.

Er nimmt sie auf seine Schultern.
Er lädt sie sich auf den Hals.
Er nimmt sie in die Hand.
Er nimmt die Zügel in die Hand.
Er legt die Hand an den Pflug.
Er hat seine Hand im Spiel.
Er legt Hand an.
Er tritt in Aktion.
Er trägt Sorge dafür.
Er verdient sich die Sporen.
Er überschreitet den Rubikon.
Er besteigt das Zauberpferd.
Er sitzt auf dem fliegenden Teppich.
Er sieht eine Fata Morgana.
Er blickt nach Orplid.
Er sehnt sich nach dem Garten Eden.
Er schaut das Land, wo Milch und Honig fließt.
Er zieht ins Schlaraffenland.
Er baut Luftschlösser.
Er errichtet ein Wolkenkuckucksheim.
Er taucht in den Jungbrunnen.
Er geht ein ins Paradies.
Er ißt am Tischleindeckdich.
Er ist Hans im Glück.
Er packt den Mond mit den Zähnen.
Er holt das Blaue vom Himmel herunter.
Er ist eine Seifenblase.

Jean (zu Fritz): Liest du immer noch deine Geistergeschichten? Findest du sie denn so interessant? Fritz: Ja, sie interessieren mich sehr. Jean: Das sind keine wahren Geschichten. Das sind erfundene Geschichten. Fritz: Was bedeutet erfinden? Jean: Erfinden heißt, irgendetwas Neues machen. Zum Beispiel, man hat nicht immer Bücher gedruckt. Gutenberg hat die Buchdruckerei erfunden. Er ist ihr Erfinder. Es heißt, daß ein Mönch das Schießpulver erfunden hat. Fritz: Selbst wenn diese Geschichten erfunden sind, ich finde sie schön. Ich glaube nicht an Gespenster, aber ich liebe die Märchen. Jean: Ich glaube nur an die natürlichen Wesen, ich glaube nicht an die übernatürlichen Wesen, die die Macht haben, Gutes oder Böses zu tun. Ich kann mir nicht vorstellen, daß es die Feen aus den Märchen in Wirklichkeit gibt. Ich glaube auch nicht an die Zauberei und an die Zauberer, die Wasser in Wein verwandeln oder die die Vögel beschwören, indem sie ihnen auf der Flöte vorspielen. Hast du jemals den Hahn oder das Kaninchen mit deiner Flöte beschwören gekonnt? Sind sie dir je gefolgt, als ob du eine Zauberkraft über sie hättest, die sie gegen ihren Willen entführt? Hast du jemals einen Zauberwald gesehen, das heißt einen Wald, in dem alle plötzlich einschlafen und im Traum goldene oder diamantene Märchenschlösser sehen, oder Schätze, die wie Sonnen leuchten, einen Wald, in dem die Blätter singen und eine Musik vernehmen lassen, die dich in den siebten Himmel entführt? Ich glaube nicht einmal an die Leute, die die Gegenwart, die Vergangenheit und die Zukunft kennen. André (der aufmerksam zuhört): Du hast keine Phantasie. Sie ist es, die Wunder sehen läßt. Das Wunderland ist in deinem Kopf.

Träum nicht, sagte Monsieur Dupont zu André, du bist dran. André war von allen guten Geistern verlassen. Er sagte: Um Gottes Willen. Komm zu dir, rief René, hier auf dem Tisch fallen die Blätter. André hielt sein Laub zwischen den Fingern und zögerte mit dem Wurf. Jean gab ihm einen Stoß und sagte: Komm zurück. André sah doppelt. Er stieß mit dem Knie an das Tischbein. Der Tisch wackelte, und die Karten fielen durcheinander. René wendete das Blättchen, und Jean sagte zu André: Sesam, tu dich auf. Monsieur Dupont rückte den Tisch. Er hatte den bösen Blick und machte sein Blatt sauber. René betrachtete das Kreuz As. Er schlug die Karte und bekam ein anderes Gesicht. Tischlein, deck dich, rief Monsieur Dupont, und jetzt fielen die Blätter übereinander, André sah schwarz. Er zeigte Jean sein Rosenfeld. Abrakadabra, rief René und hexte mit seinem Laub. André war auf sein Heil bedacht. Er ordnete seine Bauernschaft und machte sein Testament. Jean las ihm aus der Hand und sagte: Jetzt mußt du dran glauben. Monsieur Dupont und René nutzten Andrés Verwirrung und tauschten die Rollen. Ihre Karten entpuppten sich, Könige und Damen traten zu Tisch, die Bauern erhoben ihre Hellebarden. André beschwor seinen Vater, aber Pik Bauer drehte den Spieß um und versetzte ihm einen Stich. Wo bin ich? rief André. Monsieur Dupont und René rissen das Luftschloß ein. Die Ecksteine fielen zusammen, die Schippen drehten sich um und um, Könige und Damen stürzten zu Boden, die Bauern gerieten auf Hinterhand. Das Bild verwandelte sich: Kreuz zu Pik, Pik zu Herz, Herz zu Karo, Karo zu Kreuz. André wußte nicht mehr, ob er Männchen oder Weibchen war.

hermes stieg in aphrodites schoß hund und katze sprangen hoch zeit vergessen die tage die stunden minuten langsam wuchs der knabe in den höhlen augen der

nymphchen spiegelten sich seine glieder puppen und bienen das weiber geschwirr
der vögel im wind aus den zweigen vom weg die pfade nach flüssen im talwärts
sieht er den teich den regungslosen die glatten najaden schon um den leib die hülle
gegürtet sein schuh stößt an keine geilen halme und binsen wahr die worte du
warst was du bist was du wirst was du siehst dich im wasser klar wasser nicht ganz
so genau so täuschst du die eigenen beine im gras wird verlangend verlangt sich
selbst seine zehen im krokus aus dem der sich selber gesehn hat sich diese noch
nicht/

aber das nymphchen salmacis saß und sah dort hin und her mit flinken augen
tagsüber nachts jede stunde immer grün die rasen spiele verschmäht sie den bogen
den pfeil den speer den sprung über windet sich nicht zu dem lauf in den bergen
birgt sie die schnellen geräte für später als ihre schwestern hockt sie noch an der
quelle und kämmt ihre strähnen von schilfrohr hängen ins wasser die weißen füße
hinab auf den grund los dem knaben scheint das gewässer lockt seine schöne gestalt mit der angel taucht er unter das nymphchen faßt seinen hals und nacken
winden sich die finger nägel heften sein fleisch an die wasser wand sich der knabe
rang mit sich selber weiß er nicht mehr wozu/

da schlang sie von hinten ihren arm und seligen leib mit brüsten sich die beiden beine schlingen sich um seine schenkel drücke von lenden aus die weiße haut und knochen in den rücken ragen ihre finger spitzen dieser brüste unter seinen schulter
blättern ihre haare der scham lippen küssen den nacken schnitt der waden um die
knie kehle gurgelt laute leise in sein ohr gehänge aus den gliedern sich die finger
hände arme beine füße zehen mit den nägeln in den fleisch teilen sich im raum ver-
schwendung dieses körpers aufgelöst die zunge in der scheide wand gefallen ineinander ohne unterschied von sich für ihn die brüste und das lange glied für glied die
ungeteilte wonne ihr die zwei wie zweige unter einer rinde gepfropft und wachsen
sich einander zusammen verstrickt mit sehnen sich nicht mehr die eine zwiegestalt
die sie aus ihm zu ihr ist sie in ihm und er in ihr ist keins von beiden beides/

nicht knabe war er mehr als mädchen trug er seine brust im körbchen war sie da
nicht mädchen mehr als knabe ihre hoden hob sie mit dem saxophonorchester im
zirkus diese doppelrolle am trapez als knabenmädchen war er sie verriet den mäd-
chenknaben ihn an sich begann der tanz als eigenpartner schlang er ihre arme sich
um ihre hüften warf er seine haare ihr um seine stirne wand sie seine beine sich um
seine lenden zwang sie ihren nabel ihm vor ihre welttheater oben ohne netz gefloch-
ten wort in wort geworden zwei in eins der halbe mann verweibt das ganze volk
klatscht beifall wenn der zwitter sich mit leichtathletischer tat und rat mal schlag
ich dir daß du nicht weißt du ob du männchen oder weibchen ist sie er sie es/

und er erkannte den und im hinuntersehn erfaßte schwindel seine stirn verlor die
falten sich die hände zum verfluchten unter wasser fest geschlossen diese leiber

nun in eins gewünscht von hermes apohrodite die künftigen geschlechter folgen in die flut aus mannsverderbenden gewässers nutzbar einen halbmann in die höhe heben die gewichte keine frau wie marilyn für 50 dollars weiße rosen im tablettentod mit 96 58 91 maß geschnitten über nacht kein mann wie mickey mit der panther hose wie jacke kein und und kein oder sondern das was ihn nicht weibs und sie nicht mannsveränderbare quelle für die funktionäre mit den spritzen des hormons gefüllt die tränen säcke zwischen bein und stein gefroren diese blicke wenn die kommission sich sie ihn zu sich her/

atempause der verwandlungskünstler spritzt die säfte aus der quelle für die zirbel drüse wächst dem weibchen arm und bein muskel schwund der brüste flach das brett zum absprung jetzt begehrt er sie den bogen den pfeil den diskus schnellt er sie die kugel über die hürden die stange meistert sie in ihm zerbricht die welt der meisterschaft der kurzen sprintstrecke abgesteckt die startblöcke stemmen diese fersen geld und lorbeer mit der fahne hoch hinauf getragen tönt die hymne jubelstürme überschütten er sie es in beiden keines sie nicht ihn nicht sie verraten und verkauft die schuhe an den nagel ewa klobukowska

Die körperlichen Lustempfindungen teilen sie in zwei Arten: Die erste besteht darin, daß ein deutliches Wohlgefühl die Sinne erfüllt (ältere Frauen und Beamte sorgen für den Liebesgenuß derer, die zu stürmisch sind und allzu sehr bedrängt werden, je nachdem sie es, insgeheim von ihnen angegangen, erfahren haben oder auf den Turnplätzen merken). Das erfolgt, wenn man den Darm entleert oder ein Kind zeugt oder eine juckende Körperstelle reibt oder kratzt. Manchmal entsteht aber auch ein Genuß, ohne daß dem Körper etwas zugeführt wird, was unsere Glieder verlangen, noch etwas genommen wird, worunter sie leiden, und der dennoch unsere Sinne durch eine zwar geheimnisvolle Gewalt, aber doch deutliche Erregung reizt, erregt und auf sich lenkt, wie von der Musik hervorgerufen wird (die aber, die sich bis zum einundzwanzigsten Lebensjahre des Beischlafs enthalten, und mehr noch die, die es bis zum siebenundzwanzigsten tun, werden in den öffentlichen Versammlungen durch Ehren und Lieder gefeiert). Die zweite Art von körperlicher Lust wollen sie in dem Zustand sehen, der auf einer ruhigen und ausgeglichenen Verfassung des Körpers beruht (da nach Art der alten Spartaner bei den Übungen auf dem Sportplatze alle, Männer und Frauen, völlig nackt sind, erkennen die Beamten, die die Aufsicht führen, wer zeugungsfähig und wer ungeeignet zum Beischlaf ist und welche Männer und Frauen ihrer körperlichen Veranlagung nach am besten zusammenpassen).

Madame Dupont (kommt vom Markt zurück und sucht ihre Schlüssel): Oh, ich habe meine Schlüssel vergessen. Wo sind sie? Hier sind wir an der Tür. Wenn dein Papa zur gewohnten Zeit heimkommt, wird mein Mittagessen nicht fertig sein. Was machen wir nun? Suzanne: Meine kleine Mama, du bist manchmal zerstreut.

Madame Dupont: Ja, ich leide manchmal unter Zerstreutheit. Meine Aufmerksamkeit ist von so vielen Dingen in Anspruch genommen. Gewöhnlich lege ich die
Schlüssel in meine Tasche. Sehen wir nach! Wir sind beim Wurstwarenhändler vor-
beigekommen. Der Gehilfe des Kolonialwarenhändlers (kommt an, die Schlüssel
in der Hand haltend): Madame, gehören diese Schlüssel Ihnen? Madame Dupont:
Aber ja, das sind meine Schlüssel. Der Gehilfe: Sie haben sie an der Kasse verges-
sen. Madame Dupont: Vielen Dank. Nehmen Sie, das ist für Sie! (Sie gibt ihm ein
Trinkgeld und kommt in den Garten zurück.) Was sehe ich? Einen Hasenkopf?
Einen zweiten! Einen dritten! Suzanne: Mama, ich bin ebenso erstaunt wie du!
Sieh mal, ein vierter Hasenkopf! Marie (das Dienstmädchen): Das war sicher der
Hund von Monsieur Pépin, der die Hasen von Mademoiselle Suzanne gefressen hat.
Am Sonntag, als Sie ausgegangen waren, habe ich Monsieur Pépin in dem Augen-
blick überrascht, als er versuchte, seinen Hund über die Mauer zu lassen.

Italienisches Sprichwort: Jeder Hund ist Löwe in seinem Haus. Französisches
Sprichwort: Wer sein Haus will rein erhalten, darf weder Weib, noch Pfaff, noch
Tauben halten. Deutsches Sprichwort: Wär auch ein Haus so groß wie der Rhein,/
gehört doch nur ein Mann und eine Frau hinein.

206

le mathématicien

le laboratoire

l'affiche

la Sorbonne

Descartes

Pascal

Pasteur

la tourterelle

73. LEKTION

Wir haben ferner ein Haus der Blendwerke, wo wir alle möglichen Gaukeleien, Trugbilder und Vorspiegelungen und Sinnestäuschungen hervorrufen. Man wird leicht begreifen, daß wir, die wir so viele Naturereignisse besitzen, die Verwunderung hervorrufen, auch den Sinnen der Menschen unendlich viel vortäuschen könnten, wenn wir sie zu Wundern herausputzen und zurichten wollten. Ja, wir haben sogar allen Brüdern unseres Hauses unter Geld- und Ehrenstrafen untersagt, etwas Natürliches durch künstliche Zurüstung wunderbar zu machen; rein und von jedem Schein und jeder falschen Wunderhaftigkeit unberührt, sollten vielmehr die Naturerscheinungen vorgeführt werden.

Monsieur Durand (zu Monsieur Hickel und Fritz, die mit ihm die Universität von Paris besichtigen): Hier sind wir in der Sorbonne. Dieser Name kommt von ihrem Gründer, Robert de Sorbon, der im dreizehnten Jahrhundert lebte. An der Sorbonne werden vor allem Professoren und Gelehrte ausgebildet. Hier werden die Naturwissenschaften gelehrt: die Physik, die Chemie, die Mathematik und die Geisteswissenschaften: die Kunst zu schreiben, zu sprechen, zu denken, die Sprachlehre, die Literatur, die toten Sprachen und die lebenden Sprachen, die Philosophie undsoweiter. Hier werden die Werke der großen französischen Philosophen und Schriftsteller studiert: Montaigne, Rabelais, Descartes, Pascal undsoweiter, sowie die der großen Dichter Frankreichs: Ronsard, Corneille, Racine, Molière, La Fontaine, Victor Hugo, Lamartine undsoweiter. Einer meiner Freunde ist hier Physikprofessor. Er ist zugleich ein großer Physiker, ein großer Chemiker und ein großer Mathematiker. Er hat das Leben der berühmtesten französischen Gelehrten beschrieben: Pascal, Denis Papin, Lavoisier und Pasteur. Er selbst ist ein Gelehrter. Ich will nachsehen, ob er in seinem Laboratorium ist. (Er verschwindet einen Augenblick, kehrt dann zurück.) Mein Freund ist nicht da. Er prüft junge Leute, die ihr Examen machen. Ich bedaure, ihn nicht getroffen zu haben. Er hätte uns mit einer elektrischen Maschine, die er erfunden hat, einige interessante Experimente gezeigt.

Was? haste was? kannste?
was haste? kannste was?
was? was haste? kannste!
was? was? kannste! haste!
was kannste? haste was?
was? kannste was? haste!

haste was? was kannste?
haste was? kannste was?
haste was? was? kannste?
haste was! kannste was!
haste? kannste? was? was?
haste? kannste was? was?

was? was haste? kannste?
was? was kannste? haste?
was haste! was kannste!
was? haste! kannste was?
was? kannste was? haste?
was? kannste? haste was?

kannste was? haste was?
kannste was? was haste?
kannste? haste? was? 'was?
kannste? haste was? was?
kannste! was haste? was?
kannste was! haste was!

Monsieur Durand: Gehen wir auf die andere Seite! Einige Professoren halten öffentliche Vorlesungen. Ah, da ist ein Anschlag! Sehen wir hin: 1. Semester,
1. Trimester, Donnerstag, Monsieur Lange, Professor für deutsche Literatur. Von
2 bis 4: Goethe in Straßburg. Gehen wir hin und hören wir Monsieur Lange. Früher, als ich noch Student war, habe ich seine Vorlesungen gehört, und ich ver-
danke ihm einen großen Teil dessen, was ich heute weiß. Da er Elsässer ist, wird
er Sie doppelt interessieren. (Sie treten in den Hörsaal ein. Studenten stehen an
der Tür und unterhalten sich mit lauter Stimme.) Mademoiselle Iwanowa (russische Studentin): Betrachten Sie diese Statue von Louis Pasteur im Hof! Drückt
sein Gesicht nicht auch seine Intelligenz aus? Monsieur Petrow (russischer Student): Ja, der Ausdruck seines Gesichtes ist wirklich das eines Gelehrten, der die
größten Probleme des Lebens studiert hat.

Ein Gelehrter lehrt Wörter. Er lehrt die Wörter blinder Urwille und dunkler Drang,
und er lehrt die Wörter freier Blick und reine Vernunft. Mit seinen gelehrten

208

Wörtern lehrt der Gelehrte Weltbilder. Er lehrt das Weltbild aus den Wörtern blinder Urwille und dunkler Drang, und er lehrt das Weltbild aus den Wörtern freier Blick und reine Vernunft. Mit seinen gelehrten Wörtern lehrt der Gelehrte das Weltbild des blinden Urwillens von Schopenhauer und des dunklen Drangs von Klages, sowie das Weltbild des freien Blicks von Feuerbach und der reinen Vernunft von Immanuel Kant. Da nun aber blinder Urwille und dunkler Drang blind und dunkel und also finster, und da freier Blick und reine Vernunft frei und rein und also klar sind, lehrt ein Gelehrter, wenn er blinden Urwillen und dunklen Drang lehrt, Finsternis, und lehrt ein Gelehrter, wenn er freien Blick und reine Vernunft lehrt, Klarheit. Lehrt nun ein Gelehrter, der die Wörter blinder Urwille und dunkler Drang lehrt, blinden Urwillen und dunklen Drang dort, wo vorher freier Blick und reine Vernunft waren, dann verfinstert er die Klarheit, lehrt aber ein Gelehrter, der die Wörter freier Blick und reine Vernunft lehrt, freien Blick und reine Vernunft dort, wo vorher blinder Urwille und dunkler Drang waren, dann klärt er die Finsternis auf. Ein Gelehrter, der also die Wörter blinder Urwille und dunkler Drang gebraucht und mit ihnen das Weltbild des blinden Urwillens von Schopenhauer und des dunklen Drangs von Klages lehrt, betreibt Verfinsterung, während ein Gelehrter, der die Wörter freier Blick und reine Vernunft gebraucht und mit ihnen das Weltbild des freien Blicks von Feuerbach und der reinen Vernunft von Immanuel Kant lehrt, Aufklärung betreibt. Verfinsterung ist folglich die Lehre eines Gelehrten, der dort, wo die Wörter freier Blick und reine Vernunft das Weltbild des freien Blicks von Feuerbach und der reinen Vernunft von Immanuel Kant gelehrt hatten, mit den Wörtern blinder Urwille und dunkler Drang das Weltbild des blinden Urwillens von Schopenhauer und des dunklen Drangs von Klages lehrt. Und Aufklärung ist folglich die Lehre eines Gelehrten, der dort, wo die Wörter blinder Urwille und dunkler Drang das Weltbild des blinden Urwillens von Schopenhauer und des dunklen Drangs von Klages gelehrt hatten, mit den Wörtern freier Blick und reine Vernunft das Weltbild des freien Blicks von Feuerbach und der reinen Vernunft von Immanuel Kant lehrt.

E.T.A. Hoffmann: Ehe wir mit der Aufklärung vorschreiten, das heißt, ehe wir die Wälder umhauen, den Strom schiffbar machen, Kartoffeln anbauen, die Dorfschulen verbessern, Akazien und Pappeln anpflanzen, die Jugend ihr Morgen- und Abendlied zweistimmig absingen, Chausseen anlegen und die Kuhpocken einimpfen lassen, ist es nötig, alle Leute von gefährlichen Gesinnungen, die keiner Vernunft Gehör geben und das Volk durch lauter Albernheiten verführen, aus dem Staate zu verbannen. Feuerbach: Bücher sind Brillen, durch welche die Welt betrachtet wird; schwachen Augen freilich nötig, zur Stützung, zur Erhaltung. Aber der freie Blick ins Leben erhält das Auge gesünder. Immanuel Kant: Reine Vernunft ist für sich allein praktisch.

Ein Gelehrter, der die Wörter blinder Urwille und dunkler Drang lehrt, einen Urwillen also, der blind und einen Drang, der dunkel ist, lehrt die Finsternis, in der
auch der Urwille dunkel und der Drang blind ist, so daß in der Verfinsterung das
Weltbild des blinden Urwillens von Schopenhauer und des dunklen Drangs von
Klages ebenso das Weltbild des dunklen Urwillens und des blinden Drangs sein
kann. Und ein Gelehrter, der die Wörter freier Blick und reine Vernunft lehrt,
einen Blick also, der frei und eine Vernunft, die rein ist, lehrt die Klarheit, in der
auch der Blick rein und die Vernunft frei ist, so daß in der Aufklärung das Weltbild des freien Blicks von Feuerbach und der reinen Vernunft von Immanuel
ebenso das Weltbild des reinen Blicks und der freien Vernunft sein kann. Weil aber
blinder Urwille und dunkler Drang ebenso blinder Drang und dunkler Urwille, so
wie freier Blick und reine Vernunft ebenso freie Vernunft und reiner Blick sein
können, muß ein Gelehrter, der diese Wörter gebraucht, die Wörter prüfen, die
er gebraucht, damit er die Bedeutung der Wörter durch ihren rechten Gebrauch
in der Sprache lehrt.

Monsieur Leblond (Student): Woraus besteht diese Prüfung? Monsieur Duval
(Student): Sie besteht aus zwei Teilen, einem schriftlichen und einem mündlichen
Teil. Die mündliche Prüfung besteht aus einer Unterhaltung in Fremdsprache mit
dem Professor. Man übersetzt auch einige schwierige Ausdrücke. Monsieur Leblond: Wann findet sie statt? Monsieur Duval: Ich erinnere mich nicht mehr genau an das Datum. Man hat es mir gesagt. Aber weil diese Prüfung mich nicht betrifft, habe ich es nicht behalten.

So wie nun die Bedeutung des Wortes gut und die Bedeutung des Wortes schlecht,
die Monsieur Durand sprechend zur Verständigung lehrt, und die Fritz hörend
zum Verstehen lernt, nicht eindeutig, sondern zweideutig, so daß gut nicht nur
gut, sondern auch schlecht, und schlecht nicht nur schlecht, sondern auch gut ist,
weil das Weltbild des blinden Urwillens und des dunklen Drangs nicht dasselbe
ist wie das Weltbild des freien Blicks und der reinen Vernunft, so ist auch Verfinsterung nicht nur Verfinsterung, und Aufklärung ist nicht nur Aufklärung.
Denn so wie blinder Urwille und dunkler Drang zu blindem Drang und dunklem
Urwillen werden, so werden sie auch zu freiem Urwillen und reinem Drang. Und
so wie freier Blick und reine Vernunft zu freier Vernunft und reinem Blick werden, so werden sie auch zu blindem Blick und dunkler Vernunft. Und freier Urwille und reiner Drang werden zu freiem Drang und reinem Urwillen, wie blinder
Blick und dunkle Vernunft schließlich zu blinder Vernunft und dunklem Blick
werden, dann nämlich, wenn Verfinsterung zur Auffinsterung, und wenn Aufklärung zur Verklärung wird. Verfinsterung wird aber zur Auffinsterung, und Aufklärung wird zur Verklärung durch den Gebrauch der Wörter in der Sprache.

Michel de Montaigne: Wir sollten fragen, welcher der nützlichere, nicht wer der gelehrtere Gelehrte wäre. Michel de Montaigne: Studiert habe ich nicht etwa, um ein Buch zu schreiben, aber ich habe immerhin studiert, weil ich eins geschrieben hatte. Wenn man das als Studieren bezeichnen will, wie ich vorgehe, ein Stückchen von einem und dann von einem anderen Autor lesen, ihre Gedanken sozusagen einmal am Kopfe und einmal an den Füßen zu packen. Michel de Montaigne: Die Bücher sind allerdings angenehm; wenn uns aber der Umgang mit ihnen um Gesundheit und Munterkeit bringt, unsere besten Bücher, lassen wir sie lieber. Ich bin der Meinung, daß ihr Nutzen diesen Verlust nicht aufwiegen könne.

Monsieur Bonin (Student): Der Verfasser dieses Buches lebte im 16. Jahrhundert. Zu dieser Zeit war es nicht einfach, ein Werk zu veröffentlichen. Monsieur Gay (Student): Ich habe gesagt, daß sich dieser Ausdruck nicht bei den klassischen Verfassern befindet. Monsieur Brun (Student, große Gebärden vollführend): Aber mein Lieber, du müßtest verrückt sein, eine solche Antwort zu geben.

Wie aber muß nun der Gebrauch der Wörter in der Sprache sein, damit Verfinsterung zur Auffinsterung, und damit Aufklärung zur Verklärung wird? Lehrte ich den rechten Gebrauch der Sprache, den rechten Gebrauch der Zeit, den rechten Gebrauch des Raumes, sprach ich die richtigen Wörter der Lehre, die richtigen Wörter der Zeit, die richtigen Wörter des Raumes, zeigte ich den rechten Gebrauch des Raumes, den rechten Gebrauch der Sprache, den rechten Gebrauch der Lehre, und räumte ich die richtigen Wörter der Zeit, die richtigen Wörter der Sprache und die richtigen Wörter der Lehre, so war es ein rechter Gebrauch der Wörter in der Sprache innerhalb der deutsch-französischen Verständigung und des Gemeinsamen Marktes zur Auffinsterung der Verfinsterung. Würde ich nun aber den falschen Gebrauch der Sprache, den falschen Gebrauch der Zeit, den falschen Gebrauch des Raumes lehren, würde ich die falschen Wörter der Lehre, die falschen Wörter der Zeit, die falschen Wörter des Raumes sprechen, würde ich den falschen Gebrauch des Raumes, den falschen Gebrauch der Sprache, den falschen Gebrauch der Lehre zeitigen, und würde ich die falschen Wörter der Zeit, die falschen Wörter der Sprache und die falschen Wörter der Lehre räumen, so wäre es ein falscher Gebrauch der Wörter in der Sprache innerhalb der deutsch-französischen Verständigung und des Gemeinsamen Marktes zur Verklärung der Aufklärung.

Monsieur Durand (zu Fritz): Bis hierher hast du nur die Gegenwart der Möglichkeitsform gelernt. Hier ist ihre Vergangenheit: es war nötig, daß ich wäre, daß ich hätte, daß ich zeigte, daß ich baute, daß ich empfing, daß ich gab.

Rechter Gebrauch der Wörter in einer Sprache ist aber der Gebrauch, der aus Verfinsterung Auffinsterung, folglich Aufklärung macht, und falscher Gebrauch der Wörter in einer Sprache ist der Gebrauch, der aus Aufklärung Verklärung, folglich Verfinsterung macht.

Wir haben große unterirdische Höhlen von verschiedener Tiefe, wir haben sehr hohe Türme, wir haben große Seen, wir haben auch viele Brunnen und künstliche Quellen zur Nachahmung natürlicher Sprudel, wir haben auch weite und geräumige Gebäude, in denen wir Nachahmungen und Vorführungen der Wettererscheinungen anstellen, wir haben ferner einige Räume, die wir „Gemächer der Gesundheit" nennen, wir haben auch schöne und geräumige Bäder aus verschiedenen Mischungen zur Heilung aller Krankheiten, wir haben auch Baumschulen und verschiedenartige große Gärten, wir haben auch Käfige und Gehege für Säugetiere und Vögel, wir haben auch besondere Fischteiche, wir haben auch besondere Plätze zur Fortpflanzung von solchen Würmern und Insekten, die euch unbekannt, aber außerordentlich nützlich sind, wir haben Weine aus Trauben, wir haben auch Heiltränke aus Aufgüssen und Mischungen, wir haben auch Wasser, die wir so herrichten, daß sie offensichtlich nahrhaft werden, wir haben Brot aus verschiedenen Getreidesorten, wir haben Lebensmittel, die wir so bearbeiten, schütteln und steril machen, daß sie die Wärme eines schwachen Magens leicht in einen gesunden Saft verwandelt, wir haben auch Laboratorien oder Offizinen zur Herstellung von Heilmitteln, wir haben auch verschiedene mechanische Künste, die euch unbekannt sind, wir haben auch Öfen verschiedener Art, wir haben auch optische Werkstätten, wir haben auch verschiedene, bei euch unbekannte Mittel entdeckt, um aus verschiedenen Stoffen arteigenes Licht hervorzubringen, wir haben auch Edelsteine aller Arten, wir haben auch akustische Werkstätten, wir haben auch Räucherwerk- und Geruchshäuser, wir haben auch eine Mechanikerwerkstatt, wir ahmen dort auch den Vogelflug nach, wir haben Schiffe und Nachen, die unter Wasser fahren, wir haben Schwimmgürtel und Tauchausrüstungen, wir haben viele ausgezeichnete Uhren, wir ahmen die Bewegungen der Lebewesen in Nachbildungen nach, wir besitzen auch noch andere, durch Gleichmaß und Feinheit ausgezeichnete Automaten, wir haben auch ein Haus der Mathematik. Der Zweck unserer Gründung ist die Erkenntnis der Ursachen und Bewegungen sowie der verborgenen Kräfte in der Natur und die Erweiterung der menschlichen Herrschaft bis an die Grenzen des überhaupt Möglichen.

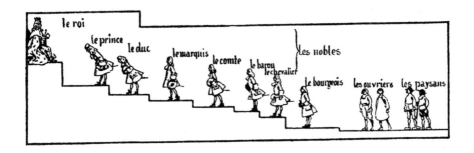

Labels in image: le roi, le prince, le duc, le marquis, le comte, le baron, le chevalier, les nobles, le bourgeois, les ouvriers, les paysans

75. LEKTION

Friedrich Schiller: Max, bleibe bei mir! Geh nicht von mir, Max!

Was wir haben, das haben wir als Besitz wie ein Stück Brot, wie einen Schluck Wasser, wie einen sanften Schlaf am Abend, oder als Verlangen wie Hunger nach Brot, wie Durst nach Wasser, wie Lust nach Schlaf, oder als Gewißheit wie eine Religion, wie eine Weltanschauung, wie einen schönen Tod. Was wir haben, das haben wir jetzt und hier im Irgendland, und wir haben es nie und nirgends im Nirgendland. Jetzt und hier im Irgendland haben wir ein Stück Brot, einen Schluck Wasser, einen sanften Schlaf am Abend als Besitz, und jetzt und hier im Irgendland haben wir Hunger nach Brot, Durst nach Wasser, Lust nach Schlaf als Verlangen, und jetzt und hier im Irgendland haben wir eine Religion, eine Weltanschauung, einen schönen Tod als Gewißheit. Aber auch nie und nirgends im Nirgendland werden wir ein Stück Brot, einen Schluck Wasser, einen sanften Schlaf am Abend als Besitz haben, und nie und nirgends im Nirgendland werden wir Hunger nach Brot, Durst nach Wasser, Lust nach Schlaf als Verlangen haben, und nie und nirgends im Nirgendland werden wir eine Religion, eine Weltanschauung, einen schönen Tod als Gewißheit haben. Obwohl wir im Irgendland als auch im Nirgendland ein Stück Brot, einen Schluck Wasser, einen sanften Schlaf als Besitz, Hunger nach Brot, Durst nach Wasser, Lust nach Schlaf als Verlangen, eine Religion, eine Weltanschauung, einen schönen Tod als Gewißheit haben und haben werden, sind Irgendland und Nirgendland nicht dasselbe. Irgendland und Nirgendland unterscheiden sich dadurch, daß wir im Nirgendland ein größeres Stück Brot, einen tieferen Schluck Wasser, einen sanfteren Schlaf als Besitz, einen größeren Hunger nach Brot, einen tieferen Durst nach Wasser, eine sanftere Lust nach Schlaf als Verlangen, eine größere Religion, eine tiefere Weltanschauung, einen schöneren Tod als Gewißheit haben werden. Aber ein größeres Stück Brot, ein tieferer Schluck Wasser, ein sanfterer Schlaf sind ein Stück Brot, ein Schluck

Wasser, ein sanfter Schlaf als Besitz, und ein größerer Hunger nach Brot, ein tieferer Durst nach Wasser, eine sanftere Lust nach Schlaf sind Hunger nach Brot, Durst nach Wasser, Lust nach Schlaf als Verlangen, und eine größere Religion, eine tiefere Weltanschᵏuung, ein schönerer Tod sind eine Religion, eine Weltanschauung, ein schöner Tod als Gewißheit. So wird das Irgendland zu einem Nirgendland, und das Nirgendland wird zu einem neuen Irgendland, und das neue Irgendland wird zu einem neuen Nirgendland werden. Gewesene Irgendländer wurden zu gewesenen Nirgendländern, gewesene Nirgendländer wurden zu Irgendländern, Irgendländer sind Nirgendländer, Nirgendländer werden zu Irgendländern, Irgendländer werden zu Nirgendländern werden.

André (zu Fritz): Frankreich hieß früher Gallien. Seine Grenzen waren die Pyrenäen und der Rhein. Ungefähr fünfzig Jahre vor Jesus Christus wurden die Gallier, geführt von Vercingétorix, von den Römern besiegt. Diese wurden von Julius Cäsar befehligt, einem großen Feldherrn, der der mächtigste Kaiser der Welt wurde. Gallien wurde ein Teil des Römischen Kaiserreiches. Zum Christentum bekehrt, hatten sie ihre Bischöfe, ihre Erzbischöfe und sogar ihre Heiligen. Im 3. Jahrhundert nach Jesus Christus hatten die Römer Gallien geordnet, Straßen gebaut und eine große Anzahl von Städten gegründet, von wo aus sie das Land regierten. Im 4. Jahrhundert wichen die römischen Legionen vor den Barbaren zurück. Gallien wurde von den Völkern germanischer Rasse überfallen, unter anderen von den Franken und von einem Volk asiatischer Rasse, den Hunnen. Die Franken hatten an ihrer Spitze Anführer oder Könige, die Herr über fast das ganze gallische Gebiet wurden. Der berühmteste von allen war Karl der Große (von 742 bis 814), der einen Teil von Spanien, von Italien, von Germanien, von Österreich und von Ungarn eroberte. Im Jahre 800 wurde er in Rom zum Kaiser über alle Völker gekrönt, die er unterworfen hatte. Er wurde infolgedessen Nachfolger der römischen Kaiser, deren Titel er übernahm.

Ich/ du/ er sie es/ wir/ ihr/ sie/ jeder/ alle/ Adalbert Albrecht Albert Adolf Alfons Alfred Alois Alwin Anselm Armin Arnold Arnulf Balduin Baldur Benno Bernhard Berthold Bert Bertram Bodo Bruno Burghard Detlef Dieter Dietrich Eberhard Eckard Eckehard Edmund Edwin Egon Erhard Erich Ernst Erwin Ferdinand Frank Franz Friedrich Fridolin Gerhard Gert Gottlieb Gottfried Günther Guido Hartmut Hasso Heinrich Hellmut Herbert Hermann Horst Hubert Hugo Karl Konrad Kuno Kurt Lebrecht Leonhard Leopold Lothar Ludolf Ludwig Manfred Meinhard Norbert Oskar Oswald Oswin Otto Otmar Ralf Raimund Reinhold Reinhard Richard Robert Roland Rüdiger Siegfried Tassilo Theobald Traugott Timm Ulrich Veit Waldemar Walter Wendelin Werner Wilhelm Willibald Adelheid Alwine Amalie Armgard Berta Brigitte Brunhilde Elfriede Emma Erika Erna Franziska Frieda Gertrud Gisela Hedwig Helma Henriette Hermine Hertha

Hildegard Ida Ilse Irmgard Isolde Karolina Kunigunde Luise Mathilde Minna Ottilie Selma Ulrike Wilhelmine sind Ursassen und Beisassen, Insassen und Hintersassen, Bürger und Häusler, Einwohner und Auswanderer, Hauswirte und Untertanen, Landleute und Hörige, Nachbarn und Fremde, Anlieger und Pächter, Pflanzer und Siedler, Städter und Dörfler, After- und Untermieter, Kötter und Genossen. Es sind Menschen. Sie haben Augen und Ohren, Mund und Nase und eine Haut. Eine ehrliche und eine faule, sie alle stecken in keiner guten, sie werden bis auf sie ausgezogen, sie müssen sie zu Markte tragen.

André (zu Fritz): Unter den Königen Frankreichs, die auf Karl den Großen folgten, sind Philippe-Auguste (von 1165 bis 1223) und der Heilige Ludwig (von 1226 bis 1270) die bekanntesten. Sie haben ihr Königreich vergrößert. Im Jahre 1337 begann England einen Krieg gegen Frankreich, der erst 1453 zu Ende war, der Hundertjährige Krieg. Die Franzosen wären unterlegen gewesen, wenn sie nicht durch ein junges Mädchen aus dem Volke, Jeanne d'Arc genannt, gerettet worden wären. Die Zeit, die zwischen 475 und 1453 verflossen ist, nennt man das Mittelalter. Zu dieser Zeit war die Geistlichkeit sehr mächtig. Der König hatte oft gegen die Fürsten, die Herzöge, die Marquis, die Grafen, die Barone und die Ritter zu streiten, die ihn, anstatt zu unterstützen, bekämpften. Diese großen Herren verbrachten ihr Leben auf der Jagd oder im Krieg, und sie empfingen in ihren Schlössern die Huldigungen ihrer Untertanen.

Ursassen und Beisassen holten und holen die Kastanien aus dem Feuer. Insassen und Hintersassen löffelten und löffeln die Suppe aus. Bürger und Häusler tanzten und tanzen nach der Pfeife. Einwohner und Auswanderer gehorchten und gehorchen jedem Wink. Hauswirte und Untertanen krümmten und krümmen den Rücken. Landleute und Hörige verkauften und verkaufen ihre Haut. Nachbarn und Fremde gingen und gehen unter der Peitsche. Anlieger und Pächter küßten und küssen die Füße. Pflanzer und Siedler leckten und lecken Speichel. Städter und Dörfler rutschten und rutschen auf den Knien. After- und Untermieter wälzten und wälzen sich im Staub. Kötter und Genossen heulten und heulen mit den Wölfen.

nicht noch
   noch mehr

noch mehr
   mehr nicht

mehr nicht
   nicht noch

noch nicht
   nicht mehr

nicht mehr
  mehr noch
mehr noch
  noch nicht

Max Scheler: Was so die Mathematik findet an Sätzen über die Beziehungen der unsinnlichen Mannigfaltigkeiten, die sie untersucht, das ist — wenn heute nicht, so morgen — seltsamerweise der strengsten Anwendung fähig auf alle realen Dinge, die in der Mannigfaltigkeit stehen. Max Bense: Immer schon sitzen ja kleine Fliegen als Schatten des Todes auf dem Händedruck süßer Gefangenheit des Bewußtseins den wir uns geben. Maxim Gorki: Trotz der Einseitigkeit seiner Lehre ist dieser märchenhafte Mensch unendlich vielseitig.

Wenn wir im Nirgendland das größere Stück Brot, den tieferen Schluck Wasser, den sanfteren Schlaf am Abend als Besitz, den größeren Hunger nach Brot, den tieferen Durst nach Wasser, die sanftere Lust nach Schlaf als Verlangen, die größere Religion, die tiefere Weltanschauung, den schöneren Tod als Gewißheit haben werden, dann ist das Nirgendland schon längst wieder zum Irgendland geworden, und das größere Stück Brot ist wieder ein Stück Brot, der tiefere Schluck Wasser ist wieder ein Schluck Wasser, der sanftere Schlaf ist wieder ein sanfter Schlaf als Besitz, der größere Hunger nach Brot ist wieder ein Hunger nach Brot, der tiefere Durst nach Wasser ist wieder ein Durst nach Wasser, die sanftere Lust nach Schlaf ist wieder eine sanfte Lust nach Schlaf als Verlangen, die größere Religion ist wieder eine Religion, die tiefere Weltanschauung ist wieder eine Weltanschauung, der schönere Tod ist wieder ein schöner Tod als Gewißheit geworden. André (zu Fritz): Frankreich wurde wieder ein großes Königreich unter Heinrich IV., unter Ludwig XIII. und vor allem unter Ludwig XIV., der von 1643 bis 1715 regierte. Frankreich war der angesehenste Staat in ganz Europa. Die königliche Macht war damals absolut. Ludwig XIV., der Sonnenkönig, wie man ihn nannte, war es, der in Versailles das Schloß hat bauen lassen, das wir dir gezeigt haben. Hier sammelte er einen glänzenden Hof von Adligen um sich, die aus allen Provinzen kamen. (Die Adelsnamen beginnen mit „de", zum Beispiel: Monsieur de Turenne, Madame de Sévigné.) Die Nachfolger des großen Königs, Ludwig XV. und Ludwig XVI. waren willenlose Herrscher. Das Volk wollte mehr Freiheit haben, und als es sie nicht erhielt, empörte es sich. Das war die Revolution. Sie begann am 14. Juli 1789 durch die Erstürmung der Bastille, dem alten Staatsgefängnis von Paris. Die Franzosen begehrten eine andere Regierungsform: die Republik.

Also wehrten und wehren sie sich ihrer/ gegen Aristokratie und Ochlokratie/ gegen Oligarchie und Monarchie/ gegen Plutokratie und Bürokratie/ gegen Theokratie und Pornokratie/ denn eine Haut braucht Luft/ sie erstickt unter dem

216

Mief dieser Decke/ unter diesem kältesten aller kalten Ungeheuer/ unter diesem untermenschlichen Wesen mit riesigem Leib und winzigem Kopf/ unter dieser Männersache/ unter dieser Wirklichkeit der sittlichen Idee/ sie verdorrt in dieser Anstalt zum Schutz/ in dieser Wiege die zum Sarg geworden ist/ und wie wollen sie diese Haut retten? / in der frischen Luft? an klarer Küste? bei ruhiger See? auf glatter Bahn? auf ebenem Weg? bei günstigem Wind? am hellen Tag? in reiner Luft? / wer wird das Universum übernehmen? fragt Allan Ginsberg/ zu Dutzenden von Millionen wären sie ebenso unerträglich, sagt Witold Wirpsza/ also Aristokratie und Ochlokratie mit Stumpf und Stiel ausrotten und den Boden für Anlieger und Pächter bereiten/ Oligarchie und Monarchie dem Erdboden gleichmachen und das Feld für Landleute und Hörige beackern/ Plutokratie und Bürokratie in Schutt und Asche legen und Luft für Städter und Dörfler schaffen/ Theokratie und Pornokratie in alle Winde zerstreuen und Samen für Pflanzer und Siedler legen/ Aristokratie und Ochlokratie Oligarchie und Monarchie über Bord werfen und Einwanderer und Auswanderer vom Stapel lassen/ Aristokratie und Ochlokratie Oligarchie und Monarchie Plutokratie und Bürokratie mit Füßen treten und Nachbarn und Fremde in Gang bringen/ Aristokratie und Ochlokratie Oligarchie und Monarchie Plutokratie und Bürokratie Theokratie und Pornokratie zu Hackfleisch machen und die Tafel für Kötter und Genossen decken.

André (zu Fritz): Aber befreit vom Königtum, gaben sie sich zunächst einen neuen Herrn, General Napoleon Bonaparte, der große Siege in Italien, in Österreich, in Preußen und sogar Ägypten errungen hatte, und der im Jahre 1804 Kaiser unter dem Namen Napoleon I. wurde. Seine Herrschaft dauerte nicht lange. Er wurde im Jahre 1815 von den Engländern und den Preußen bei Waterloo besiegt. Im Jahre 1870 brach unter Napoleon III. ein neuer Krieg zwischen Frankreich und Preußen, dem von den anderen Staaten Deutschlands Beistand geleistet wurde, herein. Die Franzosen mußten Elsaß und Lothringen abtreten und 5 Milliarden Franken an Deutschland bezahlen. Seit 1871 sind wir erneut eine Republik. Das ist die gegenwärtige Regierungsform Frankreichs. Das Ideal der Republik ist Freiheit, Gleichheit, Brüderlichkeit. Im Jahre 1914 hat Deutschland Frankreich erneut angegriffen, aber General Joffre hat sie im Jahre 1914 an der Marne geschlagen und Foch zwang sie im Jahre 1918 zu kapitulieren. Elsaß und Lothringen sind wieder französisch geworden. Das Ideal der guten Franzosen ist, nichts Gemeines zu tun, was das Gewissen befleckt. Dieses Ideal nennen sie die Ehre.

Doch wenn wir ein einziges Mal nur das größere Stück Brot, den tieferen Schluck Wasser, den sanfteren Schlaf am Abend als Besitz, den größeren Hunger nach Brot, den tieferen Durst nach Wasser, die sanftere Lust nach Schlaf als Verlangen,

die größere Religion, die tiefere Weltanschauung, den schöneren Tod als Gewißheit gehabt hatten, dann wurden wir inne, daß auch das größere Stück Brot, der
tiefere Schluck Wasser, der sanftere Schlaf am Abend nicht das größte Stück Brot,
der tiefste Schluck Wasser, der sanfteste Schlaf am Abend als Besitz waren, und
daß auch der größere Hunger, der tiefere Durst, die sanftere Lust nicht der größte
Hunger, der tiefste Durst, die sanfteste Lust als Verlangen waren, und daß die
größere Religion, die tiefere Weltanschauung, der schönere Tod nicht die größte
Religion, die tiefste Weltanschauung, der schönste Tod waren. Aber alles hat seine
Grenzen, und so haben auch Irgendland und Nirgendland ihre Grenzen, denn ein
größeres Stück Brot als das größte Stück Brot, einen tieferen Schluck Wasser als
den tiefsten Schluck Wasser, einen sanfteren Schlaf als den sanftesten Schlaf am
Abend als Besitz, einen größeren Hunger als den größten Hunger, einen tieferen
Durst als den tiefsten Durst, eine sanftere Lust als die sanfteste Lust als Verlangen,
eine größere Religion als die größte Religion, eine tiefere Weltanschauung als die
tiefste Weltanschauung, einen schöneren Tod als den schönsten Tod als Gewißheit
gibt es nicht, weil die Bedeutung eines Wortes sein Gebrauch in der Sprache ist.
Denn das größte Stück Brot, der tiefste Schluck Wasser, der sanfteste Schlaf am
Abend als Besitz, der größte Hunger nach Brot, der tiefste Durst nach Wasser, die
sanfteste Lust nach Schlaf als Verlangen, die größte Religion, die tiefste Welt-
schauung, der schönste Tod als Gewißheit sind nur im Irgendland das größte Stück
Brot, der tiefste Schluck Wasser, der sanfteste Schlaf am Abend als Besitz, der
größte Hunger nach Brot, der tiefste Durst nach Wasser, die sanfteste Lust nach
Schlaf als Verlangen, die größte Religion, die tiefste Weltanschauung, der schönste
Tod als Gewißheit, Aber im Nirgendland sind sie nicht nur nichts als ein Stück
Brot, ein Schluck Wasser, ein sanfter Schlaf am Abend als Besitz, ein Hunger nach
Brot, ein Durst nach Wasser, eine Lust nach Schlaf als Verlangen, eine Religion,
eine Weltanschauung, ein schöner Tod als Gewißheit, sondern darüberhinaus verboten, weil das vollkommene Nirgendland nur Nirgendland sein kann als Irgend-
land ohne Wunsch und Makel. Vollkommenes Nirgendland als vollkommenes Ir-
gendland ist wunsch- und makellos. Nichts ist deshalb gefährlicher, als im vollkom-
menen Nirgendland als vollkommenem Irgendland nach einem vollkommeneren,
oder gar nach dem vollkommensten Nirgendland zu streben. Aber das weiß jeder.
Max Bense Max Bill Max Frisch Max Niedermayer Max Reger Max Greger/ Max
Stirner Max Scheler Max Horkheimer Max Planck/ Max Dauthendey Max Tau
Max Pechstein Max von der Grün/ Max Reinhardt Max Ophyls/ Kaiser Max Max
Piccolomini/ Max Schmeling Max Morlock Maxi Herber/ Maxim Gorki/ Max und
Moritz Klettermaxe Schmiermaxe Mackie Messer Mac de Geldern

Friedrich Schiller: Max, du kannst mich nicht verlassen, es kann nicht sein, ich
mags und wills nicht glauben, daß mich der Max verlassen kann.

218

77. LEKTION

Ist der Endzweck

die Konstituierung der Menschheit
folglich der Ruin aller Staaten
oder der Ruin der Staaten
folglich die Vermenschlichung aller Konstitution
oder die Vermenschlichung der Konstitution
folglich die Verstaatlichung alles Ruins
oder die Verstaatlichung des Ruins
folglich die Konstituierung aller Menschheit

ist der Endzweck

die Konstituierung der Menschheit
folglich die Verstaatlichung alles Ruins
oder die Verstaatlichung des Ruins
folglich die Vermenschlichung aller Konstitution
oder die Vermenschlichung der Konstitution
folglich der Ruin aller Staaten
oder der Ruin der Staaten
folglich die Konstituierung aller Menschheit

ist der Endzweck

die Konstituierung des Ruins
folglich die Vermenschlichung aller Staaten

oder die Vermenschlichung der Staaten
folglich der Ruin aller Konstitution
oder der Ruin der Konstitution
folglich die Verstaatlichung aller Menschheit
oder die Verstaatlichung der Menschheit
folglich die Konstituierung alles Ruins

ist der Endzweck

die Konstituierung des Ruins
folglich die Verstaatlichung aller Menschheit
oder die Verstaatlichung der Menschheit
folglich der Ruin aller Konstitution
oder der Ruin der Konstitution
folglich die Vermenschlichung aller Staaten

oder die Vermenschlichung der Staaten
folglich die Konstituierung alles Ruins

ist der Endzweck

die Konstituierung der Staaten
folglich die Vermenschlichung alles Ruins
oder die Vermenschlichung des Ruins
folglich die Verstaatlichung aller Konstitution
oder die Verstaatlichung der Konstitution
folglich der Ruin aller Menschheit
oder der Ruin der Menschheit
folglich die Konstituierung aller Staaten

ist der Endzweck

die Konstituierung der Staaten
folglich der Ruin aller Menschheit
oder der Ruin der Menschheit
folglich die Verstaatlichung aller Konstitution
oder die Verstaatlichung der Konstitution
folglich die Vermenschlichung alles Ruins
oder die Vermenschlichung des Ruins
folglich die Konstituierung aller Staaten

Wenn ich einen Satz Bakunins in Frage stelle, dann lehre ich nicht eine Lehre,
sondern die Bedeutung der Wörter durch ihren Gebrauch in der Sprache. Indem
ich nun diesen Satz Bakunins in Frage stelle, stelle ich Weltbilder auf den Kopf.
Indem ich Weltbilder auf den Kopf stelle, stelle ich diesen Satz Bakunins in
Frage. Indem ich diesen Satz Bakunins auf den Kopf stelle, stelle ich Weltbilder
in Frage. Und indem ich Weltbilder in Frage stelle, stelle ich diesen Satz Bakunins auf den Kopf. Durch immer diesen zwiefachen Gebrauch der Wörter in der
Sprache, weil ja nun nicht mehr allein das Weltbild des blinden Urwillens von
Schopenhauer und des dunklen Drangs von Klages, sondern auch das Weltbild
des freien Blicks von Feuerbach und der reinen Vernunft von Immanuel Kant
bestehen und beide auf den Kopf gestellt werden, ist gut nicht nur gut, sondern
auch schlecht, und ist schlecht nicht nur schlecht, sondern auch gut. Bleibt also
der Boden für Anlieger und Pächter bereitet? Bleibt das Feld für Landleute und
Hörige beackert? Bleibt die Luft für Städter und Dörfler beschaffen? Bleibt
der Samen für Pflanzer und Siedler gelegt? Bleiben Einwanderer und Auswanderer vom Stapel gelassen? Bleiben Nachbarn und Fremde in Gang gebracht?
Bleibt die Tafel für Kötter und Genossen gedeckt? Oder werden auch sie mit
Stumpf und Stiel ausgerottet, dem Erdboden gleichgemacht, in Schutt und Asche

gelegt, in alle Winde zerstreut, über Bord geworfen, mit Füßen getreten, zu Hackfleisch gemacht?

(Monsieur und Madame Hickel, Fritz und die Kinder Dupont besichtigen den Justizpalast.) André (zu Fritz): Die Gesetze nennen wir das, wozu wir das Recht haben es zu tun oder nicht zu tun. Viele Menschen kennen nur ihre Rechte und nicht ihre Pflichten. Du hast das Recht, dich zu verteidigen, wenn man dich angreift. Du hast nicht das Recht, dir zu nehmen, was dir nicht gehört. Der, der nimmt, was anderen gehört, stiehlt. Er ist ein Dieb. Der, der tötet, um zu stehlen, ist ein Mörder. Der, der mordet, begeht einen Mord oder ein Verbrechen. Er ist ein Verbrecher. Die Leute, die die Reisenden auf den Straßen überfallen, sind Räuber. Man kann die Diebe und die Mörder nicht unbehelligt unter den rechtschaffenen Menschen herumspazieren lassen. Die Polizeibeamten suchen sie, und die Gendarmen nehmen sie fest. Dann führt man sie vor den Polizeikommissar, dann vor den Richter. Dieser sagt zum Beispiel zu ihnen: „Monsieur Chipard, Sie sind angeklagt, Monsieur Leriche 10 000 Franken gestohlen zu haben." Im allgemeinen gesteht ein Dieb seinen Diebstahl nicht. Der Staatsanwalt ist verpflichtet, ihm zu beweisen, daß er doch der Täter ist. Dieser Beweis ist einfach zu erbringen, wenn Zeugen den Dieb das Geld haben stehlen sehen und wenn der Diebstahl nicht allzu lang zurückliegt. Unglücklicherweise gibt es nicht immer Zeugen, und die Menschen wollen auch nicht immer zeugen. Wenn es ihrer gibt, dann stellt der Richter ihnen Fragen. Die Zeugen müssen schwören, die Wahrheit zu sagen. Aber Chipard verteidigt sich. Er nimmt sich einen Verteidiger oder Anwalt. Sieh, da ist einer! Dieser Herr in schwarzer Robe, das ist Maître Cartier, einer der größten Advokaten von Paris. Die Verbrecher werden von mehreren Justizbeamten, die das Gericht bilden, verurteilt. Die Gerichte sprechen Recht. Treten wir hier ein, wir werden eine Verhandlung sehen! (Sie betreten einen Saal.) Maître Dubaro (der Advokat): Nein, meine Herren, Macaire hat niemals gestohlen. Er ist des Diebstahls, dessen man ihn beschuldigt, gar nicht fähig. Sie müssen ihn gemäß des Rechts freisprechen, und das wird Gerechtigkeit sein. Ohne Zweifel wird man behaupten, Zeugen hätten ihn das Geld stehlen sehen. Aber was diese beiden Zeugen betrifft, so ist der eine einäugig, und der andere ist taub. Was soll man von solchen Zeugen halten, die nicht klar sehen und die nichts hören?

Doch es ist noch nicht jeder jedes, und es hat noch nicht jeder jedes, so wie noch nicht alle alles sind und noch nicht alle alles haben. Aber so wie dem, der kein Stück Brot hat, wenigstens ein Schluck Wasser und ein sanfter Schlaf am Abend, und dem, der keinen Schluck Wasser hat, wenigstens ein Stück Brot und ein sanfter Schlaf am Abend, und dem, der keinen sanften Schlaf am Abend hat, wenigstens ein Stück Brot und ein Schluck Wasser gebührt, so gebührt dem Blinden, der nicht sieht, daß er hören und gehen, und dem Tauben, der nicht hört, daß er gehen und sehen, und dem Lahmen, der nicht geht, daß er sehen und hören kann. Die, die hören und gehen, aber nicht sehen, sollen sehend werden, wie die, die gehen und sehen, aber nicht hören, hörend, und die, die sehen und hören, aber nicht gehen, gehend werden sollen, wie die, die einen Schluck Wasser und einen sanften Schlaf am Abend, aber kein Stück Brot haben, ein Stück Brot, und die, die ein Stück Brot und einen sanften Schlaf am Abend, aber keinen Schluck Wasser haben, einen Schluck Wasser, und die, die ein Stück Brot und einen Schluck Wasser, aber keinen sanften Schlaf am Abend haben, einen sanften Schlaf am Abend haben sollen. Und so wie die, die das größte Stück Brot haben, denen, die kein Stück Brot haben, ein Stück Brot von ihrem Stück Brot, und die, die den tiefsten Schluck Wasser haben, einen Schluck Wasser von ihrem tiefsten Schluck Wasser, und die, die den sanftesten Schlaf am Abend haben, denen, die keinen sanften Schlaf am Abend haben, einen sanften Schlaf von ihrem sanftesten Schlaf am Abend geben werden, so werden die, die hören und gehen, aber nicht sehen, von denen, die gehen und sehen sowie von denen, die sehen und hören, das Sehen, und die, die gehen und sehen, aber nicht hören, von denen, die hören und gehen sowie von denen, die sehen und hören, das Hören, und die, die sehen und hören, aber nicht gehen, von denen, die hören und gehen sowie von denen, die gehen und sehen, das Gehen empfangen. So wie dem Blinden sein Gesicht auf Kosten des Hellsichtigen, dem Tauben sein Gehör auf Kosten des Hellhörigen und dem Lahmen sein Gang auf Kosten des Flinken zukommt, so kommt dem Hungrigen sein Stück Brot auf Kosten des Fressers, dem Durstigen sein Schluck Wasser auf Kosten des Säufers und dem Schlaflustigen sein sanfter Schlaf am Abend auf Kosten des Penners zu.

André (zu Fritz): Das ist ein Diebstahlsprozeß. Die Richter hören, damit sie sich eine richtige Meinung bilden können, abwechselnd die Ansichten der Anklage und der Verteidigung. Wenn die Angeklagten als schuldig erkannt sind, dann werden sie zu einer Geldstrafe, zu Gefängnis oder zum Tode verurteilt. Die Unschuldigen werden freigesprochen. Aber es gibt nicht nur Diebe und Mörder. Wenn du zum Beispiel mit deinem Nachbarn nicht einig bist wegen einer Mauer, dann geht dieser sich zum Richter beschweren. Wenn du nicht bezahlen willst, was der Nachbar von dir verlangt, dann bist du verpflichtet, dir einen Anwalt zu holen, und schon hast du einen Prozeß am Hals.

Aber Monsieur Dupont redet nicht mehr davon, und mein leiblicher Vater kehrt es zum Besten. Madame Dupont legt ein gutes Wort ein, und meine leibliche Mutter legt sich ins Mittel. René, André, Jean, Roger, Suzanne und Alice Dupont strecken die Hand aus, und mein leiblicher Bruder sieht durch die Finger. Fritz Hickel läßt fünf gerade sein, und mein Onkel Fritz, mein Onkel Karl, mein Onkel Richard, mein Onkel Wilhelm und mein Onkel Kurt drücken ein Auge zu. Opa Dupont steckt sein Schwert in die Scheide, und meine Tante Berta, meine Tante Erna von der Fischbach, meine Tante Else, meine Tante Luise, meine Tante Erna von Liebergallshaus, Tante Trautchen, Gertrud und Lotte bewahren es in ihrem Schoß. Tante Adèle und Miß Mary sitzen unter dem Schatten des Ölbaums, und Hercule Poirot trinkt die Milch der frommen Denkungsart. Juppiter hat das Kriegsbeil begraben, und Jakob raucht die Friedenspfeife. Kaiser Karl V. baut goldene Brücken, und Perry Rhodan zieht darüber hin auf Friedenswacht.

André (zu Fritz): Pépin begegnet Roger am Ausgang der Schule und beginnt, ihn zu beschimpfen: Du Tölpel! Du Einfaltspinsel! Du Esel! Hast du mich nun genug beleidigt? sagt Roger. Geh doch, du Kalbskopf! fügt Pépin hinzu. Diese letzte Beschimpfung war kaum aus seinem Munde heraus, als Roger ihm mit der Hand ins Gesicht schlug. Und alle Gassenjungen, die dabeistanden, klatschten Beifall. Pépin stürzte sich auf Roger, als Monsieur Gillot herauskam: Hast du dich nicht geschämt, einen kleinen Jungen zu schlagen? sagt er zu ihm, schämst du dich nicht? Und er hat ihn ganz unfreundlich an den Ohren gezogen. Pépin ist weggegangen, rot, aber nicht vor Scham, sondern vor Zorn.

Hölderlin: Versöhnung ist mitten im Streit; und alles Getrennte findet sich wieder. Fichte: Der gesellschaftliche Trieb gehört demnach unter die Grundtriebe des Menschen. Lessing: Der Endzweck der Künste hingegen ist Vergnügen.

Eine ästhetische Realität:
die Gesellschaft als Kunstwerk
ein gesellschaftliches Kunstwerk:
die Realität als Ästhetik
eine reale Ästhetik:
das Kunstwerk als Gesellschaft
eine künstlerische Gesellschaft:
die Ästhetik als Realität

eine ästhetische Realität:
das Kunstwerk als Gesellschaft
eine künstlerische Gesellschaft:
die Realität als Ästhetik
eine reale Ästhetik:
die Gesellschaft als Kunstwerk
ein gesellschaftliches Kunstwerk:
die Ästhetik als Realität

eine ästhetische Gesellschaft:
die Realität als Kunstwerk
ein reales Kunstwerk:
die Gesellschaft als Ästhetik
eine gesellschaftliche Ästhetik:
das Kunstwerk als Realität
eine künstlerische Realität:
die Ästhetik als Gesellschaft

eine ästhetische Gesellschaft:
das Kunstwerk als Realität
eine künstlerische Realität:
die Gesellschaft als Ästhetik
eine gesellschaftliche Ästhetik:
die Realität als Kunstwerk
ein reales Kunstwerk:
die Ästhetik als Gesellschaft

ein ästhetisches Kunstwerk:
die Realität als Gesellschaft
eine reale Gesellschaft:
das Kunstwerk als Ästhetik
eine künstlerische Ästhetik:
die Gesellschaft als Realität
eine gesellschaftliche Realität:
die Ästhetik als Kunstwerk

ein ästhetisches Kunstwerk:
die Gesellschaft als Realität
eine gesellschaftliche Realität:
das Kunstwerk als Ästhetik
eine künstlerische Ästhetik:
die Realität als Gesellschaft
eine reale Gesellschaft:
die Ästhetik als Kunstwerk

Aber das sind für Monsieur Dupont, für Madame Dupont, für René, André, Jean,
Roger, Suzanne und Alice Dupont, für Fritz Hickel, für Opa Dupont, für Tante
Adèle und Miß Mary, für Juppiter samt Europa, Asteria, Leda, Antiope, Alkmene, Danae, Aegina, Mnemosyne, Proserpina und Semele, für Jakob, Lea, Bilha,
Silpa und Rahel, für Kaiser Karl V., für den Bischof von Utrecht und Overijsel,
für Jakob Fugger, für Karls Bruder Ferdi, für König Franz von Frankreich, für
die Abgesandten der Stadt Rom, für seine Eminenz, den Generalinquisitor, für

224

seine Heiligkeit, den Papst Clemens VII., für meinen Vater, für meine Mutter, für meinen Opa väterlicherseits, für meinen Opa mütterlicherseits, für meine Oma väterlicherseits, für meine Oma mütterlicherseits, für Vaters Muttersvater, für Vaters Muttersvatersvater, für Vaters Muttersvatersvatersvater, für Vaters Muttersvatersvatersvatersvater, für Vaters Muttersvatersvatersvatersvatersvater, für Vaters Muttersvatersvatersvatersvatersvatersvater, für Vaters Muttersvatersvatersvatersvatersvatersvater, für Vaters Muttersvatersvatersvatersvatersvatersvatersvater, für meinen Onkel Fritz, für meine Tante Berta, für meinen Onkel Karl, für meine Tante Erna von der Fischbach, für meinen Onkel Richard, für meine Tante Else, für meinen Onkel Wilhelm, für meine Tante Luise, für meinen Onkel Kurt, für meine Tante Erna von Liebergallshaus, für Tante Trautchen, Gertrud und Lotte, für Perry Rhodan und Hercule Poirot, für Ursassen und Beisassen, für Insassen und Hintersassen, für Bürger und Häusler, für Einwohner und Auswanderer, für Hauswirte und Untertanen, für Landleute und Hörige, für Nachbarn und Fremde, für Anlieger und Pächter, für Pflanzer und Siedler, für Städter und Dörfler, für After- und Untermieter, für Kötter und Genossen: Spinnen am Abend von Kopf bis Fuß, ungelegte Eier mit Haut und Haaren, Wolkenkuckucksheime mit Sack und Pack, Seifenblasen mit Leib und Seele, Hirngespinste mit Schuhen und Strümpfen, Luftschlösser von A bis Z, das ist für jeden, für mich, für dich, für ihn, für sie, für es, für uns, für euch, für sie, das ist für alle miteinander Zukunftsmusik mit Pauken und Trompeten, wenn wir nicht Wörter gebrauchen, um miteinander zu sprechen, damit wir durch ihren Gebrauch in der Sprache die Bedeutung dieser Wörter lernen. Noch ist es Zeit dazu.

le bureau de poste

78. LEKTION

(Es ist Donnerstag. Monsieur Dupont ist zu Hause geblieben, um Briefe zu schreiben. Roger, munter wie immer, spielt mit einer Maschine, deren Teile er richtet und zusammensetzt. Nachdem er sein Werk betrachtet hat, nimmt er es wieder auseinander und beginnt von neuem.) Monsieur Dupont (zu André): Du wirst mir diesen Brief an Monsieur Prunier zur Post bringen. Ich habe im letzten Jahr fünftausend Franken von ihm geliehen, und ich bin verpflichtet, sie ihm morgen zurückzuzahlen. Mit den Zinsen von 4% schulde ich ihm fünftausendzweihundert Franken. Du gehst bei meinem Bankier vorbei und läßt dir diese Summe auszahlen. Er wird sie von dem Geld nehmen, das ich bei ihm hinterlegt habe. Hier ist eine Quittung: Erhalten von Monsieur Richard, Bankier in Paris, die Summe von 5 200 Franken von meinem Konto, Nummer 6 250. Viroflay, den 6. Dezember, Pierre Dupont, Ingenieur. Zuvor wirst du auf die Post gehen. Du wirst fragen, ob ich keinen postlagernden Brief erhalten habe, und du wirst dieses Päckchen an Mister Scott nach London abschicken. Du weißt, er ist auch Ingenieur. Wir korrespondieren seit sechs Monaten lebhaft miteinander.

Monsieur Dupont und Mister Scott gehen mit Wörtern um, entsprechen sich mit Wörtern und stimmen mit Wörtern überein. Aber die Wörter, mit denen Monsieur Dupont und Mister Scott umgehen, sich entsprechen und übereinstimmen, sind Wörter für Dinge, und folglich gehen mit den Wörtern auch ihre Dinge miteinander um, entsprechen sich mit den Wörtern ihre Dinge und stimmen mit den Wörtern ihre Dinge überein. Monsieur Duponts und Mister Scotts Wörter sind ihre Vorstellungen, und Monsieur Duponts und Mister Scotts Dinge sind ihre Beispiele. Indem nun Monsieur Dupont und Mister Scott mit ihren Vorstellungen und mit ihren Beispielen durch Wörter und Dinge miteinander umgehen, sich entsprechen und übereinstimmen, kommen die Wörter und die Dinge, und mit ihnen die Vorstellungen und die Beispiele in Bewegung. Wörter und Dinge, Vorstellungen und Beispiele reisen durch die Welt, und die Sprachlehre aus Wörtern und Vorstellungen wird zur Weltreise aus Dingen und Beispielen. Diese Weltreise beginnt und endet, und diese Zeit ist die Zeit dieser Weltreise. Beginnend und endend innerhalb der Zeit dieser Weltreise, findet mit richtigen Wörtern der rechte Gebrauch für die deutsch-französische Verständigung und die Mitglieder des Gemeinsamen Marktes statt, und dieser Raum ist der Raum dieser Weltreise. Mit Monsieur Dupont und Mister Scott reise ich zum rechten

Gebrauch der Welt in einem Raum und in einer Zeit, und es entstehen Weltreise, Weltraum, Weltzeit. Ich reise zum rechten Gebrauch des Raumes in einer Welt und in einer Zeit, und es entstehen Raumreise, Raumwelt, Raumzeit. Ich reise zum rechten Gebrauch der Zeit in einer Welt und in einem Raum, und es entstehen Zeitreise, Zeitwelt, Zeitraum. Ich welte die richtigen Wörter der Reise in einem Raum und in einer Zeit, und es entstehen Reisewelt, Reiseraum, Reisezeit. Ich welte die richtigen Wörter des Raumes in einer Reise und in einer Zeit, und es entstehen Raumwelt, Raumreise, Raumzeit. Ich welte die richtigen Wörter der Zeit in einer Reise und in einem Raum, und es entstehen Zeitwelt, Zeitreise, Zeitraum.

Jean Paul: Nur Reisen ist Leben, wie umgekehrt das Leben Reisen ist. Novalis: Der Raum geht in die Zeit über. Bodenstedt: Wer die Welt will recht verstehn,/ muß ihr klar ins Auge sehn.

Ich räume zum rechten Gebrauch der Zeit in einer Welt und in einer Reise, und es entstehen Zeitraum, Zeitwelt, Zeitreise. Ich räume zum rechten Gebrauch der Welt in einer Zeit und in einer Reise, und es entstehen Weltraum, Weltzeit, Weltreise. Ich räume zum rechten Gebrauch der Reise in einer Zeit und in einer Welt, und es entstehen Reiseraum, Reisezeit, Reisewelt. Ich zeitige die richtigen Wörter des Raumes in einer Welt und in einer Reise, und es entstehen Raumzeit, Raumwelt, Raumreise. Ich zeitige die richtigen Wörter der Welt in einem Raum und in einer Reise, und es entstehen Weltzeit, Weltraum, Weltreise. Ich zeitige die richtigen Wörter der Reise in einem Raum und in einer Welt, und es entstehen Reisezeit, Reiseraum, Reisewelt.

André: Das Päckchen scheint mir ein bißchen zu schwer zu sein. Monsieur Dupont: Nein, es wiegt nur sechshundert Gramm. André: Muß ich es einschreiben lassen? Monsieur Dupont: Ja, du wirst es per Einschreiben schicken. Hier ist ein Brief, der an meinen Bruder Jacques in New York adressiert ist. Du wirst mir auch zehn Postkarten kaufen, und du wirst eine Postanweisung über fünfzig Franken an Monsieur Ramirez nach Madrid schicken. Suche seine Adresse in diesem Heft! Du wirst sie leicht finden. Ich möchte auch Briefpapier haben. Du wirst es im Schreibwarengeschäft kaufen. Du wirst mir auch Leim mitbringen. Hier, klebe die Briefmarken auf diese Briefe. Diese beiden hier gehen nach Frankreich, die anderen ins Ausland ab. Suzanne: Papa, ich habe auf dem Boden einen kleinen Topf Leim entdeckt, aber er ist nicht mehr flüssig, er ist steif. Ich werde Wasser dazutun. Weißt du, heute früh ist ein bißchen Schnee gefallen. Aber die Sonne hat ihn geschmolzen. Warum schickst du eigentlich so viele Briefe ins Ausland?

Für seinen Intellekt war es eine Notwendigkeit, daß er sich im Geiste ein physikalisch-mathematisches Modell für die Phänomene konstruieren konnte, die durch das Tor zur Zeit ausgelöst wurden. Er brachte auch eins zustande – vielleicht kein sehr gutes, aber es entsprach wenigstens ungefähr allen Anforderungen. Man denke sich eine glatte Fläche, ein Stück Papier oder, besser noch, ein seidenes Taschentuch – Seide, weil sie nicht starr ist und sich leicht falten läßt, dabei aber mit allen wesentlichen Eigenschaften eines zweidimensionalen Kontinuums durch die Oberfläche der Seide an sich ausgestattet ist. Sodann stelle man sich die Schußfäden als Dimension – oder Laufrichtung – der Zeit, die Kettfäden als die drei Dimensionen des Raumes vor. Ein Tintenfleck auf dem Taschentuch wird zum Zeittor. Indem man das Taschentuch faltet, drückt dieser Fleck sich auf irgendeiner anderen Stelle der Seide ab. Alsdann presse man die beiden Flecken zwischen Daumen und Zeigefinger zusammen; die Steuerung ist eingestellt, das Tor geöffnet, ein mikroskopischer Bewohner der Seide kann von dem einen Stück Stoff zum anderen hinüberkrabbeln, ohne einen Teil der Oberfläche des Tuches überqueren zu müssen. Das Modell ist unvollkommen, denn das Bild ist statisch; aber ein körperliches Bild ist notwendigerweise durch das Wahrnehmungsvermögen der darstellenden Person begrenzt. Er konnte zu keinem Schluß kommen, ob die Vorstellung des Übereinanderfaltens eines vierdimensionalen Kontinuums – dreier räumlicher und einer zeitlichen Dimension – um damit die „Öffnung" des Tores darzustellen, das Vorhandensein höherer Dimensionen zur Verwirklichung dieser Faltung erforderte oder nicht. Es schien zwar so, konnte aber genauso durch die begrenzte Fassungskraft des menschlichen Verstandes bedingt sein. Nichts als leerer Raum wurde für die „Faltung" benötigt, aber „leerer Raum" war auch so ein Ausdruck, der sich jeder formelmäßigen Deutung widersetzte – er kannte sich genügend in Mathematik aus, um das zu wissen. Wenn höhere Dimensionen nötig waren, um ein vierdimensionales Kontinuum zu „halten", waren die Dimensionen von Raum und Zeit notwendigerweise unendlich; eine jede Ordnung benötigte dann die nächsthöhere Ordnung, um sie zu halten. Aber „unendlich" war ein weiterer nicht fest zu umreißender Begriff. „Offene Reihe" war etwas besser, aber nicht viel.

Weltreise	Raumzeit
Weltreise	Zeitraum
Weltraum	Reisezeit
Weltraum	Zeitreise
Weltzeit	Reiseraum
Weltzeit	Raumreise
Reisewelt	Raumzeit
Reisewelt	Zeitraum

Reiseraum Weltzeit
Reiseraum Zeitwelt
Reisezeit Weltraum
Reisezeit Raumwelt

Raumwelt Reisezeit
Raumwelt Zeitreise
Raumreise Weltzeit
Raumreise Zeitwelt
Raumzeit Weltreise
Raumzeit Reisewelt

Zeitwelt Reiseraum
Zeitwelt Raumreise
Zeitreise Weltraum
Zeitreise Raumwelt
Zeitraum Weltreise
Zeitraum Reisewelt

Monsieur Dupont: Ich habe eine neue Maschine für Flugzeuge und Luftschiffe erfunden und habe dafür ein Erfindungspatent bekommen. Roger: Was ist ein Patent? Monsieur Dupont: Das ist ein Papier, ein Titel, den man vom Staat bekommt, und der gewisse Rechte verleiht. So habe ich beschlossen, für meine Maschine ein Patent in Amerika, in England und in Deutschland anzumelden. Gestern habe ich meinen Antrag abgeschickt. Ich habe auch die Absicht, eines in Japan, in Italien, in Belgien, in Spanien und in der Schweiz anzumelden, wenn mich das nicht zu teuer kommt. Wenn es zu schwierig ist, es in diesen Ländern zu bekommen, dann verzichte ich darauf, denn ich habe schon viel Geld ausgegeben. Ich hoffe sehr, daß man mir die drei anderen Patente bewilligt. Meine Partner versichern es mir. Ich werde es bald wissen. André: Das verpflichtet dich, eine Korrespondenz mit zahlreichen Ausländern zu unterhalten.

So ist durch den Gebrauch in der Sprache die Bedeutung der Wörter für die deutsch-französische Verständigung und die Mitglieder des Gemeinsamen Marktes entstanden. Der Umgang mit Wörtern wurde zur Entsprechung von Wörtern, die Entsprechung von Wörtern wurde zur Übereinstimmung von Wörtern, die Übereinstimmung von Wörtern wurde zum Umgang mit Wörtern. Die Bedeutung der Wörter, die Monsieur Durand Fritz zum Gebrauch in der Sprache und zur Verständigung sprechend gelehrt hat, und die Bedeutung der Wörter, die ich dich zum Gebrauch in der Sprache und zur Verständigung sprechend gelehrt habe, entspricht und stimmt überein mit der Bedeutung der Wörter, die Fritz von Monsieur Durand zum Gebrauch in der Sprache und zum Verstehen hörend gelernt hat, und mit der Bedeutung der Wörter, die du von mir zum Gebrauch in der Sprache und zum Verstehen hörend gelernt hast. Diese Entsprechungen und Übereinstimmungen aber sind auch die Entsprechungen und Übereinstimmungen der Vorstellungen und Beispiele. So wie die vorgestellten Vorstellungen und die beigespielten Beispiele sich entsprechen und übereinstimmen, so entsprechen sich und stimmen überein die vorgestellten Beispiele und die beigespielten Vorstellungen. So wie die vorgestellten Beispiele und die beigespielten Vorstellungen sich entsprechen und übereinstimmen, so entsprechen sich und stimmen überein die vorgespielten Vorspiele und die beigestellten Beistellungen. Und so wie die vorgespielten Vorspiele und die beigestellten Beistellungen sich entsprechen und übereinstimmen, so entsprechen sich und stimmen überein die vorgespielten Beistellungen und die beigestellten Vorspiele. So bist du also mit den Wörtern den Vorstellungen gefolgt (1, 2, 19, 23, 24, 30, 35, 36, 38, 39, 49, 50, 55, 59, 60, 61, 63, 64, 66, 67, 71, 73, 75, 77, 78), und mit den Vorstellungen bist du den Beispielen gefolgt. Du bist dem Beispiel der Familie Dupont von Louis Marchand (1–78), einer französischen Sprachlehre, dem Beispiel der Miß Mary von Gertrude Stein (2, 5, 7, 9, 12, 13, 16, 19, 23, 25, 30, 35, 49, 54) und dem Beispiel Perry Rhodans (9, 33, 36), einer amerikanischen Sprachlehre, dem Beispiel Hercule Poirots von Agatha Christie (39, 41, 44, 55, 60, 61, 63, 64), einer englischen Sprachlehre, dem Beispiel der Pfaffen und Polizisten (38, 64), einer spanischen Sprachlehre und schließlich dem Beispiel Hans und Gretes von Friedrich Spielhagen (19, 23, 29, 35), einer deutschen Sprachlehre, gefolgt. Aber Miß Mary und Perry Rhodan, Hercule Poirot und Hans und Grete sind in dieser Sprachlehre nicht mehr die Sprachlehren von Gertrude Stein und Perry Rhodan, von Agatha Christie und Friedrich Spielhagen, sondern es sind die zum rechten Gebrauch der richtigen Wörter gebrauchten Wörter von Gertrude Stein und Perry Rhodan, von Agatha Christie und Friedrich Spielhagen, aber kenntlich durch Unkenntlichkeit in einer neuen Sprachlehre, die sprechend zum Verständnis gelehrt und hörend zum Verstehen gelernt wird. Und so wie diese Sprachlehre in einem Zeitraum zugleich auch eine Weltreise in einer Raumzeit ist, befindest du dich, der du diese Sprachlehre im Irgendland hörend zum Verstehen gelernt hast, nun sprechend zur Verständigung auf dieser Weltreise ins Nirgendland der deutsch-französischen Verständigung und des Gemeinsamen Marktes. Du bist durch des Sokrates Wörter im Gespräch mit Glaukon, Polemarchos, Thrasymachos, Adeimantos und Kephalos aus dem Staate Platons gekommen (1, 2), du bist durch die Wörter des Thomas Morus ins Land Utopia gegangen (47, 67, 71), du bist des Tomaso Campanellas Wörter in die Sonnenstadt gefolgt (50, 67, 71), du bist mit den Wörtern des Francis Bacon auf die Insel Neu-Atlantis geraten (47, 50, 73), und schließlich bist du zum guten Ende mit den Wörtern des Robert A. Heinlein „By his Bootstraps" angelangt (78).

230

(Das Telefon klingelt.) Monsieur Dupont: Hallo! Hallo! Wen wünschen Sie zu sprechen? Monsieur Dupont? Das bin ich. Aber ich bin kein Mechaniker, ich bin Ingenieur. Ich repariere keine Maschinen, ich erfinde sie. Ich bin nicht Henri Dupont, ich bin Pierre Dupont. Sie haben mich mit dem Mechaniker Henri Dupont verwechselt. Diese Verwechslung geschieht leicht. Sie geschieht auch oft, und, nun höre ich nichts mehr als ein verworrenes Rauschen. Hallo! Ah, jetzt höre ich Sie wieder! Wie bitte, Sie sind verwirrt, daß Sie mich gestört haben? Aber ich bitte Sie! Nichts für ungut! Bonjour, Monsieur!